文史哲學集成

陳新雄著

重校增訂 音略證補

文史哲出版社印行

國家圖書館出版品預行編目資料

重校增訂音略證補 / 陳新雄著. -- 初版. -- 臺北市：文史哲，民 89 印刷
面： 公分. -- (文史哲學集成 ; 19)
ISBN 957-547-072-9(平裝)

1.中國語言 - 聲韻

802.46　　80003545

文史哲學集成 19

重校增訂 **音略證補**

著者：陳新雄
出版者：文史哲出版社
http://www.lapen.com.tw
登記證字號：行政院新聞局版臺業字五三三七號
發行人：彭正雄
發行所：文史哲出版社
印刷者：文史哲出版社
臺北市羅斯福路一段七十二巷四號
郵政劃撥帳號：一六一八〇一七五
電話886-2-23511028 · 傳真886-2-23965656

實價新臺幣四八〇元

中華民國六十七年（1978）九月增訂初版
中華民國九十五年(2006)二月增訂初版二刷

ISBN 957-547-072-9

增訂重校 音略證補

音略證補重刊賦事 代序

念年燈火校蟲魚。析字論音意皦如。
已有眞知承絕學，又翻舊典出新疏。
東坡萬里藏三卷，炎武千秋炳五書。
一脈相傳量守業，此生幸作瑞安徒。

邵博聞見後錄卷二十七：李方叔云：「東坡每出，必取聲韻、音訓、文字復置行篋中。」

予謂：學者不可不知也。

中華民國六十七年七月十四日夏正戊午六月初十日贛縣陳新雄賦於台北市和平東路鍥不舍齋

音略證補重印序(一)

自宋吳才老撢求古韻，勒爲專書，降及有清，作者益衆，顧江段王以下，成就斐然，至蘄春黃季剛先生乃集其大成。黃君邃于小學，尤善聲韻，廣韻一書，最所精究。由是引申觸類，旁推交通，以稽先秦舊音，明其聲韻演變之跡，考定古聲十九紐、古韻二十八部、今聲四十一紐、今韻二十三攝三百三十九類，皆能滙聚衆長，有所啓發。其說一出，並世學者，競相稱述，許爲清代古音學之殿後大師也。

黃君音學要旨，簡括於「音略」一篇，而文簡義深，初學之士，多不易明。吾師陳先生伯元乃撰「音略證補」，或證其未詳，或補其未備，無不融通新舊，闢啓閫奧，誠黃君之功臣也。且于補苴闡發之餘，復能採擷衆說，撮其精華，整理稽考，獨有所見。其論古聲紐也，則有群紐古歸匣之說，以正黃君群紐歸溪之未諦；其論古韻部也，則以黃君晚年所定三十部，增黃永鎭之肅部及王力之微部，創爲三十二部之說，淹貫博達，凌轢前修，可謂千秋定論矣。

近人研治音學，成積遠軼前清，然亦有硜硜自是者，好以一曲之見，譏評前賢，於黃君之學說，多所非議，而淺學寡見者，莫不景附響應，以致後學紛然莫辨，無所適從。今觀此書，正足以祛衆疑，啓坦途，使後學者無虞歧路之旁皇，而知所依歸也。

余資稟魯鈍，蒙師不棄，幸得親炙左右，飫聞勝義，于茲十有七年矣。今值本書重印，因敬述其始末於此，以爲讀斯篇者告。

于時歲次丁巳，民國六十六年十二月，受業林烱陽謹識于國立臺灣師範大學國文研究所。

音略證補重印序㈡

昔段若膺氏嘗言：「小學有形、有音、有義，三者互相求，舉一可得其二。……學者考字，因音以得其義。治經莫重乎得義，得義莫切於得音。」形義考求，易於着手，歷來研究，成績較著。獨音學一科，出乎口，入乎耳，時逾千載，地隔萬里，既不能起古人於九原，又不能躋吾身於三古，則欲明古今音韻源流，豈易言哉！

洎乎清代，徵實之學興，學者據詩韵、諧聲以考古音，而音學大明，三百年來，治音學者輩出，而集大成者，厥爲蘄春黃季剛先生。

顧黃先生治學謹嚴，平生不輕易著述，五十生日，餘杭章君嘗以聯語勉之曰：「韋編三絕今知命、黃絹初裁好著書。」黃君戲曰：「此明暗兩絕我也。」不幸一語成讖，是年竟卒。故著述傳世者稀。民國二十四、五年間，潘師石禪（重規）彙集黃君部分論著於南京，刊行於中央大學文藝叢刊二卷二期、三卷一期，題曰黃季剛先生遺著專號，都二册，今坊間黃侃論學雜著即據此刊印。其中音略一文，分略例、今聲、古聲、今韵、古韵、反切六目。乃其論音學之菁華，第以辭言簡略，殊未便於初學。

本師陳先生有見及此，屢語慶勳，擬爲董理。民國五十八年夏，先生方以古音學發微得文學博士，乃以其素所蓄積，於山居之暇，取黃君音略加以疏通補述，朞月而成，而文辭星爛，條理秩然。昔東原戴氏以平生所積，撰爲聲類表，五日竣事，段茂堂乃謂集諸家大成，蓋其精研爛熟，有以致之；余於伯元師之撰此書亦以爲然也。栞梓既成，乃用以壽景伊師六秩華誕。書顏證補者，自序所謂：證其所未詳，補其所未備也。

始本書初刋，師卽持一册相贈，並題簽相勉曰：「慶勳仁棣其善讀之」。余展卷恭讀，黃君音學精微，盡顯紙上，凡所批評，多中肎綮，又得旁羅參證，詳爲剖析，往日疑滯，渙然冰釋。自爾以來，以書相隨，時時籀閱，弗敢失墜。近年忝列上庠教席，爲諸生講授音學，遂以本書爲綱，諸生均頗能悟其義蘊。今全國各大學中文系，採本書爲教材者過半，可見其望重士林，裨益學術者矣；自版行以來，屢增附錄，則先生之於本書，仍續補充新材料。其視坊間鑿空之作，不猶黃鵠之與壤蟲乎。今以影印多版，字跡漫漶，遂付書局，打字重印。慶勳忝列門牆，感荷栽成，因藉重印之便，略綴數語，以述吾師著書顛末，爲讀者諸君告耳。

伯元師又有古音學發微、等韵述要、六十年來之聲韵學、中原音韵概要諸書，儻能取與本書參互比觀，則於音學之堂奧，亦可得其門而入矣。

民國六十六年十二月七日　門弟子林慶勳拜手敬書于臺北師經韵樓寄寓

音略證補自序

自顧亭林揭櫫『讀九經必自考文始，考文自知音始』之言以來，影響所及，有清三百年治聲韵之學者輩出，而蘄春黃君季剛（侃）集其大成。黃君音學要旨，又簡括於音略一篇，顧其書蘊義雖豐，而詞言則簡。故初學之士，多不易明。本師瑞安林先生景伊（尹），親炙黃君左右，十有餘年，最得心傳。比歲以來，主講於師範大學、政治大學、文化學院三校中文研究所。先生舌本粲華，情瀾弗歇，更兼誨人不倦，善誘循循，是以剖析疑滯，簡要清通，從學多士，皆隨資有成。余弱歲奉教，蒙師不棄，因得飫聞勝義，識其條緒，爾來十有四年矣。今歲己酉國曆十二月十三日（卽夏正十一月初五日）爲師六秩華誕，同門諸君，僉議印行論文集以資慶祝。余久荷栽成，沾溉最深，師恩浩蕩，感念無窮。竊惟黃君音學博大精深，不入其門，無以窺宗廟之美，百官之富。惟師而能傳之，而發揚光大之，誠所謂承先啓後，理舊揚芬者矣。用乃不揣檮昧，記載師說，旁考諸家，擷其菁華，而求易解，彙聚一編，爲師稱壽。以黃君音略爲本，證其所未詳，補其所未備，因名之曰音略證補云爾。大雅君子，幸垂教焉。

中華民國五十八年歲次己酉八月十五日陳新雄序於華岡。

增訂重校 音略證補

陳新雄

〔證〕　名之曰音略者，黃君聲韻通例云：『凡聲與韻相合爲音。凡音歸本於喉謂之韻。凡音所從發謂之聲；有聲無韻，不能成音。』本師瑞安林先生（尹）中國聲韵學通論云：『音之原質，由聲與韻結合而成也。蓋分之爲聲韻，合之則爲音也。』略者，段玉裁說文解字注云：『凡擧其要而用功少皆曰略，略對詳而言。』是則名曰音略者，蓋黃君之謙稱，猶言聲韻概要也。黃君音略一文，余所見本凡三：一爲制言第六期，一爲中央大學文藝叢刊黃季剛先生遺著專號；一爲張世祿輯黃侃論學雜著。本篇所據以證補者，即綜合以上三本，擇善而從。

一、略例　二、今聲　三、古聲　四、今韻　五、古韻　六、反切

〔證〕　此六者爲音略綱目。

壹、略例

今聲據字母三十六，不合廣韻；今依陳澧說，附以己意，定爲四十一。

〔證〕今聲者、謂切韵系韵書之聲紐也。切韵系韻書，今傳世者有切韻、唐韻、廣韻、集韵四書；切韻、唐韻皆殘缺不全。廣韻、集韻猶存，而此系韵書今傳世者，實以廣韻最古。廣韻蓋據切韻增廣而成，故其書首錄陸法言切韻序，以明淵源所自。廣韻一書全名爲大宋重修廣韻。今世所傳廣韻板本凡三：一爲詳本：行世者有張士俊澤存堂本，黎氏古逸叢書覆宋本，四部叢刊覆宋刊巾箱本。一爲略本：行世者有黎氏古逸叢書覆元泰定本，小學彙函明內府刊本，明德堂刊麻沙小字本，顧炎武翻刻明經廠本。一爲前詳後略本：行世者有曹楝亭五種本。詳本字多（二萬六千一百九十四字）注詳（一十九萬一千六百九十二言），卷首載陸、孫二序外，更有隋、唐撰集增字諸家姓氏及景德祥符二勑牒，卷末載有雙聲疊韵法等六則附錄。略本字少（二萬五千九百零二字）注略（一十五萬三千四百二十一言），卷首僅載孫序，又缺「論曰」以下一段，卷末亦無附錄。前詳後略本前四卷與詳本同，後一卷字少注略，與略本亦殊，卷末無附錄。此三者區別之大較也。字母三十六者，謂守溫三十六字母也。守溫何時人？今不可詳考，相傳爲唐末沙門，其所爲三十六字母乃據中華之音，而字母排列次弟則依倣涅槃比聲也。此三十六字母，乃唐末一時一地之音，與廣韻一書兼含古今方國之音性質不侔。其最大差異乃在字母之喻、照、穿、牀、審五母，廣韻切語上字均截然分爲二類。清番禺陳澧蘭甫（一八一〇——一八八二）撰切韵考以守溫字母乃自爲法以範圍古人之書，不能精密。因據反切上字必與本字雙聲之理，考廣韻切語上字，凡四百五十二字，系聯之得四十聲類。黃君又據陳氏所考廣韻四十聲類，更析明微爲二，故得四十一聲紐也。

古聲無舌上、輕脣、錢大昕所證明；無半舌日，及舌上娘，本師章氏所證明；定爲十九，侃之說也。前無所因，然基於陳澧之所考，始得有此。

〔證〕　清、錢大昕、曉徵（一七二八—一八〇四）著十駕齋養新錄，內有二文，一爲舌音類隔之說不可信，證明古無舌上音。一爲古無輕脣音，以爲『凡輕脣之音，古讀皆爲重脣。』餘杭章君炳麟太炎（一八六八—一九三六）著國故論衡內有古音娘日二紐歸泥說一文，以爲舌上之娘紐，半舌半齒之日紐，于古皆泥紐也。陳澧切韵考旣析字母之喩母爲「喩」「于」二類，照母爲「照」「莊」二類，穿母爲「穿」「初」二類，牀母爲「牀」「神」二類，審母爲「審」「山」二類。黃君更進而考明喩于者，影之變聲，照穿神審禪者，端透定之變聲，莊初牀山者，精清從心之變聲，羣者溪之變聲，邪者心之變聲，參以錢章二氏之說，證以等韵與廣韵古本韵之理，無不相合，乃定古聲爲十九紐。黃君論治爾雅之資糧一文，言及其理云：『古聲類之說，萌芽於顧氏，錢氏更證明古無輕脣，古無舌上，本師章氏證明娘、日歸泥，自陳蘭甫作切韵考，劃分照、穿、牀、審、禪五母爲九類，而後齒舌之介明，齒舌之本音明，大抵古聲於等韻只具一、四等，從而廣韵韵部與一四等相應者，必爲古本韻，不在一、四等者，必爲後來變韻，因是求得古聲類塙數爲十九。』

古聲旣變爲今聲，則古韵不得不變爲今韻，以此二物相挾而變，故自來談字母者，以不通古韻之故，往往不悟發聲之由來；談古韻者，以不憭古聲之故，其分合又無的證。清世兼通古今聲韻者，惟有錢大昕，餘皆有所偏闕，此所以待今日之補苴也。

〔證〕　音之變遷，不外乎聲變與韵變，此二者又交互影響，有時由於聲變而影響韻變，有時也因韻變而影響聲變。試以「中」字之音爲例，說明其變遷：

古　音　唐　代　元　代　國　語

中〔tjoŋ〕→〔tjuŋ〕→〔tʃiuŋ〕→〔tʂuŋ〕

中字上古音爲〔tjoŋ〕，聲母〔t〕受韻頭〔j〕同化爲〔ȶ〕，此乃韵影響聲變；中字元代官話爲〔tʃiuŋ〕，聲母由舌面塞音變爲舌尖面塞擦音，韻頭〔j〕變〔i〕，至近代官話（國語）聲母由〔tʃ〕變捲舌塞擦音〔tʂ〕，而韻頭〔i〕受聲母〔tʂ〕排擠消失。此卽因聲變而影響韵變。故黃君謂此二物相挾而變。若僅論字母，不明古韻，則後世發聲由何而來？自不能曉，若只論古韵，而不明古聲，則於韵母之流變亦不憭然。清世古音學家、若顧炎武、江永，段玉裁、王念孫、江有誥之流，於古韻研究、貢獻殊多，而於古聲紐尙茫然未之知也。於古聲古韵皆能兼通者厥爲錢大昕一人而已。錢氏十駕齋養新錄及潛研堂集於聲韵二者皆嘗討論而有所貢獻，故黃君以爲言也。

四聲，古無去聲，段君所說，今更知古無上聲，惟有平入而已。

〔證〕　段玉裁字若膺（一七三五—一八一五）著六書音均表，其古四聲說云：『古四聲不同今韵，猶古本音不同今韵也。考周、秦、漢初之文，有平上入而無去，洎乎魏、晉，上入聲多轉而爲去聲，平聲多轉爲仄聲，於是乎四聲大備而與古不侔。有古平而今仄者，有古上入而今去者，細意搜尋，隨在可得其條理，今學者讀三百篇諸書，以今韵四聲律古人，陸德明、吳棫皆指爲協句，顧炎武之書亦云平仄通押，去入通押，而不知古四聲不同今，猶古本音部分異今也。明乎古本音不同今韵，又何惑乎古四聲不同今韵哉！如戒之音亟，慶之音羌，享饗之音香，至之音質，可以類求矣。』段氏之論析古聲調，識見精微，足破前賢之壅滯，蓋考古必資審音，而後論事乃切，段氏古韵分部已優於昔賢，而其辨識四聲之有無，自亦超越往哲。於是進論古代聲調之實際，遂創古無去聲之說。其言曰：『古平上爲一類，去入爲一類，上與平一也，去與入一也。上聲備於三百篇，去聲備於魏、晉。』（古四聲說）其答江有誥論韵云：『古四聲之道有二無四，二者平入也。平稍揚之則爲上，入稍重之則爲去，故平上一類也，去入一類也，抑之揚之舒之促之，順逆交遞而四聲成。』至其古無去聲之證明，則擧其古韵十五部入聲之轉去聲者爲證：『至第十五部，古有入聲而無去聲，隨在可證，如文選所載班固西都賦「平原赤、勇士厲」而下，以厲、竄、穢、蹷、折、噬、殺爲韻，厲、竄、穢、噬讀入聲，左思蜀都賦「軌躅八達」而下，以達、出、室、術、駟、瑟、恤、爲韵，駟讀入聲，吳都賦「高門鼎貴」而下，以貴、傑、裔、世、轍、設、噎爲韵，貴、裔、世讀入聲，魏都賦「均田畫疇」而下，以劌、翳、悅、世爲韻，翳、世讀入聲。「髽首之豪」而下，以傑、闕、設、晣、裔、髮爲韻，晣、裔讀入聲。郭璞江賦以䭾、月、聒、㗰、豁、碣爲韵，䭾讀入聲。江淹擬謝法曹詩以汭、別、袂、雪爲韻，汭、袂讀入聲。擬謝臨川詩以缺、設、絕、澈、晣、泬、蔽、汭、逝、雪、穴、滅、澨、說爲韻，晣、蔽、納、逝、噬讀入聲。法言定韻之前，無去不可入，至法言定韻以後，而謹守者不知古四聲矣。他部皆準此求之。』段氏雖明古無去聲，而其『古四聲之道有二無四，二者平入也。』之言，實有以啓黃君古無上聲之說。黃君聲韵略說云：『古聲但有陰聲、陽聲、入聲三類，陰陽聲皆平也。其後入聲少變而爲去，平聲少變而爲上，故成四聲。近世段君始明古無去聲，然儒者尚多執古有四聲之說，其證明古止二聲者，亦近日事也。』聲韵通例云：『凡聲有輕重，古聲惟二類，曰平曰入，今聲分四類，重於平曰上，輕於入曰去。』至其古無上聲之證明，則有詩音上作平證一文。茲錄於后，以明其立說之根據。（上聲字規誌其旁。）

『沚○之事（采蘩）　昴○稠猶（小星）　苞誘○（野有死麕）　舟流憂酒○遊（柏舟）　諸士○處顧（日月）　菲○體○違死○（谷風）　遲違邇○畿薺○弟（同上）　我○我○我○爲何（北門兩見）　唐鄉姜上○（桑中）　虛楚○（定之方中）　旟都組○五○予○（干旄）　子○尤思之（載馳）　僩○咺○諼（淇奧）　甚○耽（氓）　隕○貧（同上）　湯裳爽○行（同上）　淇思之右母○（竹竿二章通韻）　廣○杭望（河廣）　期哉塒矣○來思（君子于役）　蒲許○（揚之水）　罦造○憂覺（兔爰）　子○里○杞○之母○（將仲子）　手○魗好○（遵大路）　洧○思士○（褰裳）　溥婉○願（野有蔓草）　唯○歸水○（敝笱）　湯彭蕩○翔（載驅）　哉其矣○之之思（園有桃兩見）　子○巳○哉止○岵○母○（陟岵二章通韻）　弟偕死○（同上）　皓○繡鵠憂（揚之水）　罙○巳○涘○之右之沚○（蒹葭）　有○梅止○裘哉（終南）　湯上○望（宛丘）　之之巳○矣○梅止○之（墓門二章通韻）　楚○華家（隰有萇楚）　梅子○絲絲騏（鳲鳩）　火○衣（七月兩見）　瓜壺苴樗夫圃○稼（同上兩章通韻）　霜場饗○羊

堂觥疆 同上 雨。土。戶。予。据荼租瘏家 鴟鴞二章通韻 駸諗。四牡 韡。弟威懷 常棣二章通韻 阪。衍。踐。遠。愆 伐木 享。

嘗王疆 天保 郊旐。旄 出車 偕邇。杕杜 旨。偕 魚麗 有。時 同上 臺萊子。基子。期 南山有臺 瀼光爽。忘 蓼蕭

藏貺饗。彤弓 饎猶醜。采芑 父。牙居 祈父 野。樗故居家 我行其野 巖瞻惔談斬。監 節南山 師。氏。毗

維迷師 同上 定生甯酲成政姓領。騁。同上二章通韻 酒。殽 正月 交。卯。醜。十月之交 時謀萊矣。同上 訛。哀違依

底。小旻 猶集咎。道。同上 止。否。謀 同上 且。辜幠 巧言 盟長。同上 伊幾。同上 丘子。詩子。之 巷伯

嵬死。萎怨 谷風 子。來子。服子。裘子。試 大東 冥熲。無將大車 雝。重 同上 子。息直之福 小明 蹌羊嘗亨將

祊明皇饗。慶疆 楚茨 廬瓜菹祖。祜。信南山 享。明皇疆 同上 穉火。萋祁私穉穧穗利 大田二章通韻 左。宜 裳裳

者華 扈。羽。胥祜。桑扈 上。柄臧 頍弁 仰。行 車舝 旨。偕 賓之初筵 反。幡遷僊 同上 股。下。紓予。采菽 反。遠。

遠。然 角弓二章通韻 駒後。饇取。同上 卑。疷。白華 虎。野。夫暇 何草不黃 時右已。子。文王二章通韻 上。王方商京行王王

大明三章通韻 飴謀龜時茲止。右理。畝。事 緜二章通韻 屏。平 皇矣句上韻 芑。仕。謀子。哉 文王有聲 道。草。茂苞秀好。生民

時。祀。悔 同上 句鍭樹侮。主。醹斗耇。行葦二章通韻 時子。既醉 原繁宣歎巘。原 公劉 依濟。几。依 同上 茲

饎子。母。泂酌 板。癉。然遠。管。亶遠。諫 板 賊則李。子。絲基 抑二章通韻 子。否。之事之耳。子。同上 子。止。謀悔。國

忒德棘 同上 翩泯。燼頻 桑柔 將往。競梗。同上 伯馬。居土。崧高 茹吐。甫。茹吐。寡。禦。舉。圖舉。助。補。祖。烝民

三章連韻 祖。屠壺魚蒲車且胥 韓奕 土。訏。甫。噳。虎。居譽 同上 首。休考。壽。江漢 引。頻 召旻二章連韻 里。里。哉舊

同上 典。禋 維清 方饗。我將 秭。醴。妣。禮。皆 豐年 王章陽央鶬光享。載見 之思哉士。茲子。止。敬之

耘畛。載芟 止。之思思 賚 馬。野。者。騢魚祛邪徂 駉 水。芹旂 泮水 林。黮音琛金 同上 武。緒。野。虞女。旅。

父。魯。宇。輔。閟宮二章通韵 與。鼓。祖。假。那 彊。衡。鶬。享。將。康。穰。饗。嘗。將 烈祖 河。宜。何。玄鳥 共。厖。龍。勇。動。竦。總。長發 鄉。湯。羌。享。王。常 殷武』

黃君不僅就詩音以明古無上聲，更索之於形聲字之偏旁，知古惟平後始轉而爲上。其言曰：『以偏旁言之，聲子聲母全在上聲者絕稀。如子孜，鄭讀子諒爲慈良，古亦平。⿰忄采⿰忄采讀若猜。』黃永鎮古音學源流引。

『補』關於古代聲調，黃君謂古惟平入二聲，然學者多謂古有四聲，若王念孫、江有誥、夏燮、劉逢祿皆其人也。古代聲調究奚似？吾人觀察詩經用韵，其平上去入四聲分用不雜他調者固多，而平與上韵，去與入韵之章亦頗不少。此當如何解釋？本師瑞安林先生嘗以爲就詩中用韻四聲分用之現象看，可能古人實際語音中確有四種不同之區別在。而就詩平上合用，去入合用之現象看，古人觀念上尚無後世四聲之區別。古人於觀念上雖無四聲之辨，而於聲之舒促則固已辨之矣。後世之所謂平上者，古皆以爲平聲，卽所謂舒聲也。後世之所謂去入者，古皆以爲入聲，卽所謂促聲也。因古人實際語音上已有四聲區別之存在，故詩中四聲分用畫然。又因其觀念上惟辨舒促，故平每與上韻，去每與入韻。林師此說，最爲通達，於詩中所表現之兩種現象，皆能兼顧，而解釋亦無所躓礙。近人王力漢語史稿亦有類似之見，其言曰：『先秦的聲調分爲舒促兩大類，但又細分爲長短，舒而長的聲調就是平聲，舒而短的聲調就是上聲，促聲不論長短，我們一律稱爲入聲，長入到了中古變爲去聲（不再收 -p 、-t 、-k ），短入仍舊是入聲。』按王氏所謂舒長、舒短、促長、促短之區別，卽本師林先生所謂古人實際語音上已有不同之區別，而其所謂舒促兩大類之分，卽本師林先生所謂古人在觀念上已有之區別也。王氏之所謂舒聲者，實際上包含陰聲陽聲二類；王氏所謂促聲者，卽入聲也。易言之，舒促兩類之別，乃指韵尾輔音有無 -p、-t、-k 而言，卽韻尾輔音有 -p、-t、-k 者爲促聲，無者爲舒聲。然韻尾輔音 -p、-t、-k 之有無，乃屬韻母之音質問題，古人於韵母之爲陰聲—不收任何輔音韻尾，陽聲—收鼻音韻尾，入聲—收輔音韻尾、此類音質上之差異，蓋易區別；至舒促兩類又分長短，所謂長短乃調值問題，實指元音留聲之久暫而言，此在古人，雖能分但非絕對能分，尤其是在觀念上恐尚無此區別。綜上所論，吾人可說，古人在實際語音上可能如王氏所云有舒促長短之異，而在觀念上則僅有舒促（或者直稱之爲平入亦無不可）兩類之辨。因其實際上有此四種區別存在，故四聲每每分用；而其觀念上僅辨舒促，故平上爲一類（同爲舒聲），去入爲一類（同爲促聲），平與上多互用者，以其同爲舒聲，韻尾收音相同也。（同收鼻輔音韻尾陽聲，或同無輔音韻尾陰聲）去與入多合用者，以其同爲促聲，韻尾收音亦相同也。（同爲清塞音輔音）

陰陽對轉，戴君所啓發，孔廣森亦遵用之，而不能配合廣韻。又陽聲配入如東董送屋，自來無誤，而陰聲配入如之止志職，自切韻指掌圖以來多誤，雖江永不免，今用戴君之理，列爲今音七十二類對轉表，此亦古所無也。

〔證〕　陰聲者，其音下收於喉，而不上揚；陽聲則不下收而上出於鼻。要而言之，實同一母音，所異者則「陽聲」帶鼻音，「陰聲」不帶鼻音而已。陰聲陽聲古人韻部雖分析甚嚴，然未嘗顯言分別之故，亦無名稱以表明之，名稱之立，實萌芽於戴震，震字東原（一七二三—一七七七）著有聲韻考與聲類表二書，戴氏答段若膺論韻書云：『僕審其音，有入者，如氣之陽，如物之雄，如衣之表；無入者，如氣之陰，如物之雌，如衣之裏，又平上去三聲近乎氣之陽，物之雄，衣之表；入聲近乎氣之陰，物之雌，衣之裏，故有入之入，與無入之去近，得其陰陽雌雄表裏之相配，而侵以下九韻獨無配，則以其爲閉口音，而配之更微不成聲也。』戴氏雖未明言陰聲陽聲之名，然其陰陽雌雄表裏諸語已可盡其形容。孔廣森字衆仲（一七五二—一七八六）著詩聲類，本戴氏之旨，正式揭橥陰聲陽聲之名，倡明陰陽對轉之理，亦自孔氏始。其詩聲類自序云：『本韻分爲十八，乃又剖析於斂侈清濁豪釐纖眇之際，曰元之屬，耕之屬，眞之屬，陽之屬，東之屬，冬之屬，侵之屬，蒸之屬，談之屬，是爲陽聲者九；曰歌之屬，支之屬，脂之屬，魚之屬，侯之屬，幽之屬，宵之屬，之之屬，合之屬，是爲陰聲者九；此九部者，各以陰陽相配而可以對轉。』至其對轉之法則云：『入聲者，陰陽互轉之樞紐，而古今變遷之原委也。舉之咍一部而言之，之之上爲止，止之去爲志，志音稍短則爲職，由職而轉則爲證、爲拯、爲蒸矣；咍之上爲海，海之去爲代，代音稍短則爲德，由德而轉則爲嶝、爲等、爲登矣。推諸它部，耕與佳相配，陽與魚相配，東與侯相配，冬與幽相配，侵與宵相配，眞與脂相配，元與歌相配，其間七音遞轉，莫不如是。』廣韻專以入聲配陽聲，切韻指掌圖則以入聲兼配陰陽。然切韵指掌圖以入配陰，所配多誤，如以鐸配豪，以屋沃配模、以德配侯，以曷配咍之類，蓋其誤之尤者也。江永字愼修（一六八一——一七六二）著有古韻標準、音學辨微、四聲切韵表諸書，其四聲切韻表亦以入聲兼配陰陽，其入之配陰，亦有誤者，如以藥配虞之類。黃君綜合各家，用戴氏之理，列爲今音七十二類對轉表。即其廣韻聲勢及對轉表也，茲錄於后：

歌　戈　曷　末　屑　寒

陰聲（平上去）	入聲	陽聲（去上平）	聲勢	韻母
歌 哿 箇			開洪	阿
	曷	翰 旱 寒	開洪	遏 安
戈一 果 過			合洪	倭
戈二			開細	○
戈三			合細	○
	泰一		開洪	藹
	泰二 末	換 緩 桓	合洪	儈 斡 豌
皆一 駭 怪一	黠一	諫一 潸一 刪一	開洪	挨 軋 ○
皆二 怪二	黠二	諫二 潸二 刪二	合洪	○ 婠 彎
	夬一 鎋一	襉一 產一 山一	開洪	○ 鶡 黰
	夬二 鎋二	襉二 產二 山二	合洪	黵 ○ ○

桓先類弟一

聲						
陰聲						右六類爲一攝收舌
入聲	屑一	屑二	祭一薛一	祭二薛二	廢一月一	廢二月二	右八類爲一攝
陽聲	霰一銑一先一	霰二銑二先二	線一獮一仙一	線二獮二仙二	願一阮一元一	願二阮二元二	右十二類爲一攝
聲勢	開細	合細	開細	合細	開細	合細	
韻母	噎煙	抉淵	○緆焉	○妜娟	○謁蔫	穢嬮鴛	

灰沒痕魂

聲	平上去					
陰聲			灰賄隊		脂一旨一至一	脂二旨二至二
入聲		麧（圈）	沒	櫛	質一	質二
陽聲	去上平	恨很痕	慁混魂	臻	震一軫一眞一	震二軫二眞二
聲勢		開洪	合洪	開洪	開細	合細
韻母		○恩	隈頵盌	○○	伊一因	○○贇

加○者，但有脣音，後仿此

類第二

聲	微	微	術	說明
陰聲	微一尾一未一	微二尾二未二		右五類爲一攝收舌
入聲	迄	物	術	右八類爲一攝
陽聲	焮隱殷	問吻文	稕準諄	右七類爲一攝
聲勢	開細	合細	合細	
韻母	依○殷	威鬱慍	○○	

齊錫青類第

聲							說明
陰聲（平上去）	佳一蟹一卦一	佳二蟹二卦二	齊一薺一霽一	齊二薺二霽二	支一紙一寘一	支二紙二寘二	右六類爲一攝收舌
入聲	麥一	麥二	錫一	錫二	昔一	昔二	右六類爲
陽聲（去上平）	諍一耿一耕一	諍二耿二○耕二	徑一迥一青一	徑二迥二青二	勁一靜一淸一	勁二靜二淸二	右六類爲一攝
聲勢	開洪	合洪	開細	合細	開細	合細	
韻母	娃戹罌	蛙○泓	鷖○○	烓○○	漪益嬰	逶○縈	

三 近鼻一攝

四 模鐸唐類弟

陰聲 平	模	麻一	麻二	麻三			魚	虞	
陰聲 上	姥	馬一	馬二	馬三	馬○四		語	麌	
陰聲 去	暮	禡一	禡二	禡三			御	遇	

右七類爲一攝收鼻陰聲

入聲	鐸一	鐸二	陌一	陌二	陌三	陌四	藥一	藥二

右八類爲一攝入聲

陽聲 平	唐一	唐二	庚一	庚二	庚三	庚四	陽一	陽二	
陽聲 上	蕩一	蕩二	梗一	梗二	梗三	梗四	養一	養二	
陽聲 去	宕一	宕二	敬一	敬二	敬三	敬四	漾一	漾二	
聲勢	開洪	合洪	開洪	合洪	開細	合細	開細	合細	合細
韻母		烏	鴉	窊	○	○		於	紆
	惡	雘	啞	○	○	○	約	嬳	
	鴦	汪	○	○	霙	○	央	○	

右八類爲一攝陽聲

侯屋東類第五

平上去
侯一厚一候一
侯○二厚○二候○二
尤一有一宥一
尤○二有○二宥○二
幽一黝一幼一
幽○二幼○二
右六類爲一攝收鼻

陰聲

屋一
屋二
右二類爲一攝

入聲

去上平
送一董一東一
送二東二
右二類爲一攝

陽聲

聲勢	開洪	合洪	開細	合細	開細	合細
韻母	謳	○屋翁	憂	○郁○	幽	○

豪蕭沃多

平上去
豪一皓一号一
豪○二皓○二号○二
肴一巧一效一
肴○二巧○二效○二

沃
覺

去上平
宋㊣湩冬
絳講江

聲勢	開洪	合洪	開洪	合洪
韻母	爊	○沃○	⿰幽頁	○渥胦

類弟六

蕭　筱　嘯
宵一　小一　笑一
宵〇二　小〇二　笑〇二
右七類為一攝收鼻
陰聲

燭
右三類為一攝
入聲

用　腫　鍾
右三類為一攝
陽聲

聲勢：開細　開細　合細

韻母：幺　妖　〇〇〇

哈德登類弟七

平　上　去
哈一　海一　代
哈〇二　海〇二
之　止　志
右三類為一攝收鼻近脣
陰聲

德一　德二　職一　職二
右四類為一攝
入聲

去　上　平
嶝一　等一　登一
嶝〇二　等〇二　登二
證一　拯　蒸一
證〇二　蒸〇二
右四類為一攝
陽聲

聲勢：開洪　合洪　開細　合細

韻母：哀餕〇　〇〇〇　醫憶膺　〇〇

盍帖談添類弟八

平上去

盍
洽
狎
帖
葉
業

右六類爲一攝收脣

去	上	平		
闞一	敢一	談一	開洪	鱔○
	敢○二	談○二	合洪	○
陷	賺	咸	開洪	蹅猎
鑑一	檻	銜一	開洪	鴨○
鑑○二		銜○二	合洪	○
㮇	忝一	添	開細	○○
	忝○二		合細	○
艷一	琰一	鹽一	開細	魘懕
艷○二	琰○二	鹽○二	合細	○
釅一	儼	嚴	開細	腌醃
釅○二			合細	○

右十一類爲一攝

陰聲（平上去）	入聲	陽聲（去上平）	聲勢	韻母
	合	勘感覃	開洪	姶諳
	緝一	沁寑一侵	開細	揖愔
	緝○二	寑○二	合細	○○
	乏一	梵一范一凡一	開細	○○
	乏○二	梵○二范○二凡○二	合細	○○
	右五類爲一攝收脣	右五類爲一攝		

合覃類弟九

大凡九類二十六攝，七十二對轉，三百三十九小類。古音通轉之理，前人多立對轉之名；今謂對轉於音理實有，其餘名目皆可不立，以雙聲疊韻二理，可赅括無餘也。

〔證〕　餘杭章君國故論衡成均圖言古音通轉之例，有近旁轉、次旁轉、正對轉、次對轉、交紐轉、隔越轉諸目。按旁轉對轉者，實音學史上常見事實。所謂旁轉，就現象言，乃陰聲韵部與陰聲韵部間，或陽聲韵部與陽聲韵部間，有互相協韻及假借或形聲字有互相諧聲之現象稱之；就音理言，乃從某一陰聲或陽聲韵部，因舌位高低前後之變化，而成爲另一陰聲或陽聲韵部者是也。至於對轉，乃陰聲加收鼻音而成陽聲，或陽聲失落收鼻音而成爲陰聲是也。又音聲之變，往往經由旁轉對轉二歷程，卽所謂次對轉者是也。是則章君所立諸例，惟交紐、隔越二目可以雙聲相轉釋之，餘皆不可棄也。胡以魯云：『所謂旁轉對轉者，音聲學理所應有，方音趨勢所必至也。』是以黃君與人論治小學書亦云：『當知旁轉對轉之理，卽具廣韵中，對轉者，一陰聲與一陽聲同入而相轉；旁轉者，一陰聲與一陰聲部類相近而相轉，陽聲準是；旁對轉者，一陰聲與一陽聲不同入而相轉，其陽聲對轉之陰聲，必與此陰聲爲旁轉，陽聲準是。』由是觀之，黃君亦未摒棄旁轉與次對轉之名也。

凡所祖述諸家，約舉之如左：

宋鄭庠、明顧炎武、清江永、戴震、錢大昕、段玉裁、孔廣森、王念孫、嚴可均、陳澧，及我親敎大師章氏。余幸生諸老先生之後，開其蔽朦，而獲得音學之定理。施於政學，或足以釋疑定紛。其有潤色，以俟當來後世知音君子。

〔證〕　宋鄭庠作詩古音辨，分古韻爲六部，實古韻分部之始。其書今已不傳，其說見於毛奇齡古今通韻略例，戴震聲韻考，段玉裁六書音韵表及夏炘詩古韵表廿二部集說所稱引。明顧炎武字寧人（一六一三—一六八二）著有音學五書。五書爲音論，泛論音韻問題。共三卷十五篇，計上卷三篇：㈠古曰音今曰韻㈡韻書之始㈢唐宋韵譜之異同。中卷六篇：㈠古人韵緩不煩改字㈡古詩無叶音㈢四聲之始㈣古人四聲一貫㈤入爲閏聲㈥近代入聲之誤。下卷六篇：㈠六書轉注之解㈡先儒兩聲各義之說不盡然㈢反切之始㈣南北朝反語㈤反切之名㈥讀若。諸篇皆引論古說以相佐證，實其音學五書之綱領也。詩本音乃就詩韻，參以他書，以明古音原作是讀，非由遷就，故曰本音。易音者卽周易以求古音也。唐韵正辨沈氏以來分部之誤，而一一以古定之。並引經傳之文以正之，故卷帙浩博。古音表二卷，分古韻爲十部。江永著古韻標準分古韵爲十三部，另有音學辨微及四聲切韵表則辨今韵之書。戴震著聲韻考、聲類表二書分古韵爲九類廿五部。錢大昕著十駕齋養新錄及潛研堂集，養新錄卷五，潛研堂集卷十五皆論古今聲韵之著。段玉裁著六書音均表分古韵爲十七部，古韵分部大致就緒。孔廣森著詩聲分例、詩聲類二書分古韵爲十八部，倡明陰陽對轉。王念孫字懷祖（一七四四—一八三二）著古韻譜分古韵爲廿一部。嚴可均字景文（一七六二—一八四三）著說文聲類分古韵爲十六部，闡發對轉泛轉之理。陳澧撰切韵考內外篇考明今音最具貢獻。餘杭章君著文始國故論衡分古韵爲廿三部，考正古聲爲廿一紐。

貳、今聲

僧守溫三十六字母如左：

見、溪、羣、疑（牙音）端、透、定、泥（舌頭音）知、徹、澄、娘（舌上音）邦、滂、並、明（重脣音）非、敷、奉、微（輕脣音）精、清、從、心、邪（齒頭音）照、穿、牀、審、禪（正齒音）影、喻、曉、匣（喉音）來（半舌音）日（半齒音）

〔證〕明呂介孺同文鐸云：『大唐舍利刱字母三十，後溫首座益以「孃」「牀」「幫」「滂」「微」「奉」六母，是爲三十六母。』是則三十六字母之前，固尙有三十字母爲其權輿也。三十字母，亡佚已久，昔人罕有言者，近燉煌石室發見守溫韻學殘卷，標題已失，首署「南梁漢比丘守溫述」八字，其中所載字母，數祇三十，茲據其排列錄后：

脣音　不、芳、並、明。

舌音　端、透、定、泥是舌頭音。

知、徹、澄、日是舌上音。

牙音　見、君、溪、羣、來、疑等字是也。

齒音　精、清、從是齒頭音。

審、穿、禪、照是正齒音。

喉音　心、邪、曉是喉中音清。

匣、喻、影亦是喉中音濁。

以上三十字母，較今傳三十六字母，少「幫」「滂」「奉」「微」「牀」「娘」六字，適符呂介孺同文鐸之說，此蓋唐舍利所敍，而守溫據以修改增益者也。

依陳君所考，照、穿、牀、審、喻各分二類；而明、微合爲一類。據廣韻反切上一字考得之。侃以爲明微應分二類，實得聲類四十一。

〔證〕　陳澧既以三十六字母乃自爲法以範圍古人之書，故撰切韻考乃依據系聯條例而考廣韻反切上字得四十聲類。茲錄陳氏系聯廣韻反切上字之條例於后：

㈠基本條例：『切語之法，以二字爲一字之音，上字與所切之字雙聲，下字與所切之字疊韻，上字定其清濁，下字定其平上去入，上字定清濁而不論平上去入，如東德紅切，同徒紅切，東德皆清，同徒皆濁也，然同徒皆平可也，東平德入亦可也，下字定平上去入而不論清濁，如東德紅切，同徒紅切，中陟弓切，蟲直弓切，東紅、同紅、中弓、蟲弓皆平也，然同紅皆濁，中弓皆清可也。東清紅濁、蟲濁弓清亦可也。東同中蟲四字，在一東韻之首，此四字切語已盡備切語之法，其體例精約如此，蓋陸氏之舊也，今考切語之法，皆由此而明之。

切語上字與所切之字爲雙聲，則切語上字同用者，互用者，遞用者聲必同類也。同用者如冬都宗切，當都郎切，同用都字也。互用者如當都郎切，都當孤切，都當二字互用也。遞用者如冬都宗切，都當孤切，多字用都字，都字用當字也。今據此系聯之爲切語上字四十類。』

㈡分析條例：『廣韻同音之字不分兩切語，此必陸氏舊例也。其兩切語下字同類者，則上字必不同類，如紅戶公切，烘呼東切，公東韻同類，則戶呼聲不同類，今分析切語上字不同類者，據此定之也。』

㈢補充條例：『切語上字既系聯爲同類矣，然有實同類而不能系聯者，以其切語上字兩兩互用故也。如多得都當四字聲本同類，多得何切，得多則切，都當孤切，當都郎切，多與得、都與當兩兩互用，遂不能四字系聯矣。今考廣韻一字兩音者互注切語，其同一音之兩切語上二字聲必同類，如一東涷德紅切又都貢切，一送涷多貢切，都貢多貢同一音，則都多二字實同一類也。今於切語上字不系聯而實同類者，據此以定之。』

陳氏據其系聯條例，系聯廣韻切語上字，於字母喻、照、穿、牀、審五母皆當分爲二類。陳氏曰：

『余(以諸)餘予夷(以脂)以(羊己)羊(與章)弋(與職)翼與(余呂)營(余傾)移(弋支)悅(弋雪)此爲喻之類(喻羊戌切)〇于(羽俱)羽雨(王矩)云雲(王分)王(雨方)韋(雨非)永(于憬)有(云久)遠(雲阮)榮(永兵)爲(薳支)洧(榮美)筠(爲贇)（黃君稱之曰爲類）廣韻切語此十四字與上十二字不同類，字母家併爲一類，以上十二字爲四等，此十四字爲三等。

之(止而)止(諸市)章(諸良)征(諸盈)諸(章魚)煑(章與)支(章移)職(之翼)正(之盛)旨(職雉)占(職廉)脂(旨移)此爲照之類(照之少切)〇莊(側羊)爭(側莖)阻(側呂)鄒(側鳩)簪(側吟)側仄(阻力)（黃君稱之曰莊類）廣韻切語此七字與上十二字聲不同類，字母家併爲一類，以上十二字爲三等，此七字爲二等。

昌尺良尺赤昌石充昌終處昌與叱昌栗春昌脣此爲穿之類穿昌緣切〇初楚居楚創舉創瘡初良測初力叉初牙廁初吏犓測隅（黃君稱之曰初類）廣韻切語此八字與上七字聲不同類，字母家併爲一類，以上七字爲三等，此八字爲二等。

牀士莊鋤鉏士魚犲士皆崱士力士仕鉏里崇鋤弓查鉏加雛仕于俟牀史助牀據此爲牀之類〇神食鄰乘食陵食乘力實神質（黃君稱之曰神類）廣韻切語此四字與上十二字聲不同類，字母家併爲一類，以上十二字爲二等，此四字爲三等。

書傷舒傷魚傷式商式陽施式支失式質矢式視試式吏式賞識賞職書兩詩書之釋施隻始詩止此爲審之類審式任切〇山所間疏疎所菹沙砂所加生所庚色所力數所矩所疏舉史疏士（黃君稱之曰疏類）廣韻切語此十字與上十四字聲不同類，字母家併爲一類，以上十四字爲三等，此十字爲二等。』切韻考外篇

至於明微二紐陳氏雖據廣韵切語上字系聯爲一類，然又云：『字母家分之，以美、明、彌、眉、綿、靡、莫、慕、模、謨、摸、母十二字爲明之類，無、巫、亡、武、文、望六字爲微之類。』本師林先生曰：『明微二類，今音分別甚明，廣韻切語不分者，乃古音之遺，字母家分之，此其不泥於古音也。』故黃君乃據陳氏所考廣韵四十聲類，並析明微爲二，故爲四十一紐。以喉、牙、舌、齒、脣自然之次，表之如左，並附發音之法：

今聲四十一類表據廣韻

二、今聲

	喉音					牙音				舌頭			
	影	喻	(爲)	曉	匣	見	溪	羣	疑	端	透	定	泥
清濁	清	濁	濁	清	濁	清	清	濁	濁	清	清	濁	濁
開合	開齊合撮	齊撮	齊撮	開齊合撮	開齊合撮	開齊合撮	開齊合撮	齊撮	開齊合撮	開齊合撮	開齊合撮	開齊合撮	開齊合撮
例字	埃	怡 卽影濁	矣 上作平	咍	孩 卽曉濁	該	開	其 卽溪濁	皚	懛	胎	苔 卽透濁	能
發送收	發	發	發	送	送	發	送	送	收	發	送	送	收

舌音												
半舌	舌上				半齒	舌齒間音						
來	知	徹	澄	娘	日	照	穿	(神)	審	禪	精	清
濁	清	清	濁	濁	濁	清	清	濁	清	濁	清	清
開齊合撮	開齊合撮	開齊合撮	開齊合撮	開齊合撮	齊撮	齊撮	齊撮	齊撮	齊撮	齊撮	開齊合撮	開齊合撮
來	⿰齒來	扠	鳫 上作平卽徹濁	羪	而	之	蚩	示 去作平卽穿濁	詩	時 卽審濁	哉	猜
收	發	送	送	收	收	發	送	送	送	送	發	送

	齒音							脣音					
	齒頭			正齒				重脣				輕脣	
	從	心	邪	(莊)	(初)	牀	(疏)	邦	滂	並	明	非	敷
	濁	清	濁	清	清	濁	清	清	清	濁	濁	清	清
	開齊合撮	開齊合撮	齊撮	開齊合撮	開齊合撮	開齊合撮	開齊合撮	合撮	合撮	合撮	合撮	撮	撮
	才 即清濁	腮	詞 即心濁	齋	差	柴 即初濁	諰	擺	⿰女而	排 即滂濁	埋	非	妃
	送	送	送	發	送	送	送	發	送	送	收	發	送

脣〔奉　濁　撮　肥卽敷濁　送
　〔微　濁　撮　微　收

內有括弧如（ ）者，今所定。發、送、收，示部位之高低；清、濁，表勢力之大小。用力輕爲清聲，用力重爲濁聲。大概發聲有清而無濁，收聲有濁而無清，但收音必助以鼻音。

〔證〕　所謂喉牙舌齒脣者，乃指發音部位而言，欲明其自然之次序。先明發音之器官。（如圖）聲母依其發音之部位與方法之異，依語音學理可別爲若干類：

㈠就發音部位分，可得十二類，分述於后：

1.喉音（ glottal ）：凡由聲帶緊張以節制外出之氣息而成。與發音器官之其他部分，不相接觸者。四十一聲類喉音之影、喻；國際音標之〔ʔ〕、〔h〕、〔ɦ〕皆屬此類。

2.小舌音（ uvula ）：由舌根與小舌接觸，以節制外出之氣息而成。國際音標之〔χ〕、〔ʁ〕、〔R〕屬此類。

3.舌根音（ velar ）：由舌根與軟顎接觸，以節制外出之氣息而成。四十一聲類喉音之曉、匣；牙音之見、溪、羣、疑；注音符號之ㄍ、ㄎ、ㄫ、ㄏ；國際音標之〔k〕、〔kʻ〕、〔g〕、〔gʻ〕、〔ŋ〕、〔x〕、〔ɣ〕等屬之。

4.舌面中音（ palatal ）：由舌面後部與硬顎接觸，以節制外出之氣息而成。四十一聲類

發音器官圖

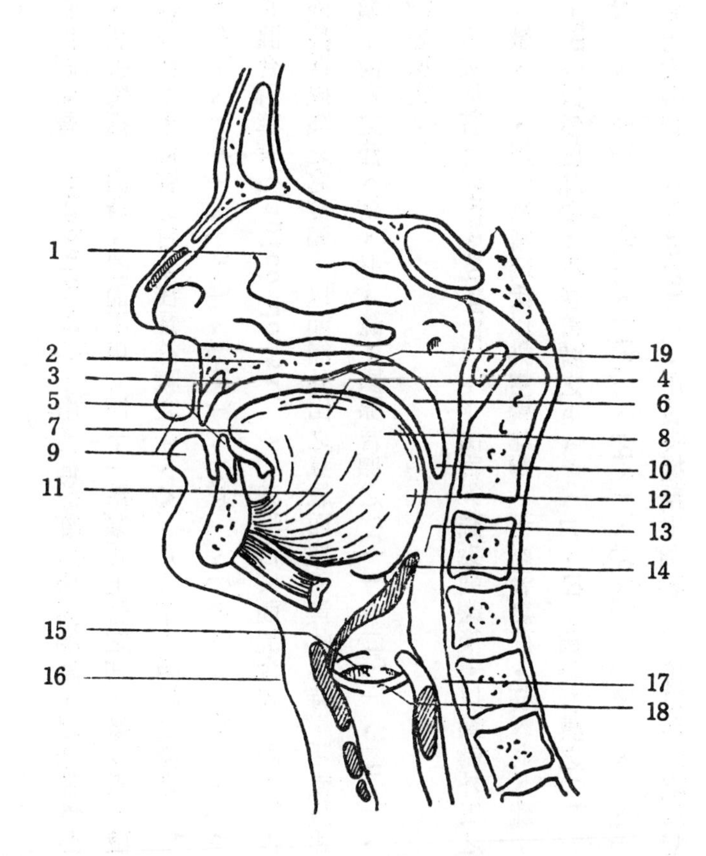

1. 鼻腔（Nasal cavity）　2. 硬顎（Hard palate）
3. 上齒齦（Teeth-ridge）　4. 舌面前（Front of tongue）
5. 齒（Teeth）　6. 軟顎（Soft palate）
7. 舌尖（Blade of tongue）　8. 舌面後（Back of tongue）
9. 唇（Lips）　10. 小舌（Uvula）　11. 舌（Tongue）
12. 舌根（Root of tongue）　13. 咽喉（Pharyngal cavity or Pharynx）
14. 會厭軟骨（Epiglottis）　15. 氣管（Wind-pipe）
16. 喉嚨（Larynx）　17. 食道（Food passage）
18. 聲門（Position of vocal chords）　19. 口腔（Mouth）

喉音之爲；國際音標之〔c〕、〔c'〕、〔ɟ〕、〔ɟ'〕、〔ɲ〕、〔ç〕、〔j〕等屬之。

5.舌面前音（prepalatal）：由舌面前部與硬顎接觸，以節制外出之氣息而成。發此音時，舌尖降抵下齒背，置而不用。四十一聲類舌上音之知、徹、澄、娘；正齒音之照、穿、神、審、禪；半齒音之日；注音符號之ㄐ、ㄑ、ㄬ、ㄒ；國際音標之〔ȶ〕、〔ȶ'〕、〔ȡ〕、〔ȡ'〕、〔tɕ〕、〔tɕ'〕、〔dʑ〕、〔dʑ'〕、〔ȵ〕、〔ȵʑ〕、〔ɕ〕、〔ʑ〕等屬之。

6.混合舌葉音（apico-dorsal）：亦稱舌尖面混合音，由舌尖舌面之混合部份，與齒齦後接近硬顎之處接觸，以節制外出之氣息而成。發此音時，舌較發舌尖前者微縮。四十一聲類正齒音之莊、初、牀、疏；國際音標之〔tʃ〕、〔tʃ'〕、〔dʒ〕、〔dʒ'〕、〔ʃ〕、〔ʒ〕等屬之。

7.舌尖後音（supradental）：由舌尖翻抵齒齦後，以節制外出之氣息而成。舌上音之知、徹、澄、娘，羅常培氏以爲當屬此類，正齒音之莊、初、牀、疏；高本漢（B. Karlgren）以爲屬此類；注音符號之ㄓ、ㄔ、ㄕ、ㄖ；國際音標之〔ʈ〕、〔ʈ'〕、〔ɖ〕、〔ɖ'〕、〔ɳ〕、〔tʂ〕、〔tʂ'〕、〔dʐ〕、〔dʐ'〕、〔ʂ〕、〔ʐ〕等屬之。

8.舌尖中音（alveolar）：由舌尖抵緊上齒齦，以節制外出之氣息而成。四十一聲類之舌頭音端、透、定、泥；半舌音來，注音符號之ㄉ、ㄊ、ㄋ、ㄌ；國際音標之〔t〕、〔t'〕

、〔d〕、〔d'〕、〔n〕、〔l〕、〔r〕、〔ɹ〕等屬之。

9.舌尖前音（dental）：由舌尖與齒尖接觸，以節制外出之氣息而成。四十一聲類之齒頭音精、清、從、心、邪；注音符號之ㄗ、ㄘ、ㄙ；國際音標之〔ts〕、〔ts'〕、〔dz〕、〔dz'〕、〔s〕、〔z〕等屬之。

10.齒間音（inter-dental）：由舌尖之最前端，微突於上下門齒之間，使氣息自舌齒之縫擦出而成。此音我國罕見。國際音標之〔θ〕、〔ð〕屬之。

11.脣齒音（labio-dental）：由上門齒與下脣內緣接觸，以節制外出之氣息而成。四十一聲類輕脣音之非、敷、奉、微；注音符號之ㄈ、万；國際音標之〔pf〕、〔pf'〕、〔bv〕、〔bv'〕、〔ɱ〕、〔f〕、〔v〕等屬之。

12.雙脣音（bilabial）：由上脣與下脣接觸，以節制外出之氣息而成。四十一聲類重脣音之幫、滂、並、明；注音符號之ㄅ、ㄆ、ㄇ；國際音標之〔p〕、〔p'〕、〔b〕、〔b'〕、〔m〕、〔Φ〕、〔β〕、〔W〕、〔ɥ〕等屬之。

(二)就發音方法分，可得六類，亦述于后：

1.塞聲（stop or plosive）：亦稱破裂聲或爆發音。當氣息外出時，初則口程與鼻程完全閉塞，繼則驟除口程之阻礙，破裂而出者，即成此音。四十一聲類之影、見、溪、羣、端、透、定、幫、滂、並；注音符號之ㄅ、ㄆ、ㄉ、ㄊ，ㄍ、ㄎ，國際音標之〔p〕〔p'〕

〔b〕〔bʻ〕〔t〕〔tʻ〕〔d〕〔dʻ〕〔t〕〔tʻ〕〔ɖ〕〔ɖʻ〕〔ȶ〕〔ȶʻ〕〔ȡ〕〔ȡʻ〕〔c〕〔cʻ〕〔ɟ〕〔ɟʻ〕〔k〕〔kʻ〕〔g〕〔gʻ〕〔ʔ〕等均屬之。

2.鼻聲（nasal）：當氣息外出時，軟顎下垂，閉塞口程，而使之改由鼻程洩出者，即成此音。四十一聲類之明、泥、娘、疑；注音符號之ㄇ、ㄋ、ㄫ、ㄬ；國際音標之〔m〕、〔ɱ〕、〔n〕、〔ȵ〕、〔ɳ〕、〔ɲ〕、〔ŋ〕等均屬之。

3.擦聲（fricative）：凡發音時，口腔湊窄，致氣息外達，不能充分自由，因而帶有摩擦作用者，即成此音。四十一聲類之爲、曉、匣、審、禪、疏、心、邪，注音符號之ㄈ、ㄪ、ㄏ、ㄒ、ㄕ、ㄖ、ㄙ；國際音標之〔Φ〕、〔β〕、〔W〕、〔ɥ〕、〔f〕、〔v〕、〔θ〕、〔ð〕、〔s〕、〔z〕、〔ʂ〕、〔ʐ〕、〔ʃ〕、〔ʒ〕、〔ɕ〕、〔ʑ〕、〔ç〕、〔j〕、〔x〕、〔ɣ〕、〔χ〕、〔ʁ〕、〔h〕、〔ɦ〕等均屬之。

4.邊聲（lateral）：亦稱分聲。當氣息通過口腔時，爲舌身所阻，而改由舌之兩邊徐徐擦出者，即成此音。四十一聲類之來；注音符號之ㄌ；國際音標之〔l〕〔ʎ〕〔ɬ〕均屬之。

5.顫聲（trilled consonant）：或稱滾舌聲（rolled consonant）國際音標之〔r〕〔R〕屬之，我國無此音。〔r〕者舌尖忽附於上齒齦，而又忽然返回，往復起極敏捷之顫動即成；〔R〕者乃使小舌顫動而成。

6.塞擦聲（affricates）：亦稱破裂摩擦聲。乃由塞聲與擦聲結合而成。蓋塞音閉塞解除較慢，而在阻塞及除阻之前，此塞聲變作同部位之擦聲，即前半為塞聲，後半為擦聲。四十一聲類之照、穿、神、莊、初、牀、精、清、從、非、敷、奉；注音符號之ㄓ、ㄔ、ㄗ、ㄘ、ㄐ、ㄑ；國際音標之〔ts〕〔dz〕、〔tʃ〕〔dʒ〕、〔tʂ〕〔dʐ〕、〔tɕ〕〔dʑ〕〔pf〕〔bv〕等均屬之。

我國聲韻學上所謂喉音，即上所述之喉音；牙音即上述之舌根音與小舌音，舌音則包含舌尖中音，舌面前音之塞聲與鼻聲，舌尖後音之塞聲與鼻聲；齒音包含舌尖前音，齒間音，舌尖後音之塞擦聲及擦聲，混合舌葉音，舌面前音之塞擦聲及擦聲；脣音則包含雙脣音與脣齒音。以發聲器官言喉音發自聲帶，最在內，牙音發自舌根與軟顎，較喉部位稍出，舌音發自舌面、舌尖與硬顎、齒齦，又稍外出，齒音發自舌尖與齒尖又稍出；脣音發自雙脣或脣齒，最在外。故喉牙舌齒脣自然之次者，謂由內向外自然之次序也。

言聲母發音之法，又有清濁之異。所謂清濁，本師林先生中國聲韻學通論云：『清濁之別，蓋因發聲之用力輕重不同者也。發聲時用力輕而氣上升者謂之「清」，用力重而氣下沈者謂之「濁」。故在語音學（phonetics）「濁聲」謂之「帶音」（Voiced），「清聲」謂之「不帶音」（Voiceless）。「帶音」者，發聲時聲帶受摩擦而震動也。「不帶音」者，發聲時氣流直上，不觸使聲帶震動也。』由此可知，清濁之理，至易明瞭也。案隋書潘徽傳云：『

李登聲類呂靜韻集始判清濁，纔分宮羽。』孫愐唐韻序後論云：『切韻者，本乎四聲，引字調音，各自有清濁。』是則清濁之辨，由來已久。顧以諸家取名紛歧，義界未明，故學者乃多含混莫辨耳。羅常培漢語音韻學導論以語音學理釋清濁之名甚爲瞭然，其言曰：『今據韻鏡分類，參酌諸家異名，定爲全清（unaspirated surd）次清（aspirated surd）、全濁（sonant）、次濁（liquid）四類。若以語音學術語釋之：則全清者，即不送氣不帶音之塞聲，擦聲及塞擦聲也；次清者，即送氣不帶音之塞聲塞擦聲及不帶音之擦聲也；全濁者，即送氣帶音之塞聲塞擦聲及帶音之擦聲也。次濁者，即帶音之鼻聲邊聲及半元音（喻）也。』更錄羅氏所定清濁異名表於后：降心審於次清，略與羅氏異。

本篇定名	本篇分類	各家：韻鏡	各家：沈括夢溪筆談
全清	幫端精見 非知照影	清	清
次清	滂透清溪 敷徹穿曉	次清	次清
	心 審	清	清
全濁	並定從羣邪 奉澄牀匣禪	濁	濁
次濁	明泥疑來 微娘喻日	清濁	不清不濁

之異名及分類

黃公紹韻會	劉鑑切韻指南	李元音切譜	四聲等子及切韻指掌圖	江永音學辨微	等韻切音指南	字母切韻要法
清	純清	純清	全清	最清	○	○
次清	次清	次清	次清	次清	⊙	⊙
清	純清	純清	全清	又次清	◒	◒◐
濁	全濁	純濁	全濁	最濁	●	●
			半清半濁	又次濁		
次濁	半清半濁	次濁	不清不濁	次濁	◒	◒◑ ◐◒ ◑◓
				濁	◒○	◓○

前代聲韻學家言聲母發聲之方法，除清濁外，尚有發、送、收之名。發送收之別，始見於明方以智通雅。方氏分之爲「初發聲」、「送氣聲」、「忍收聲」三類。其後江永、江有誥、陳澧皆從其說而名之曰「發聲」「送氣」「收聲」；而錢大昕則分爲「出聲」「送氣」「收聲」

三類。洪榜四聲韻和表又分爲「發聲」「送氣」「外收聲」「內收聲」四類；勞乃宣等韻一得則改爲「戛」「透」「轢」「捺」四類；邵作舟又分「戛」「透」「拂」「轢」「揉」五類。然各類之發聲狀態若何？各家均欠明確解說。惟陳澧切韻考外篇云：『發聲者，不用力而出者也，送氣者，用力而出者也，收聲者，其氣收斂者也。』勞乃宣等韻一得云：『音之生，由于氣。喉音出于喉，無所附麗，自發聲以至收聲，始終如一，直而不曲，純而不雜，故獨爲一音，無戛透轢捺之別。鼻舌齒脣諸音，皆與氣相遇而成。氣之遇于鼻舌齒脣也，作戛擊之勢而得音者，謂之「戛」類，作透出之勢而得音者，謂之「透」類，作轢過之勢而得音者，謂之「轢」類，作按捺之勢而得音者，謂之「捺」類。戛稍重，透最重，轢稍輕，捺最輕。嘗仿管子聽五音之說以狀之曰：戛音如劍戟相撞，透音如彈丸穿壁而過，轢音如輕車曳柴行於道，捺音如蜻蜓點水一即而仍離。此統擬四類之狀也。』羅常培曰：『陳說失之簡單，勞說失之抽象，學者殊未能一覽而晰。若繹其內容，詳加勘究，則諸家所分，與今之塞聲，塞擦聲，擦聲，邊聲，鼻聲五類性質並同，惟分類稍有參差。其中尤以邵氏所分最爲精密。特定名有玄察之異，故函義有顯晦之殊耳。』茲表列異名，以資參證。

語音學名詞	不送氣塞聲與塞擦聲	送氣塞聲與塞擦聲	摩擦聲	邊聲	鼻聲

邵作舟說	戛類	透類	拂類	轢類	揉類
勞乃宣說	戛類	透類	轢類	捺類	
洪榜說	發聲	送氣	外收聲	內收聲	
江永 江有誥等說 陳澧	發聲	送氣	收聲		
錢大昕說	出聲	送氣	收聲		
方以智說	初發聲	送氣聲	忍收聲		

黃君每一聲紐下注明開齊合撮者，謂此一聲紐之性質得兼有開齊合撮四類或齊撮二類也。惟脣音聲紐黃君以爲只有合口，故只有合撮而無開齊也。每紐下所注埃怡矣…等則爲讀法。今原其意，以國際音標標讀當是埃〔ʔAi〕怡〔i〕矣〔ji〕咍〔hAi〕孩〔ɦAi〕該〔kAi〕開〔k'Ai〕其〔g'i〕皚〔ŋAi〕懛〔tAi〕胎〔t'Ai〕苔〔d'Ai〕能〔nAi〕來〔lAi〕[illegible]〔ʈai〕抬〔ʈ'ai〕鷹〔ɖ'ai〕㹓〔ɳai〕而〔nʑi〕之〔tɕi〕蚩〔tɕ'i〕示〔dʑ'i

〕詩〔ɕi〕時〔ʑi〕哉〔tsAi〕猜〔ts'Ai〕才〔dz'Ai〕腮〔sAi〕詞〔zi〕齋〔tʃai〕差〔tʃ'ai〕柴〔dʒ'ai〕諰〔ʃai〕擺〔puAi〕婄〔p'uAi〕排〔b'uAi〕埋〔muAi〕非〔pfɛi〕妃〔pf'ɛi〕肥〔bv'ɛi〕微〔ɱɛi〕

『補』廣韻聲紐析至四十一類，已可得其綱紀。茲參照諸家擬音，四十一紐之音讀如下：

喉音：影〔ʔ〕曉〔x〕匣〔ɣ〕喻〔o〕爲〔j〕

牙音：見〔k〕溪〔k'〕羣〔g'〕疑〔ŋ〕

舌頭音：端〔t〕透〔t'〕定〔d'〕泥〔n〕

舌上音：知〔ȶ〕徹〔ȶ'〕澄〔ȡ'〕娘〔ȵ〕

半舌音：來〔l〕

半齒音：日〔nʑ〕

正齒音近舌者：照〔tɕ〕穿〔tɕ'〕神〔dʑ'〕審〔ɕ〕禪〔ʑ〕

正齒音近齒者：莊〔tʃ〕初〔tʃ'〕牀〔dʒ'〕疏〔ʃ〕

齒頭音：精〔ts〕清〔ts'〕從〔dz'〕心〔s〕邪〔z〕

重脣音：幫〔p〕滂〔p'〕並〔b'〕明〔m〕

輕脣音：非〔pf〕敷〔pf'〕奉〔bv'〕微〔ɱ〕

言及廣韻之聲類者，黃君之後又有白滌洲、黃淬伯、高本漢諸氏之四十七類說，白氏說見所著廣韻聲紐韵類之統計一文（原載女師大學術季刊第二卷第一期）黃說見所著慧琳一切經音義反切考（史語所專刊）高說見中國音韵學研究。白氏以統計法視切語上字出現之多寡與分等之關係而定其類數；黃氏則據陳澧基本條例而參以等韵之分等及開合而定其聲類；高氏則據三千多字反切上字比較其互相系聯之關係，將同切字一類類求出，而得四十七類，高氏四十七類事實上包含每一聲紐之單純與ｊ化兩類，故實際上亦參合分等以定類別。四十七類多於四十一類者，即將影、曉、見、溪、疑、來各以洪細分爲二類，故多六類也。然彼等分合之際，並無定衡，往往進退失據，自亂其例。所得結果，非廣韻聲類之眞象，實爲韻圖分等之表現，故尙不足以信從也。張煊氏求進步齋音論（國故第一期。）則主三十三類之說，張氏據陳氏變例將不能系聯者悉據又切系聯爲類。所以少於四十一類者，則爲舌音不分舌頭舌上，脣音不別重脣輕脣，故少八類。然舌音中透徹二類于廣韵反切中亦不能系聯爲類，張氏乃據錢大昕舌音類隔不可信說將廣韵透徹二類強合爲一類，不論其反切表現之實際情形，是其分合尙存主見而乏客觀，故其所得亦難信從。至曾運乾切韵五聲五十一類考（載東北大學季刊第一期）以反切字之弇侈鴻細將陳澧由反切不能系聯而由變例系聯者使之分開，而得五十一類，五十一類大致按四十七類復使精清從心依洪細各分爲二，故得五十一類也。其說爲陸志韋證廣韻五十一聲類（燕京學報二五期），董同龢中國語音史，周祖謨陳澧切韵考辨誤（輔仁學誌九卷一期）所遵用。然所謂鴻細弇侈之則旣無定衡，而證之廣韵，亦不盡爾，故五十一類者，亦有未盡適當也。近年王力漢語音韵、李榮切韻音系又有三十六類之說，王氏三十六類者，併輕脣於重脣，併爲入匣故得三十六也；李氏亦併輕脣於重脣，併爲入匣，併娘入泥，復自牀母分出俟母故亦爲三十六也。以言切韵或庶幾近之，以言廣韵亦未若四十一類之適切也。

今聲發音法

音學辨微江永著有辨七音法。茲綜合錄之如左：江說下附江字

喉音　音出中宮。侃案：此不了然。當云：音出喉節，正當喉節爲影喻爲：（喻爲卽影之濁音）曉匣稍加送氣耳。諭之自知，後仿此。

〔證〕　喉音直接發自聲帶，不受口鼻諸器官之阻塞者。正當喉節處，則聲門之所在。影爲喉塞音，音標爲〔ʔ〕；喻爲爲影之濁，喻以元音始，爲無聲母，寫作〔o〕。爲爲半元音〔j〕。曉爲清喉擦音〔h〕，匣爲濁喉擦音〔ɦ〕。擦音皆送氣。擬音原黃君意，後仿此。

牙音　氣觸牡牙。牡當是壯字之誤，然亦不了然。當云由盡頭一牙發聲，見是也，溪群稍加送氣而分清濁，疑卽此部位而加用鼻之力；非鼻已收之音。

〔證〕　牙音今謂之舌根音，以舌根與軟顎接觸而成。盡頭一牙，位近舌根，故古人謂之牙音。見爲不送氣清舌根塞音〔k〕，溪爲送氣清舌根塞音〔k'〕，羣爲送氣濁舌根塞音〔g'〕疑爲舌根鼻音〔ŋ〕。

舌音　據今所分，有五種：

舌頭音　舌端擊齶。此又小誤，當云舌端伸直直抵齒間、端是也、透定稍加送氣而分清濁；泥卽此部位而用鼻之力以收之。

〔證〕　舌頭音今謂之舌尖中音，以舌尖與齒齦接觸而成。端爲不送氣清舌尖塞音〔t〕，透爲送氣

清舌尖塞音〔tʻ〕，定爲送氣濁舌尖塞音〔dʻ〕，泥爲舌尖鼻音〔n〕。

舌上音　舌上抵齶。此當云舌頭彎曲如弓形向裏非抵齶也，知是也，徹澄稍加送氣而分清濁，娘卽由此部位收以鼻之力。

〔證〕　黃君謂舌頭彎曲如弓形向裏，似以舌上音讀今之舌尖後音。卽以舌尖翻抵齒齦後接觸而成。羅常培知徹澄娘音值考亦以爲然。則知爲不送氣清舌尖後塞音〔ʈ〕，徹爲送氣清舌尖後塞音〔ʈʻ〕，澄爲送氣濁舌尖後塞音〔ɖʻ〕，娘爲舌尖後鼻音〔ɳ〕。

半舌音　原注泥字之餘，舌稍擊齶。按泥餘是也。半舌者，半舌上，半喉音也；然古音實卽舌頭加鼻之力而助以喉音。

〔證〕　按黃君說亦不了然，江永云舌稍擊齶，則半舌者卽今舌尖邊音也。卽以舌尖上與齒齦接觸，而不全閉塞，氣流自兩邊外洩也。來卽舌尖邊音〔l〕。

半齒音　原注娘字之餘，齒上輕微。按此禪字之餘，非娘餘也；半齒者，半用舌上，半舌齒閒音，亦用鼻之力以收之。

〔證〕　按半齒音性質最難確定，黃君既云禪字之餘，又云亦用鼻之力以收之。則與高本漢所擬日母讀〔ȵʑ〕者最相合。疑卽舌面鼻塞擦音。

舌齒間音　江所未解。今云：舌端抵兩齒間而發音，音主在舌不在齒，然借齒以成音，照是也，穿神審禪皆稍加送氣而分清濁無收音。

〔證〕　舌齒間音者，卽今舌面前音，以舌面與硬顎接觸而成。因舌面前音舌尖降抵下齒背置而不用，但以舌面發音，故音在舌不在齒也。照爲不送氣清舌面塞擦音〔tɕ〕，穿爲送氣清舌面塞擦音

〔tɕʻ〕，神爲送氣濁舌面塞擦音〔dʑʻ〕，審爲清舌面擦音〔ɕ〕，禪爲濁舌面擦音〔ʑ〕。

齒音

齒頭音　音在齒尖。當云：音在上齒之尖，精是也，清從心邪皆稍加送氣而分清濁，無收聲。

〔證〕齒頭音卽今舌尖前者，由舌尖與齒尖接觸而成。精爲不送氣清舌尖塞擦音〔ts〕，清爲送氣清舌尖塞擦音〔tsʻ〕，從爲送氣濁舌尖塞擦音〔dzʻ〕，心爲清舌尖擦音〔s〕，邪爲濁舌尖擦音〔z〕。

正齒音　音在齒上。按當云：音在上齒根近斷處，舌尖抵此而成音，無須乎下齒，此與齒頭音之大別；莊是也；初牀疏稍加送氣而分清濁、無收聲。

〔證〕按此卽混合舌葉音，以舌尖面混合部分與齒齦後接硬顎處接觸而成。故黃君謂音在上齒根近斷處也。莊爲不送氣清舌尖面混合塞擦音〔tʃ〕，初爲送氣清舌尖面混合塞擦音〔tʃʻ〕，牀爲送氣濁舌尖面混合塞擦音〔dʒʻ〕，疏爲清舌尖面混合擦音〔ʃ〕。

脣音

重脣音　兩脣相摶。江：邦是也；滂並稍加送氣而分清濁，明則收以鼻之力。

〔證〕重脣音卽雙脣音，由上脣與下脣接觸而成。邦爲不送氣清雙脣塞音〔p〕，滂爲送氣清雙脣塞音〔pʻ〕，並爲送氣濁雙脣塞音〔bʻ〕，明爲雙脣鼻音〔m〕。

輕脣音　音穿脣縫。江：非是也；敷奉稍加送氣而分清濁，微則收以鼻之力。

〔證〕輕脣音卽脣齒音，以上齒與下脣接觸而成。非爲不送氣清脣齒塞擦音〔pf〕，敷爲送氣清脣齒塞擦音〔pf'〕，奉爲濁送氣脣齒塞擦音〔bv'〕，微爲脣齒鼻音〔ɱ〕。

官音正誤　官音者，今所謂普通之音也。其誤尙爾，則方音可知。

〔證〕今普通音以北平音爲準，往昔所謂官音亦近似北平音者也。

影 無誤　喩 無誤　爲 無誤　曉 無誤　匣 無誤　見 無誤　溪 此字官音或讀爲曉母，然全母無誤。　羣 此音上去讀爲見之濁，誤，南音讀爲溪之濁，不誤。　疑 北音或讀同喩、南方土音不誤。

〔證〕今國音影喩爲皆讀無聲母故云無誤，曉洪音不誤，細音讀清舌面擦音與心邪二母細音混，匣洪音誤同曉，細音與曉心邪三母混，見洪音不誤，細音與精母細音混，溪洪音不誤，細音與清母細音混，羣洪音平聲與溪混，洪音仄聲與見混，細音平聲與清從二母細音混，細音仄聲與精從二母細音混，疑國音多數讀無聲母混于喩，少數混于泥讀舌尖鼻音。

端 無誤　透 無誤　定 北音上去讀爲端之濁，誤，南方讀爲透之濁不誤。　泥 或讀從喩母，或讀從娘母、皆誤。　來 無誤

〔證〕今國音端透泥來四母無誤，定母平聲與透混，仄聲與端混。

知 或讀從莊母誤。　徹 或讀從初母誤。　澄 或讀從牀母，誤。北音上去聲讀從彼之知之濁，誤。南音讀從此之徹之濁，大體不誤。　娘 或讀從喩母、誤；或讀從泥母，亦誤。

日 或溷入禪母，誤。

〔證〕今國音知母與照莊混，徹母與穿初混，澄母平聲與徹穿初混，仄聲與知照莊混，娘母與泥混，日母不混，自成系統。

照 或溷知母，或溷莊母，皆誤。　穿 或溷徹母，或溷初母，皆誤。　神 或溷禪母，或溷牀母，皆誤；其上去聲北音溷彼之照之濁，誤；南方溷此之穿之濁，大體不誤。

審或溷疏母誤。　禪或溷神母誤。

〔證〕今國音照與知莊混，穿與徹初混，神平聲與徹穿初混，又或混于審疏禪；仄聲與審疏禪混。審與疏混。禪平聲與徹穿初混，又或混神審疏；仄聲與神審疏混。

精或溷見母誤。　清或溷溪母誤。　從其上去聲，北音讀爲彼之精之濁誤，南音讀爲此之清之濁不誤。　心或溷曉母誤。　邪無誤。

〔證〕今國音精母洪音不誤，細音與見母混。清母洪音不誤，細音與溪母混。從母洪音平聲與清混，又或混于邪。洪音仄聲混于精。細音平聲混于溪，又或混于邪，細音仄聲混于見。心母洪音不誤，細音混于曉。邪母洪音平聲混于清從，又或混于心。仄聲混于精；細音平聲混于溪，又混于曉匣，仄聲混于見，亦混于曉匣。

莊或溷精母，或溷知母，皆誤。　初或溷清母，或溷徹母，皆誤。　牀或溷從母，或溷澄母，皆誤；又上去聲，北音讀爲彼之莊之濁，誤；南音讀爲此之初之濁，大體不誤。

疏或溷入審母，誤。

〔證〕今國音莊與知照混，又或混于精；初與徹穿混，又或混于清；牀與澄神禪混，又或混于審；疏與審混，又或混于心。

邦不誤。　滂不誤。　並北音上去聲讀爲邦濁，誤；南音讀爲滂濁不誤。　明不誤

〔證〕今國音邦滂明三母不誤；並平聲與滂混，仄聲與邦混。

非不誤。　敷多讀從非母誤。　奉讀之不了，似非濁，又似敷濁，大誤。　微多溷喻母，大誤。

〔證〕今國音非不誤，敷奉皆與非混，微與喻爲混

『補』按廣韻乃兼論『南北是非，古今通塞』，故其四十一紐乃兼容古今方國之音，原非一隅之音，所得盡肖。而官音者，一時一地之音，自不能讀之各別，然音之變，各隨其方，原無所謂誤。今題官音正誤，實無此必要。本師林先生論四十一紐之音讀曰：『古人據反切而立聲紐，其每紐之發音，必不相同，若不詳考變遷之故，審其發音方法，而拘拘於一隅者，終於迷惑而不解矣。』

叄、古聲

古聲數之定，乃今日事。前者錢竹汀知古無輕脣，古無舌上；吾師章氏知古音娘日二紐歸泥。侃得陳氏書，始先明今字母照、穿數紐之有誤；既已分析，因而進求古聲，本之音理，稽之故籍之通假，無絲毫不合，遂定爲十九。吾師初不謂然，後乃見信；其所著菿漢微言，論古聲類，亦改從侃說矣。

〔證〕　錢大昕十駕齋養新錄古無輕脣音云：『凡輕脣之音古讀皆爲重脣，詩：「凡民有喪，匍匐救之。」檀弓引詩作「扶服」，家語引作「扶伏」。又「誕實匍匐」釋文：「本亦作扶服。」左傳昭十二年：「奉壺飲冰以蒲伏焉。」釋文：「本又作匍匐。蒲，本亦作扶。」昭二十一年：「扶伏而擊之。」釋文：「本或作匍匐。」史記蘇秦傳：「嫂委蛇蒲服。」范睢傳：「膝行蒲服」淮陰侯傳：「俛出袴下蒲伏。」漢書霍光傳：「中孺扶服叩頭。」皆匍匐之異文也。……。」

錢氏舌音類隔之說不可信云：『古無舌頭舌上之分，知徹澄三母，以今音讀之，與照穿牀無別也，求之古音，則與端透定無異。說文：「沖讀若動。」書「惟予沖人」釋文：「直忠切」。古讀直如特，沖子猶童子也。字母家不識古音，讀沖爲蟲，不知古讀蟲亦如同也。詩：「蘊隆蟲蟲」。釋文：「直忠反，徐徒冬反。」爾雅作爞爞，郭都冬反，韓詩作炯，音徒冬反，是蟲與同音不異。春秋成五年：「同盟于蟲牢。」杜注：「陳留封丘縣北有桐牢。」是蟲桐同音之證。……。』

餘杭章君古音娘日二紐歸泥說云：『古音有舌頭泥紐，其後支別，則舌上有娘紐，半舌半齒有日紐，于古皆泥紐也。何以明之？涅從日聲，廣雅釋詁：「涅，泥也。」「涅而不緇」亦爲「泥而不滓」，是日泥音同也。䵒從日聲，說文引傳「不義不䵒」，考工記弓人杜子春注引傳「不義不昵」。是日昵音同也。昵今音尼質切，爲娘紐字，古尼昵皆音泥，見下。傳曰：「姬姓日也，異姓月也。」二姓何緣比況日月？說文復字从日，亦從內聲作衲，是古音日與內近，月字古文作外，韻紐悉同，則古月外同字。姬姓內也，異姓外也，音義同則以日月況之。太史公說武安貴在日月之際，亦以日月見外戚也。日與泥內同音，故知其在泥紐也。入之聲今在日紐，古文以入爲內，釋名：「入，內也，內使還也。」是則入聲同內，在泥紐也。……。』

陳澧切韻考既析字母照穿牀審禪五母爲九類，黃君乃據陳氏所考，進明照穿神審禪者，古聲讀與端透定無殊也；莊初牀疏者，古聲讀與精清從心不異也。復據錢氏影喻無分潛研堂集答問之說，戴氏心邪同位，溪羣同位聲類表之理，衡之於等韵之一四等及廣韵之古本韵，因是求得古聲類塙數爲十九。詳見拙著古音學發微。章君初不之從，後乃見信。其菿漢微言云：『黃侃云：歌部音本爲元音，觀廣韻歌、戈二韻音切，可以證知古紐消息，如非、敷、奉、微、知、徹、澄、娘、照、穿、牀、審、禪、喻、日諸紐，歌戈部中皆無之，卽知古無是音矣，此亦一發明。』而與人書更云

：『最精者爲錢曉徵，獨明今紐與古紐有異，其說古音無舌上、輕脣八紐，齒舌兩音亦多流變，雖刋落未盡，亦前修所無也。余承其緒，知娘日兩紐，古本歸泥，徵之歌、戈兩韻爲百音之維首，古今無異，韻中諸紐，並是古聲。喉音無喻，牙音無羣，齒音無邪，有舌頭無舌上，有重脣無輕脣，有半舌無半齒，有齒頭無正齒，故論定古紐爲十九：卽影、曉、匣、見、溪、疑、端、透、定、泥、來、精、清、從、心、幫、滂、並、明是也。』是則章君晚年於古聲，已盡從黃君之說矣。

『補』 清夏燮字謙甫（一八〇〇—一八七五）撰述韵十卷，於古聲類硏究，有足稱者。夏氏以文字之偏旁考知正齒音當分二類，一與舌頭舌上合；一與齒頭合。其言正齒之一支合於舌頭舌上云：『春秋桓十一年：「公會宋公于夫鍾。」公羊作「夫童」，按此當爲舌頭舌上之通，鍾从重聲，重舌上澄母，正與童相對。今韻書鍾字別入正齒。說文禾部「種、埶也。从禾童聲。」「種、先種後孰也。以禾重聲。」按經書凡種植之種，乃說文之種字，穜稑之種，乃說文之種字，穜稑又作重穋，詩、魯頌、閟宮：「黍稷重穋。」今韻書穜舌頭舌上兩收，獨種字入正齒，乖古音古義矣。當从重聲爲正，改歸舌上。易咸九四：「憧憧往來。」釋文：「憧昌容切，又音童。」按昌容正齒音，古音當爲丑容切，舌頭舌上通也。詩、兎爰：「雉罹于罿。」釋文：「罿，昌鍾反，又上凶反。」廣韻：「罿，尺容切、又音重。」按尺容正齒音，罿有重音，則舌頭當與舌上通爲敕容切。顧氏唐韻正引左傳僖七年「堵叔」，釋文：「堵，丁古反，又音者。」襄十年「堵氏」。「堵音者，又丁古反。」十五年「堵狗。」「堵音者。」儀禮注：「公父文伯飲南宮敬叔酒，以路堵父爲客。」「堵音者。」漢書地理志「堵陽」，韋昭「堵音者」按古者堵同音，正舌頭舌上通用之確證。者讀舌頭，則與堵同，讀舌上，則爲張古反，今韻書者聲之字，如堵覩屠瘏都等字，皆在舌頭，豬楮等字，皆在舌上，而者之本音乃闌入正齒照母，此不可解者也。書禹貢「被孟豬。」釋文：「豬，張魚反，又音諸，左傳爾雅皆作孟諸。」周禮夏官職方氏：「其澤藪曰望諸。」注：「望諸、明都也。」史記：「被明都。」索隱曰：「明都音孟諸。」按禮記檀弓：「洿其宮而豬焉。」注：「豬、都也，南方謂都爲豬。」此正舌頭舌上之合，豬諸都古三字通用，今韻書都舌頭，豬舌上，而別收諸字入正齒，非古音也。………』述韻卷九夏氏此文，意卽謂正齒音之照穿神審禪諸紐，按之諧聲偏旁及經籍異文可知古與舌頭舌上合用無別也。其論正齒另一支合於齒頭云：『周禮縫人「衣翣柳之材。」注：「故書翣柳作接檟。」今韻書接齒頭，翣正齒。周禮考工記弓人：「則莫能以速中。」注：「故書速爲數。」禮記、曾子問：「不知其已之遲數。」卽「遲速。」樂記：「衞音促數煩志。」注：「促數讀爲促速。」漢書賈誼傳：「淹速之度。」史記作「淹數」徐廣曰：「數、速也。」今數速分屬正齒、齒頭。周禮考工記：「居幹之道，菑栗不迆。」釋文：「菑側冀反，又側其反，沈子冀反。」是齒頭、正齒之通，古灾害字多作菑害，是其證也。周禮司巫「蒩館」，注引杜子春云：「蒩讀爲耡。」今韻書蒩齒頭，耡正齒。漢書：「席用苴稭。」如淳讀苴爲租，苴與租亦齒頭正齒合用也。詩車攻：「助我舉柴。」說文引作「舉㧘。」今韻書柴正齒，㧘齒頭。……周禮遂人：「以興耡利甿。」注：「鄭大夫云：耡讀爲藉。」按司巫注：「讀葙爲耡」此更讀耡爲藉，是齒頭正齒合用明矣。……』述韻卷八按此夏氏謂正齒之莊初牀疏，古與齒頭之精清從心合用無別之證也。黃君明照系之古讀舌頭，莊系之古歸齒頭，就音理明之，而夏氏更舉經籍異文爲證，二家之說可互爲證印者也。

今列十九之名如左方：

喉音

影　此本聲。凡本聲古今無變，譬如今日字讀影母，古音亦必讀影紐也。

每一類各舉本韻字一，變韻字一，示例。本韻、變韻之說後詳之。

阿烏何切。烏影類字，古同；此在本韻，故古音與今全同。

猗於離切。於影類字，古同；此屬變韻，故古聲與今同，而韻不同；若以猗字從奇聲求之，古音亦在歌韻，猗仍讀如阿，猗那或作阿儺，即其證也。

〔證〕影母古聲當讀喉塞音〔ʔ〕。

喻　此影之變聲，今音讀喻者，古音皆讀影。凡見反切改讀古音；若變聲，則上一字當改本聲類字，若本聲，則上一字不須改。

移弋支切。弋喻類字，古音當改影類屬變韻，故此字古與今聲韻並不同；若以移字從多聲求之，古音亦在歌韻，讀若阿；黟，亦從多聲，而讀於脂切，即其證也。

『補』喻紐黃君以爲影之變聲，未盡確。近人曾運乾氏喻母古讀考以爲喻母四等字古隸舌頭定母。曾氏曰：『古讀夷以脂切如弟。易渙：「匪夷所思。」釋文：「夷，荀本作弟。」又明夷：「

夷於左股。」釋文：「子夏本作睇，又作眱。」說文：「鴺，从鳥夷聲。」重文作「鵜」，从鳥弟聲。」按：弟，徒禮特計二切，睇，特計切，鵜，杜奚切，並定母。……』曾說爲長，當从之。喻者定之變聲也。

爲 此亦影之變聲。

爲 薳支切 此支字借開口切合口，非常法；薳爲類字，古音當改影類，屬變韻，以古詩用韻求之。爲當在歌韻，讀如倭；逶之重文作蟡，即其證也。

『補』曾運乾氏喻母古讀考以爲喻母三等（即爲紐）字古隸牙聲匣母。其言曰：『古讀營于傾切如環，韓非子「自營爲私。」說文引作「自環」。按：環、戶關切、匣母。古讀營如還，詩齊風：「子之還兮。」漢書地理志引作「營」。師古注：「齊詩作營，毛詩作還。」按還亦戶關切。古讀瑗王眷于願二切如奐。春秋左氏經襄二十七年：「陳孔奐」。公羊作「陳孔瑗」。按、奐胡玩切、匣母。……』曾說是也，爲者匣之變聲也。

曉 本聲

訶 虎何切。 古今同。

義 許羈切。 聲同韻變，古亦當讀如訶；義从義聲，即其證。

〔證〕 曉之本聲當爲清舌根擦音〔x〕。

匣 本聲

寒 胡安切。 古今同。

閑 戶閑切。聲同韻異，古亦讀如寒；以古詩用韻求之得悉。

〔證〕匣本聲當讀濁舌根擦音〔ɣ〕。

右喉音，古音三類。

牙音

見 本聲。

歌 古俄切。古今同。

畸 古宜切。聲同韻變，古亦讀如歌；畸从奇聲。

〔證〕見本聲當讀不送氣清舌根塞音〔k〕。

溪 本聲。

看 苦寒切。古今同。

褰 去虔切。聲同韻變，古亦讀如看，褰，从寒省聲。

〔證〕溪本聲當讀送氣清舌根塞音〔kʻ〕。

羣 此溪之變聲。今音讀群者，求古音當改入溪類。

蘄 渠支切。渠變聲，支變韻，古當讀苦痕切，蘄當从斤得聲，又蘄之義，與芹亦通。

『補』羣者匣之變聲也。書微子：「我其發出狂」，史記宋世家引作「往」。狂，巨王切羣母，往于兩切爲母，爲古歸匣。水經泗水注：「狂黃聲相近。」狂羣母，黃胡光切匣母。孟子萬章

：「晉亥唐。」枹朴子逸民作「期唐」。期渠之切羣母，亥胡改切匣母。詳見拙著古音學發微。

疑 本聲。

俄 五何切。古今同。聲同韻變，以宜从多省求之，知古亦讀如俄，俄从我聲，讀五禾切；儀亦

宜 魚羈切。从我得聲，而讀魚羈；儀即宜同切字也。以此互證，宜之當讀俄益明。

〔證〕疑本聲當讀舌根鼻音〔ŋ〕。

右牙音，古音三類。

舌音

端 本聲

單 都寒切。古今同。

驒 都年切。聲同韻變，古音亦讀如單。

知 此端之變聲。

邅 張連切。聲韻俱變，古音當讀如亶平聲，亦即讀如單。

〔證〕端本聲當讀不送氣清舌尖塞音〔t〕。知者端之變也。錢氏大昕嘗舉出：『古音中如得，周禮師氏：「掌王中失之事。」故書中爲得，杜子春云：「當爲得，記君得失，若春秋是也。」三倉云：「中，得也」，史記封禪書：「康后與王不相中。」周勃傳：「勃子勝之尙公主，不相中。」小司馬皆訓得。……』

照　此亦端之變聲。

旃　諸延切，聲韻俱變，古音當讀如丹，即如單。

〔證〕照者端之變也。爾雅釋天：「太歲在乙曰旃蒙。」史記曆書作「端蒙。」爾雅釋地：「宋有孟諸」書禹貢作「孟豬」，史記夏本紀作「明都。」

透　本聲。

嘽　他干切。古今同。

靦　他典切，聲同韻異，古音亦讀如嘽，靦重䩄，故知在此韵。

徹　此透之變聲。

㫃　丑善切。聲韻俱變，古音讀如嘽，㫃从㫃聲，故知在此韵。

〔證〕透之本聲當讀送氣清舌尖塞音〔tʻ〕。徹者透之變也。如錢大昕所擧出者：『古讀抽如搯，詩：「左旋右抽。」釋文云：「抽敕由反，說文作搯，他牢反。」』

穿　此亦透之變聲。

闡　昌善切。聲韻俱變，古亦讀如嘽。

〔證〕穿者透之變也。禮記儒行：「不充出於富貴。」注：「充或爲統。」釋名釋言語：「出，推也，推而前也。」

審　此亦透之變聲

羴 式連切。 聲韻俱變，古亦當讀如嘽；羴重羶，故知在此韻。

〔證〕 審者亦透之變也。易蒙卦：「用說桎梏。」釋文：「說吐活反。」禮記文王世子：「武王不說冠帶而養。」釋文說作稅，云：「本亦作脫，又作說，同音他活反。」又少儀：「車則說綏。」釋文說作稅。云：「本又作脫，又作說，同吐活反。」此皆說稅古與脫字同音之證。廣川書跋稱秦碑「皇帝躬聽。」今史記始皇本紀聽作聖，是聖與聽古音相近，聽透母字，聖審母字。

定 本聲。

沱 徒何切。 古今同。

地 徒四切。 聲同韻變，古亦讀如沱；以楚詞天問用韻知之。

澄 此定之變聲。

馳 直離切。 聲韻俱變 古亦讀如沱。

〔證〕 定本聲當讀送氣濁舌尖塞音〔dʻ〕。澄者定之變也。如錢氏所舉證者：『古讀陳如田，說文：「田，陳也。」齊、陳氏後稱田氏，陸德明云：「陳完奔齊，以國爲氏。」是古田陳聲同。呂覽不二篇：「陳駢貴齊。」陳駢卽田駢也。』

神 此亦定之變聲。

蛇 食遮切。 此卽它之重文，聲韻俱變，古亦讀如沱。

〔證〕詩「維禹甸之。」釋文：「毛，田見反，治也；鄭，繩證反，六十四井爲乘。」周禮小司徒：「四邱爲甸。」注：「甸之言乘也。」稍人：「掌邱乘之政令。」注：「邱乘，四邱爲甸，讀與維禹敶之之乘同。」禮記郊特牲：「邱乘共粢盛。」注：「甸或謂之乘。」。是神者定之變也。

禪　此亦定之變聲。

垂　是爲切。聲韻俱變，古音當讀惰平聲。

〔證〕書牧誓序：「與受戰于牧野。」說文坶字下引作「與紂戰于坶野。」又泰誓中：「受有億兆夷人。」左傳昭公二十四年作紂；泰誓下：「予克受」「受克予」禮記坊記均作紂。紂澄母、古歸定母。是禪爲定變聲之證也。

泥　本聲。

奴　乃都切。古今同。

娘　此泥之變聲。

變韵無泥母除上去聲。

絮　女余切。聲韻俱變，古亦讀如奴。

〔證〕泥本聲當讀舌尖鼻音〔n〕。娘者泥之變也。如章君所舉證者：『今音泥昵在泥紐，尼昵在娘紐，仲尼三蒼作仲屔，夏堪碑曰：「仲泥何侘？」足明尼聲之字，古音皆如昵泥，有泥紐無娘紐也。』

日　此亦泥之變聲。

　如（人諸切。聲韻俱變，古亦讀如奴。）

〔證〕日者泥紐之變聲也。如章君所舉出者：『而之聲類有耐，易屯曰：「宜建侯而不寧。」淮南原道訓曰：「行柔而剛，用弱而強。」鄭康成、高誘皆讀而爲能，是古音而同耐能，在泥紐也。』

來　本聲。

　羅（魯何切。古今同。）

　罹（呂支切。聲同韻變，即羅之後出字，則古只有羅音也。）

〔證〕來本聲當讀舌尖邊音〔一〕。

右舌音，古音五類。

齒音

精　本聲。

　租（則吾切。古今同。）

　且（子余切。聲同韻變，古亦讀如租。）

莊　此精之變聲。

菹 側余切。聲韵俱變，古亦讀如租。

〔證〕精本聲當讀不送氣清舌尖塞擦音〔ts〕。莊者精之變也。禮記射儀：「幼壯孝弟。」注：「壯或爲將。」儀禮士喪禮：「蚤揃如他日」注：「蚤讀爲爪。」易、豫九四：「朋盍簪。」釋文：「簪，徐側林反，王肅又祖感反。京作撍，馬作臧，荀作宗。」

清 本聲。

麤 倉胡切。古今同。

鴡 七余切。聲同韻變，古亦讀如麤。

初 此清之變聲。

初 楚吾切。聲韻俱變，古亦讀如麤；初且一義，亦一聲也。且，又七也切，古音亦倉胡切。

〔證〕初者清之變也。左傳文十八年：「明四聰。」釋文：「聰本亦窻，七工反。」釋名：「窻聰也，于內窺外爲聰明也。」書禹貢：「又東爲滄浪之水。」史記夏本紀作「蒼浪」。清本聲當讀送氣清舌尖塞擦音〔tsʻ〕。

從 本聲。

徂 昨胡切。古今同。

咀 慈呂切。聲同韵變，古亦讀如徂。

牀 此從之變聲。

鉏 士魚切。聲韻俱變，古亦讀如徂。

〔證〕從本聲當讀送氣濁舌尖塞擦音〔dz'〕。詩小雅車攻：「助我舉柴。」說文引詩「𣐈」。曲禮：「在醜夷不爭。」注：「夷猶儕也。」釋文：「儕，仕皆反，沈才詣反。」

心 本聲。

蘇 素孤切。古今同。

胥 相居切。聲同韻變，古亦讀如蘇。

〔證〕心本聲當讀清舌尖擦音〔s〕。

邪 此心之變聲。

徐 似余切。聲韻俱變，古亦讀如蘇。

『補』 邪紐錢君玄同及戴君仁先生皆以為古讀如定。錢君云：『𨛜為徐國之徐本字，尊彝銘文皆如此作。斜說文讀若荼。』戴先生云：『先師錢玄同先生嘗著古音無邪紐證載於師大國學叢刊，證邪紐古歸定紐，論者許與錢（竹汀）章（太炎）之作，同其不刊。』戴先生又為之比輯舊文，證成其說。『周禮春官守祧：「既祭則藏其隋。」鄭玄儀禮注引作「既祭則藏其隓。」按廣韻隓徒果切，隋旬為切，又徒果切。徒果切為定紐，旬為切屬邪紐，是旬為切之音當為後起，古惟讀徒果切也。』『易困卦九四：「來徐徐。」釋文：「子夏作荼荼，翟同，荼音圖。」廣韻徐似魚切，屬邪紐，荼同都切，屬定紐。』按錢戴二君所言是也，邪者定之變聲也。

疏　此亦心之變聲。

疋　所菹切。聲韻俱變，古亦讀如蘇。

〔證〕疏者心之變聲也。詩大雅緜：「予曰有疏附。」尚書大傳作「胥附。」左傳成公十二年：「公會晉侯衞侯于瑣澤。」公羊傳作「沙澤」。

右齒音，古音四類。

脣音

邦　本聲。

逋　博孤切。古今同。

鞴　必駕切。聲同韻異，古亦讀如逋。

非　此邦之變聲。

甫　方矩切。聲韻並異，古亦讀如逋。

〔證〕邦之本聲當讀不送氣清雙脣塞音（p）。非者邦之變也。論語：「且在邦域之中矣。」釋文：「邦或作封。」釋名：「邦，封也，有功於是，故封之也。」

滂　本聲。

鋪　普胡切。古今同。

帊　普駕切。聲同韻異，古亦讀如鋪。

敷　此滂之變聲。

敷　芳無切。聲韻並異，古亦讀如鋪。

〔證〕滂本聲當讀送氣清雙脣塞音〔p'〕。敷者滂之變聲也。詩：「鋪敦淮濆。」釋文：「韓詩作敷。」又「敷時繹思。」左傳引作「鋪」。

並　本聲。

蒲　薄乎切。古今同。

杷　蒲巴切。聲同韻異，古亦讀如蒲。

奉　此並之變聲。

扶　防無切。聲韻並異，古亦讀如蒲。

〔證〕並本聲當讀送氣濁雙脣塞音〔b'〕。奉者並之變聲也。左傳：「部婁無松柏。」說文引作「附婁」，云：「附婁、小土山也。」詩：「景命有僕。」傳：「僕，附也。」廣雅：「薄，附也。」

明　本聲。

謨　莫胡切。古今同。

蟆　莫遐切。聲同韻異，古亦讀如謨。

微　此明之變聲。

無（武扶切。聲韻並異，古亦讀如謨。）

〔證〕明之本聲當讀雙脣鼻音〔m〕。微者明之變也。爾雅蠠沒，即詩密勿也。詩：「黽勉從事。」劉向傳引作「密勿從事。」少牢禮「眉壽萬年」注：「古文眉爲微。」春秋莊廿八年築郿。公羊作「微」。

右脣音，古音四類。

肆、今　韻

今韻分析，宜據廣韻爲主，自禮部韻略而下，其分合取便考試；雖本唐人同用、獨用之例，而恣情合併，致聲韻之條由此泯棼，既不爲典要，則置之可也。

〔證〕　今韻分析，自宜以廣韵爲主，而分析廣韵，尤宜以陳氏系聯切語下字條例始，茲錄於后：

㈠基本條例：『切語下字與所切之字爲疊韵，則切語下字同用者，互用者，遞用者韻必同類也。同用者如東德紅切，公古紅切，同用紅字也，互用者如公古紅切，紅戶公切，紅公二字互用也。遞用者如東德紅切，紅戶公切，東字用紅字，紅字用公字也。今據此系聯之爲每韵一類二類三類四類。』

㈡分析條例：『廣韵同音之字，不分兩切語，此必陸氏舊例也。上字同類者，下字必不同類，如公古紅切，弓居戎切，古居聲同類，則紅戎韵不同類，今分析每韵二類三類四類者，據此定之也。』

㈢補充條例：『切語下字既系聯爲同類矣。然亦有實同類而不能系聯者，以其切語下字兩兩互用故也。如朱俱無夫四字，韻本同類，朱章俱切，俱舉朱切，無武夫切，夫甫無切，朱與俱，無與夫兩兩互用，遂不能四字系聯矣。今考平上去入四韻相承者，其每韻分類亦多相承，切語下字既不系聯，而相承之韻又分類，乃據以定其分類，否則雖不系聯，實同類耳。』

陳氏據此法系聯廣韵切語下字，凡平聲九十類，上聲八十類，去聲八十八類，入聲五十三類，共得三百十一類。蘄春黃君以爲脣音，但有合口，因析脣音之字皆爲「合口呼」，凡得三百三十九類。然陳氏之分類，太拘拘于切語上下字，弊在瑣碎；黃君之分類，亦求密太過。本師林先生重加考定，凡平聲八十三類，上聲七十七類，去聲八十四類，入聲五十類。實止二百九十四類。（詳中國聲韻學通論）林師所分析，所以少于陳氏之數者，以陳氏太拘拘於切語用字，有不應分而分者，林師合併之也。少於黃君之數者，以脣音未必僅有「合口」，黃氏所分之脣音，林師不分也。

廣韻雖二百有六，若按諸韻理，尚宜再分。

〔證〕　按所謂韻母，乃由韻頭、韻腹、韻尾三部組成。韵頭爲介音，韵腹爲元音，韻尾則有元音與輔音二類。因此三者一部、或全部之變異，而韵母之差別以生。故欲明韵母之類別。宜自分析元音、介音、及韻尾始：

㈠元音：

氣流自氣管呼出時，但使聲帶發生顫動，引起口腔共鳴，而不受其他發音器官阻礙者，謂之元音（vowels）。然共鳴之大小，繫於口腔之廣狹；口腔之廣狹，而脣舌實司關鍵。故元音

國際音標元音圖

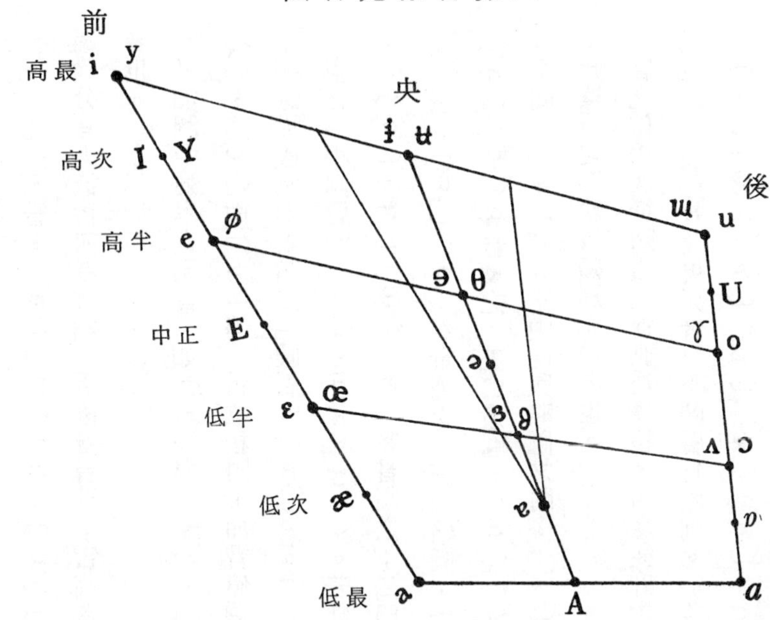

因舌之高低前後而有弇侈洪細之殊；因脣之平展圓斂復有開齊合撮之異。近代語音學家嘗就〔i〕〔a〕〔ɑ〕〔u〕四音舌之最高點聯結成一不等邊四角形，以其間之經線表示舌之高低，以其間之緯線，表示舌之前後，因而部署元音之舌位。

如上圖所示，圖中〔i〕〔y〕〔u〕〔ɯ〕爲最高元音，〔I〕〔Y〕〔U〕爲次高元音；〔e〕〔ø〕〔ɘ〕〔θ〕〔o〕〔ɤ〕爲高中元音，〔E〕〔ə〕爲正中元音，〔ɛ〕〔œ〕〔ɜ〕〔ɞ〕〔ʌ〕〔ɔ〕爲低中元音，〔æ〕〔ɐ〕〔ɒ〕爲次低元音，〔a〕〔A〕〔ɑ〕爲最低元音，此屬縱分；又〔i〕〔y〕〔I〕〔Y〕〔e〕〔ø〕〔E〕〔ɛ〕〔œ〕〔æ〕〔a〕爲前元音，〔ɨ〕〔ʉ〕〔ɘ〕〔θ〕〔ə〕〔ɜ〕〔ɞ〕〔ɐ〕

〔A〕爲央元音，〔u〕〔ɯ〕〔U〕〔o〕〔ɤ〕〔ɔ〕〔ʌ〕〔ɒ〕〔ɑ〕爲後元音，則屬橫分。大抵舌前者音細，舌後者音洪；舌高者音弇，舌低者音侈。此據舌之部位以類別元音者也。

又如圖中列舉之元音，如〔i〕與〔y〕，〔e〕與〔ø〕，〔u〕與〔ɯ〕，〔o〕與〔ɤ〕，〔ɔ〕與〔ʌ〕等，舌位相同，而音值迥異，則由脣之變化使然。脣之形狀，大別有二；突斂而成圓形者謂之「圓脣」（rounded lip）；舒展而成扁平形或保持自然狀態者，謂之「不圓脣」（unrounded lip）。若詳加區分，則可判爲五級：一曰特開，〔i〕〔I〕〔e〕〔E〕〔æ〕〔a〕等音屬之；二曰中性，〔ɨ〕〔ɘ〕〔ə〕〔ɜ〕〔ɐ〕〔ɯ〕〔ɤ〕〔ʌ〕〔ɑ〕等音屬之；三曰略圓，〔œ〕〔ɵ〕〔ɔ〕等音屬之；四曰圓，〔ø〕〔θ〕〔o〕等音屬之；五曰最圓，〔u〕〔y〕二音屬之；至於〔A〕音則介乎特開與中性之間；〔ɒ〕音介乎中性與略圓之間，〔Y〕〔U〕兩音介乎圓與最圓之間，皆不專屬一級；此據脣之形狀以類別元音者也。

脣之作用大抵隨舌之運動爲轉移，舌愈後升則脣愈圓，舌愈前升則脣愈開。故後元音以圓脣爲原則，前元音及央元音以不圓脣爲原則。循茲軌者爲正則元音，如〔i〕〔I〕〔e〕〔E〕〔ɛ〕〔œ〕〔a〕〔ɑ〕〔ɔ〕〔o〕〔U〕〔u〕等音是；違茲軌者謂之非正則元音，如〔y〕〔Y〕〔ø〕〔œ〕〔ʌ〕〔ɤ〕〔ɯ〕等音是。凡練習元音時，前元音必先使不圓脣者發音正確，而後不變更舌勢撮斂其脣，卽成相對之圓脣元音；後元音必先使圓脣發音正確，而後不變更舌勢展放其脣，卽成相對之不圓脣元音。瓊斯（Daniel Jones）所以定〔i〕〔e〕〔ɛ〕〔a〕〔ɑ〕〔ɔ〕〔o〕〔u〕八音爲標準元音（cardinal vowels）者，蓋以其合符正則，足爲初學審音圭臬故也。

以上所論者爲舌面元音，蓋國際所通用者，亦有我國所特有之舌尖元音，高本漢以〔ɿ〕表舌尖前不圓脣高元音，發此音時卽讀聲母〔z〕，而將舌與齒齦間通路略微放寬，適減其摩擦作用卽得；高氏又以〔ʅ〕標舌尖後不圓脣高元音，發此音時卽讀聲母〔ʐ〕時，將舌與齒槽間通路同樣放寬卽得。〔ɿ〕之圓脣爲〔ʮ〕，〔ʅ〕之圓脣爲〔ʯ〕，今讀日母兒而耳等字之音標爲〔ɚ〕，屬舌尖央不圓脣中元音。〔ɿ〕〔ʅ〕〔ɚ〕三音同一音位，可併寫作〔ï〕。以上五音爲我國所特有，因係受聲母類化所致，故亦稱聲化元音。

(二)介音：位于聲母與韻腹之高元音，謂之介音（medial），我國之介音蓋有〔i〕〔u〕二種，不過後來〔iu〕結合又變成〔y〕，故共有〔i〕〔u〕〔y〕三種介音。前人言聲韻學有「等呼」一名，夫音之洪細謂之等，脣之開合謂之呼。二者結合謂之等呼。本師林先生中國聲韻學通論曰：『音之歸本於喉，有開口、合口二等，開合又各有洪細二等，開口洪音爲「開口呼」，簡稱曰開，以其收音之時，開口而呼之也。開口細音曰「齊齒呼」，簡稱曰齊，以其收音之時，齊齒而呼之也。合口洪音曰「合口呼」，簡稱曰合，以其收音之時，合口而呼之也。合口細音爲「撮口呼」，簡稱曰撮，以其收音之時，撮脣而呼之也。』開齊合撮四呼至清潘耒類音始定其名，並釋其義云：『初出于喉，平舌舒脣，謂之「開口」，舉舌對齒，聲在舌腭之間，謂之「齊齒」，斂脣而蓄之，聲滿頤輔之間，謂之「合口」，蹙脣而成聲，謂之「撮口」。』開齊合撮四呼，若以今語音學理釋之，則凡韵母中韵頭與韵腹不含〔i〕〔u〕〔y〕三音素者，統謂之開口，其以〔i〕爲介音或主要元音者，謂之齊齒，以〔u〕作介音或主要元音者，謂之合口，以〔y〕作介音或主要元音者，謂之撮口。是則等呼者，乃指韵頭與韵腹之脣態而言，而與韵尾或聲母則完全無涉也。

㈢尾音：韻母之最末成素是爲尾音（auslaut）。中國字之韻母，以元音爲尾者二：〔-i〕、〔-u〕是也；以鼻音爲尾者三：〔-m〕、〔-n〕、〔-ŋ〕者是也；以塞音爲尾者亦三：〔-p〕、〔-t〕、〔-k〕是也。在廣韻二百六韵中，平上去三聲之韻，有「陰聲」「陽聲」二類。平聲（舉平以賅上去）之支、脂、之、微、魚、虞、模、齊、佳、皆、灰、咍、蕭、宵、肴、豪、歌、戈、麻、尤、侯、幽及去聲（此無平上者）之祭、泰、夬、廢二十六韻，皆陰聲類也。平聲之東、冬、鍾、江、眞、諄、臻、文、欣、元、魂、痕、寒、桓、刪、山、先、仙、陽、唐、庚、耕、清、靑、蒸、登、侵、覃、談、鹽、添、咸、銜、嚴、凡等三十五韻，皆陽聲類也。以今論之，則凡尾音有〔-m〕、〔-n〕、〔-ŋ〕者，卽所謂陽聲也，若爲開口無尾，或以〔-i〕、〔-u〕爲尾者，則所謂陰聲也。陰聲陽聲二類之外，若屋、沃、燭、覺、質、術、櫛、物、迄、月、沒、曷、末、黠、鎋、屑、薛、藥、鐸、陌、麥、昔、錫、職、德、緝、合、盍、葉、帖、洽、狎、業、乏等三十四韻，則有〔-p〕、〔-t〕、〔-k〕尾者，是爲入聲韻也。

廣韻二百六韻之分，其故有四：一因四聲之異，二因陰陽之別，三因開合之殊，四因古今之變。其四聲之異，陰陽之別，古今之變，幾已應分盡分，然開合之殊，其已分者固多，而尚未別者，亦復不少。若就韻母言，其韻腹與韻尾殊者皆已分別，惟韻頭尚有未盡分析者，故按諸韻理，尚宜再分也。

切韻指掌之流，於平上去三聲分析，初不爲謬；而於入聲分配獨能分配陽聲，（如東、董、送、屋。）其以入聲分配陰聲，（如之、止、志、職。）不幸十有八謬。江氏四聲切韻，分合之律，並無定衡；其弟子戴氏東原，猶且因之以明異平同入之理。觀戴之所就，信已優於其師，而於聲類轉不若江之晰，亦短長相覆也。

〔證〕　切韻指掌圖以入聲兼配陰陽，至其入聲分配之法，凡廣韻舊無入者，圖中皆有之，以屋、沃、燭、覺兼配東、多、鍾、江與魚、虞、模、肴；以質、術、櫛、迄、德兼配眞、諄、殷、登與支、脂、之、微、齊、灰、尤、侯、幽；以月、沒、曷、末、黠、鎋、屑、薛兼配文、魂、寒、桓、刪、山、先、仙與佳、皆、灰、咍、歌、戈、麻；以藥鐸兼配陽、唐與宵、豪。入之配陽，大體無誤，入之配陰，十有八謬。江氏四聲切韻表亦主數韻同一入。其言曰：『平上去入，聲之轉也，一轉爲上，再轉爲去，三轉爲入，幾於窮，僅得三十四部，當三聲之過半耳。窮則變，故入聲多不直轉，變則通，故入聲又可同用，除緝、合以下九部爲侵覃九韻所專，不爲他韻借，他韻亦不能借，其餘二十五部諸韻，或合二三韻而共一入，無入者間有之，有入者爲多，諸家各持一說，此有彼無，彼有此無者皆非也。顧氏之言曰：「天之生物，使之一本，文字亦然。」不知言各有當，數韻同一入，猶之江漢共一流也，何嫌於二本乎。』又云：『數韻同一入，非強不類者而混合之也，必審其音呼，別其等第，察其字音之轉，偏旁之聲，古音之通，而後定其爲此韻之入，卽同用一入，而表中所列之字，亦有不同，蓋各有脈絡，不容混紊，猶之江漢合流，而禹貢猶分爲二水也。』其弟子戴震取其說以明陰陽同入之理，其答段若膺論韵書云：『癸巳春，僕在浙東，據廣韻分爲七類，侵以下九韻皆收脣音，其入聲古今無異說，又方之諸韻聲氣最斂，詞家謂之閉口音，在廣韻雖屬有入之韵，而其無入諸韻，無與之配，仍居後爲一類，其前昔無入者，今皆得其入聲，兩兩相配，以入聲爲相配之樞紐，眞以下十四韻，皆收舌齒音，脂、微、齊、皆、灰亦收舌齒音，入聲質、術、櫛、物、迄、月、沒、曷、末、黠、鎋、屑、薛合爲一類；東、冬、鐘、江、陽、唐、庚、耕、清、青、蒸、登皆收鼻音，支、佳、之、咍、蕭、宵、肴、豪、尤、侯、幽亦收鼻音，入聲屋、沃、燭、覺、藥、陌、麥、昔、錫、職、德，分蒸、登、之、咍、職、德爲一類；東、冬、鍾、江、尤、侯、幽，屋、沃、燭、覺爲一類；陽、唐、蕭、宵、肴、豪，藥爲一類；庚、耕、清、青，支、佳，陌、麥、昔、錫爲一類；……歌、戈、麻皆收喉音，魚、虞、模亦收喉音，入聲鐸合爲一類。以七類之平上去分十三部及入聲七部，得二十部。』戴氏分配雖較江爲優，然不適當將歌戈麻祝作陽聲，則於聲類分析，又不若其師之晰也。江氏所以認爲數韵同入，戴氏所以認爲陰陽同入者，本師林先生中國聲韵學通論云：『蓋入聲者，介于「陰」「陽」之間，本音出於「陽聲」，應收鼻音。但「入聲」音至短促，不待收鼻，其音已畢，頗有類於「陰聲」。然細察之，雖無收音，實有收勢，（凡「陽聲」收 ng（按卽國際音標 ŋ）者，其入聲音畢時，恒作 k 聲之勢。「陽聲」收 n 者，其入聲音畢時，恒作 t 聲之勢。「陽聲」收 m 者，其入聲音畢時，恒作 p 聲之勢，其作勢而不聞聲者，卽緣短促之故，非眞無收鼻音也。）則又近于「陽聲。」故曰介于「陰」「陽」之間，故可兼承陰陽，而與二者皆得通轉。江愼修數韻同「入」，及戴東原陰陽同入之說，皆此理也。』

余以頑昧，少好斯業，窮居海上，日取江、陳之說紬繹之，因得明今韻之分類。其後吾友吳興錢夏，因之以成韻攝表，差有綱維，非同臆論。今卽依錢表，附以說明云耳。

〔證〕　江永四聲切韵表、陳澧切韵考皆黃君所因以明今韻之分類者也。吳興錢夏字玄同著文字學音篇以廣韵三百三十九類合爲二十二韻攝，與此略異。其異者自依攝別出隈攝，合碻攝於翁攝，合沃攝於屋攝是也。

錢夏韻攝表

加括弧者，為今通用韻（佩文韻）。

攝	呼	韻	韻母
㈠藹攝	開	泰一　夬一（卦）	謁
	齊	廢一（隊）　祭一（霽）	緆
	合	泰二　夬二（卦）	懀
	撮	廢二（隊）　祭二（霽）	穢
㈡阿攝	開	歌哿箇（歌）　麻一馬一禡一（麻）	阿
	齊	戈（歌）　麻二馬二禡二（麻）	邪
	合	戈二（歌）　麻三馬三禡三（麻）	倭
	撮	戈三（歌）　馬四（馬）	胒
㈢依攝	開	○	
	齊	齊一薺一霽一（齊）　支一紙一寘一（支）	
		脂一旨一至一（支）　之　止　志（支）	
		微一尾一未一（微）	依
	合	灰賄隊（灰）	隈
	撮	齊二薺二霽二（齊）　支二紙二寘二（支）	
		脂二旨二至二（支）　微二尾二未二（微）	威

(四)烏攝　開　〇

齊　〇

合　模姥暮（虞）

撮　魚語御（魚）　虞麌遇（虞）

(五)謳攝　開　侯一厚一候一（尤）

齊　尤一有一宥一（尤）　幽一黝一幼一（尤）

合　侯二厚二候二（尤）

撮　尤二有二宥二（尤）　幽二幼二（尤）

(六)熝攝　開　豪一皓一號一（豪）　肴一巧一效一（肴）

齊　蕭篠嘯（蕭）　宵一小一笑一（蕭）

合　豪二皓二號二（豪）　肴二巧二效二（肴）

撮　宵二小二笑二（蕭）

(七)哀攝　開　咍一海一代（灰）　佳一蟹一卦一（佳）

皆一駭一怪一（佳）

齊　〇

合　咍二海二（灰）　佳二蟹二卦二（佳）

烏　於　謳　幽　裒　彪　熝　幺　褒　〇　哀

裒：無喉音字假借脣音字以表之，下同。

褒：用脣音，下同。

皆二怪二（佳）　蛙

撮　○

以上陰聲七攝（即純粹用喉音收韻者）。

㈧安攝　即阿攝之加鼻收韵。

開　寒旱翰（寒）刪一潸一諫一（刪）山一產一襇一（刪）　安

齊　先一銑一霰一（先）元一阮一願一（元）仙一獮一線一（先）　煙

合　桓緩換（寒）刪二潸二諫二（刪）山二產二襇二（刪）　彎

撮　先二銑二霰二（先）元二阮二願二（元）仙二獮二線二（先）　淵

㈨恩攝　即依攝之加鼻收韵。

開　痕很恨（元）臻⿰角秦（此韻惟此一字，是臻字之上聲。）（眞）　恩

齊　眞一軫一震一（眞）殷隱焮（文）　因

合　魂混慁（元）　溫

撮　眞二軫二震二（眞）諄準稕（眞）文吻問（文）　熅

㈩鴦攝　即烏攝之加鼻帶齶收韻。

開　唐一蕩一宕一（陽）　鴦

齊　陽一養一漾一（陽）　央

合　唐二蕩二宕二（陽）江講絳（江）　㊀汪

撮　陽二養二漾二（陽）　㊀王 借用

（十一）翁攝 即謳攝之加鼻帶齶收韻。

開　〇

齊　〇

合　東一董送一（東）　㊀翁

撮　東二送二（東）鍾腫用（冬）　㊀邕

（十二）䃔攝 即熝攝之加鼻帶齶收韻。

開　〇

齊　〇

合　冬（湩）唯此一字，是冬韻之上聲。宋（冬）　㊀䃔

撮　〇

（十三）甖攝 即哀攝之加鼻帶齶收韵。

開　登一等一嶝一（蒸）庚一梗一敬一（庚）

　　耕一耿一諍一（庚）　㊀甖

齊　青一迥一徑一（青）庚二梗二敬二（庚）

清一靜一勁一（庚）蒸一拯證一（蒸）　嬰

合　登二等二嶝二（蒸）庚三梗三敬三（庚）　泓

耕二耿二諍二（庚）

撮　青二迥二徑二（青）庚四梗四敬四（庚）　縈 借用

清二靜二勁二（庚）蒸二證二（蒸）

㈩四 諳攝 即諳攝之加鼻音，亦即安攝之加鼻收脣音。

開　覃感勘（覃）談一敢一闞（覃）咸豏陷（咸）　諳

衘一檻鑑一（咸）

齊　添忝一㮇（鹽）鹽一琰一豔一（鹽）嚴儼釅一（咸）　懕 [illegible]

凡一范一梵一（咸）

合　談二敢二（覃）衘二鑑二（咸）

撮　忝二（鹽）鹽二琰二豔二（鹽）釅二（咸）　砭

凡二范二梵二（咸）

（此攝合皆是脣音。）

㈩五 諳攝 即依攝之加鼻音，亦即恩攝之加鼻收脣音。

開　○

齊　侵寢一沁（侵）　㤈

合　〇

撮　寑二（侵）　禀 借用

以上陽聲八攝，卽用喉音收韻，而加以鼻音，或更由鼻音而加以收脣音。

(十六)遏攝　卽藹攝、阿攝、安攝之促音，兩攝同本；下除無陰聲者及有加收脣音者，皆同本。

開　曷（曷）黠一（黠）鎋一（黠）　曷

齊　屑一（屑）月一（月）薛一（屑）　謁

合　末（曷）黠二（黠）鎋二（黠）　斡

撮　屑二（屑）月二（月）薛二（屑）　嬮

(十七)麧攝　卽依攝與恩攝之促音。

開　麧 此韻只此一字。（月）櫛（質）　麧 借用

齊　質一（質）迄（物）　一

合　沒（月）　頞

撮　質二（質）術（質）物（物）　鬱

(十八)惡攝　卽烏攝與鴦攝之促音。

開　鐸一（藥）　惡

齊　藥一（藥）　（約）

合　鐸二（藥）覺（覺）　（雘）

撮　藥二（藥）　（嬳）

（十九）屋攝 即謳攝與翁攝之促音。

開　〇

齊　〇

合　屋一（屋）　（屋）

撮　屋二（屋）燭（沃）　（郁）

（二十）沃攝 即爊攝與硠攝之促音。

開　〇

齊　〇

合　沃（沃）　（沃）

撮　〇

（廿一）餩攝 即哀攝與罌攝之促音。

開　德一（職）陌一（陌）麥一（陌）　（餩）

齊　錫一（錫）陌二（陌）此二為齊齒。昔一（陌）職一（職）　（益）

合　德二（職）陌三（陌）此三為合口。麥二（陌）　帟

撮　錫二（錫）陌四（陌）此四為撮脣。昔二（陌）職二（職）　役

㉛始攝　即藹攝阿攝麧攝之收脣促音。

開　合（合）盍（合）洽（洽）狎（洽）　始

齊　帖（葉）葉（葉）業（洽）乏一（洽）　魘

合　〇

撮　乏二（洽）　法

㉜揖攝　即依攝、恩攝、麧攝之收脣促音

開　〇

齊　緝一（緝）　揖

合　〇

撮　緝二（緝）　鵖

右入聲八攝，即喉音鼻音共同之促音。

韻攝總圖

陰聲	藹 阿 依	烏 謳 爊 哀
陽聲	收舌	收齶
	安 恩	鴦 翁 碚 嬰
	收脣	
	諳 愔	
入聲	收舌	收齶
	遏 麧	惡 屋 沃 餩
	收脣	
	姶 揖	

〔證〕韻攝者，蓋合母音相同之數韻爲一類也。然羅常培云：『所謂「攝」者，蓋卽聚集尾音相同，元音相近之各韻爲一類也。』若以切韻指掌圖之十三攝言，似攝當指母音同者而言，若以黃君廿三攝論，當指尾音相同元音相近而言。合數韻爲一攝，蓋始於韻鏡之內外轉開合四十三圖，而韻攝之有名稱及標目，原始見於四聲等子，元代劉鑑切韻指南遵用之，以「通」「江」「止」「遇」「蟹」「臻」「山」「效」「果」「假」「宕」「曾」「梗」「流」「深」「咸」十六字標目，是爲韵攝之有名稱之始也。按黃君所謂用喉音收韻者，蓋指以元音收尾者也，其云加鼻收

韵者，謂收韻尾 -n 者，其云加鼻帶齶者，謂收韵尾 -ŋ 者也。其云加鼻收脣者，謂收韵尾 -m者也。至於入聲，遏麧二攝收舌，謂收韵尾 -t 者也，惡屋沃餕四攝收齶，謂韵尾收 -k 者也。姶揖二攝收脣，謂收韵尾 -p 者也。每攝等呼下括弧內韵目爲通行韻（佩文韻）韵目，所以資對照也。每類下舉一喉音字規其外，所以示讀法也。

伍、古韻

『補』 中國聲韻學上所謂古韻，大體指周秦漢初而言。今言古韻，先就下列兩方面明之：

壹、古韻學之起源：後人以後世音讀，讀古代韻文，讀之不合，古韻學卽由斯起；綜合前賢言古韻學之起源者，約得數端。茲分述之：

㈠改讀：六朝學者以當時語音讀古代有韻之文，讀之不合，往往改讀字音，以求諧合，是謂「改讀」。然同一「改讀」，諸家取名，亦復有殊。

1.沈重毛詩音謂之「協句」。沈氏於邶風燕燕首章『之子于歸，遠送于野』下云：『野，協句，宜音時預反。』又三章『之子于歸，遠送于南』下云：『南，協句，宜音乃林反。』蓋謂「野」後世音羊也反，必改讀時預反，方與「羽」「雨」音諧也；「南」後世音那含反，必改讀乃林反，方與「音」「心」諧也。

2.徐邈毛詩音謂之「取韻」。徐氏於召南行露三章『誰謂女無家，何以速我訟』下云：『訟，取韻音才容反。』蓋謂「訟」後世音似用反，必改讀才容反，方與「墉」「從」諧也。

3.陸德明經典釋文謂之「協韻」。陸氏於召南采蘋三章『于以奠之，宗室牖下』下云：『下，協韻則音戶。』又於邶風日月首章『胡能有定，寧不我顧』下云：『顧，徐音古，此亦協韵也。』

4.顏師古漢書注則謂之「合韻」。顏氏於漢書司馬相如傳『其下則有白虎玄豹，蟃蜒貙豻』下云：『豻，合韻五安反。』

以上四家，無論所云爲何，其改讀字音則一，此種改讀古書字音之事，實卽古音之萌芽。錢大昕云：『沈重生于梁末，其時去古已遠，而韻書實始萌芽，故於今韵不合者，有協句之例，協句卽古音也。』

㈡韻緩：陸德明又有『古人韻緩，不煩改字』之說，故經典釋文於詩邶風燕燕三章「南」字下，旣錄沈重協句之說，復申之以己意曰：『古人韻緩，不煩改字。』所謂韻緩者，蓋謂古人押韻較今韻爲寬也，今韻分隸數韻，古人可以共用也。

㈢改經：陸氏而後，學者遇字有不叶，乃有徑改古書文字以求合者。顧炎武答李子德書云：『開元十三年敕曰：「朕聽政之暇，乙夜觀書，每讀尚書洪範，至『無偏無頗，遵王之義』，三復茲句，常有所疑，據其下文，竝皆協韻，惟頗一字，實在不倫。又周易、泰卦中『無平不陂』，釋文云：『陂字亦有頗音』，陂之與頗，訓詁無別，其尚書洪範無偏無頗字，宜改爲陂。』此種改易古書之結果，誠如顧氏所云：『古人之音亡而文亦亡』矣。

㈣通轉：宋吳棫字才老著韻補一書以明古音，乃古音學之有專書之始。吳氏韻補一書，專就廣韻二百六韵，注明「古通某」、「古轉聲通某」、「古通某或轉入某。」是謂韻補之三例。若依吳氏所注通轉歸類，則可得古韻九類如下：

1.東（冬、鍾通，江或轉入。）

2.支（脂之微齊灰通，佳、皆、咍轉聲通。）

3.魚（虞模通）

4.眞（諄臻殷痕耕庚清青蒸登侵通，文元魂轉聲通）

5.先（僊鹽沾嚴凡通，寒桓刪山覃談咸銜轉聲通）

6.蕭（宵肴豪通）

7.歌（戈通，麻轉聲通）

8.陽（江唐通，庚耕清或轉入）

9.尤（侯幽通）

吳氏所註通轉，亦有分合多疎者，蓋事屬草創，自所難免。其最爲後世所詬病者，乃在其所采材料，漫無準則。陳振孫書錄解題評之云：『自易、書、詩而下，以及本朝歐、蘇，凡五十種，其聲韻與今不同者，皆入焉。』雖然吳氏之書缺失甚多，然畢竟有其功勞。錢大昕云：『才老博考古音，以補今韻之闕，雖未能盡得六書之原本，而後儒因是知援詩、易、楚辭以求古音之正，其功已不細。古人依聲寓義，唐、宋人久失其傳，而才老獨知之，可謂好學深思者矣。』

㈤叶音：宋朱熹詩集傳於古今音異者，隨文改叶，是爲「叶音」。朱子詩集傳於詩召南行露二章：

『誰謂雀無角，何以穿我屋？誰謂女無家，何以速我獄？雖速我獄，室家不足。』

以「家」音「谷」，以叶「角」「屋」「獄」「足」；然於三章：

『誰謂鼠無牙，何以穿我墉？誰謂女無家，何以速我訟？雖速我訟，亦不女從。』

又以「家」音「各空反」，以與「墉」「訟」「從」叶韻。同一家字，隨文改叶，漫無準繩，謬誤支離，實爲無當。顧炎武云：『一家也，忽而谷，忽而公，歌之者難爲音，聽之者難爲耳矣。此其病在乎以後代作詩之體，求六經之文，而厚誣古人以謬悠忽怳不可知不可據之字音也。』叶韻說之所以爲人詬病者，乃以今律古，強古以適今，以致字無定音，音無正字，與研究古音之觀念，根本相背。然其由來，亦緣古今音異之故也。

㈥本音：本音亦謂之正音，即古有「本音」，無所謂「叶」。首明此理者，在元有戴侗，戴氏六書故云：『書傳「行」皆戶郎切，易與詩雖有合韻者，然「行」未嘗有協庚韵者，「慶」皆去羊切，未嘗有協映韵者，如「野」之上與切，「下」之後五切，皆古正音，與今異，非叶韵也。』在明有焦竑、陳第，皆斥叶音之謬。焦氏古詩無叶音說云：『詩有古韻今韻，古韻久不傳，學者于毛詩、離騷，皆以今韻讀之，其有不合，則強爲之音，曰此叶也。予意不然，如騶虞一虞也，既音牙而叶葭豝，又音五紅反而叶蓬與豵；好仇一仇也，既音求而叶鳩與洲，又音渠之反而叶逵，如此則東亦可音西，南亦可音北，上亦可音下，前亦可音後，凡字皆無正呼，凡詩皆無正字矣，豈理也哉！如下今在禡押，而古皆作虎音，擊鼓云：「于林之下」上韻爲「爰居爰處」；凱風云：「在浚之下」下韵爲「母氏勞苦」；大雅緜「至于岐下」上韵爲「率西水滸」之類也。服今在屋押，而古皆作迫音，關雎云：「寤寐思服」下韻「輾轉反側」，有狐云：「之子無服」上韻爲「在彼淇側」，騷經「非時俗之所服」，下韻爲「依彭咸之遺則」，大戴記孝昭冠辭：「始加昭明之元服」下韵「崇積文武之寵德」之類也。降今在絳押，而古皆作攻音，草蟲云：「我心則降」上韻爲「憂心忡忡」，騷經「惟庚寅吾以降」，上韻爲「朕皇考曰伯庸」之類也。澤今在陌押，而古皆作鐸音，無衣云：「與子同澤」下韻爲「與子偕作」，郊特牲「草木歸其澤」上韻爲「水歸其壑，昆蟲無作」之類也；此等不可殫舉，使非古韻，而自以意叶之，則下何皆音虎，服何皆音迫，降何皆音攻，澤何皆音鐸，而無一字作他音耶！』陳第毛詩古音考自序云：『蓋時有古今，地有南北，字有更革，音有轉移，亦勢所必至，故以今之音讀古之作，不免乖剌而不入，于是悉委之叶，夫其果出於叶也，作之非一人，采之非一國，何母必讀米，非韵杞韵止，則韵祉韵喜矣。馬必讀姥，非韵組韵黼，則韵旅韵土矣。京必讀疆，非韵堂韵將，則韵常韵王矣。福必讀偪，非韵食韵翼，則韵德韵億矣。厥類實繁，難以殫舉，其矩律之嚴，卽唐韵不啻，此其故何耶？又左、國、易象、離騷、楚辭、秦碑、漢賦，以至上古歌謠箴銘贊誦，往往韵與詩合，實古音之證也。或謂三百篇，詩辭之祖，後有作者，規而韵之耳。不知魏、晉之世，古音頗存，至隋唐澌盡矣。唐、宋名儒，博學好古，間用古韵以炫異耀奇則誠有之。若讀垤爲姪，以與日韵，堯誠也；讀明爲芒，以與良韻，皐陶歌也。是皆前于詩者，夫又何放？且讀皮爲婆，宋役人謳也；讀邱爲欺，齊嬰兒語也；讀戶爲甫，楚民間謠也；讀裘爲基，魯朱儒謔也；讀作爲詛，蜀百姓辭也；讀口爲苦，漢白渠誦也。又家姑讀也，秦夫人之占；懷囘讀也，魯聲伯之夢；旂芹讀也，晉滅虢之徵；瓜孤讀也，甯良夫之譟。彼其閭巷贊毀之間，夢寐卜筮之頃，何暇屑屑模擬，若後世吟詩者之限韵邪！』焦陳諸氏能悟及古音之不同今音，以爲古人自有本音，力闢叶韻之謬。開闢榛莽，掃除塵氛，實已爲古音學建立坦途。

貳、治古音之方法：清許翰有求古音八例云：『求古音之道有八：一曰諧聲，說文某字某聲之類是也。二曰重文，說文所載古文、籀文、奇字、篆文或某聲者是也。三曰異文，經傳文同字異，漢儒注某讀爲某者是也。四曰音讀，漢儒注某讀如某，某讀若某者是也。五曰音訓，如仁人、義宜、庠養、序射、天神引出萬物，地祇提出萬物者是也。六曰疊韵，如崔嵬、虺頹、傴僂、汚邪是也。七曰方言，子雲所錄，是其專書，故書雜記，亦多存者，流變實繁，宜愼擇矣。八曰韻語，九經、楚詞、周、秦諸子兩漢有韻之文是也。盡此八者，古音之條理秩如也。』

今據許氏之說及諸家之所用，綜合敍述於后：

㈠古代韻文：如詩關雎首章以鳩、洲、逑韵，則此諸字古韻同部。又如易解彖辭以復、夙爲韵，則此二字古亦同部。

(二)說文諧聲：段玉裁云：『許叔重作說文解字時，未有反語，但云某聲某聲，即以爲韵書可也，自音有變轉，同一聲而分散各部各韵，如一某聲，而某在厚韵，媒腜在灰韵，一每聲而悔晦在隊韵，敏在軫韵，晦痗在厚韻之類，參縒不齊，承學多疑之，要其始則同諧聲者必同部也。』
(三)經籍異文：如詩大雅板：「下民卒癉。」禮記緇衣引作癉，癉癉古書通假，音必相通。
(四)說文重文：如球重文作璆，是知求翏古韵相同。
(五)漢儒音讀：如說文璡讀若津，是知璡津古韵可通。
(六)音訓釋音：音訓字有取雙聲者，有取疊韵者，其取雙聲者，可得韵變之跡。如說文示部：『祼，灌祭也。』可知祼之音蓋由歌轉元也。其取疊韵者，可得韻部之歸屬，如釋名釋言語：『通，洞也，無所不貫洞也。』通洞疊韵，是知古韵同在東部。
(七)古今方言：如揚雄方言：『羅謂之離，離謂之羅。』是知羅離古韵同部，此據古代方言者也。又如顧氏唐韵正云：『今山西人讀風猶作方愔反。』此據後世方言以明「風」字古當入侵部。按研究古韵，方言之用最弘，惜國家戰亂頻仍，方言調查未能澈底，若能將全國各地方言鉅細靡遺，澈底調查清楚，則於古音學之裨益，焉可以道里計耶？
(八)韻書離合：江永云：『古韻既無書，不得不借今韻離合以求古音。』顧氏所以在古音學上稱渠魁者，以其能離析唐韵以求其分合也。據余研究所知，前人就韵書以求古韵者，蓋有五法

：一者古代韵語與韵書部目對照歸納。二者諧聲分布與韵目對照分配。三者韵目音類次弟排比。四者審音明理與音聲相配。五者古今兼顧與聲韵合證。詳見拙著古音學發微。

古韻部類，自唐以前，未嘗昧也。唐以後，始漸茫然。

〔證〕　古韻部類之當分者，切韻皆相承有別也。自唐人功令不察，許令附近通用後，古之相承有別者，始混淆而莫辨也。段玉裁今韵古分十七部表云：『五支、六脂、七之三韵，自唐人功令同用，鮮有知其當分者矣。今試取詩經韵表弟一部，弟十五部，弟十六部觀之，其分用乃截然。且自三百篇外，凡羣經有韵之文，及楚騷諸子秦漢六朝詞章所用，皆分別謹嚴。……三部自唐以前分別最嚴，蓋如眞文之與庚，青與侵，稍知韵理者，皆知其不合用也。自唐初功令不察，支脂之同用，佳皆同用，灰咍同用，而古之畫爲三部始湮沒不傳，迄今千一百餘年，言韵者莫有見及此者矣。』

宋鄭庠肇分古韻爲六部，得其通轉之大界，而古韻究不若是之疏。

〔證〕　宋鄭庠著詩古音辨，分古韻爲六部，爲古韵分部之始，茲錄其六部於后：

第一部：東、冬（鍾）江、陽（唐）、庚（耕、清）、青蒸（登）。入聲屋、沃（燭）、覺、藥（鐸）、陌（麥、昔）、錫、職（德）附焉。

第二部：支（脂之）、微、齊、佳（皆）、灰（咍）。去聲（祭泰夬廢）附焉。

第三部：魚、虞（模）、歌（戈）、麻。

第四部：眞（諄臻）、文（欣）、元（魂痕）、寒（桓）、刪（山）、先（仙）。入聲質（術櫛）、物（迄）、月（沒）、曷（末）、黠（鎋）、屑（薛）附焉。

第五部：蕭（宵）、肴、豪、尤（侯幽）。

第六部：侵、覃（談）、塩（添嚴）、咸（銜凡）。入聲緝、合（盍）、葉（帖業）、洽（狎乏）附焉。

各部韻目，舉平以賅上去，所據乃後世詩韵而非廣韵，（今括弧內韻目則據廣韵同用之注還原者）其六部之分法，較吳棫九類爲有系統，陽聲三部之收舌根鼻音 -ŋ ，收舌尖鼻音 -n ，收雙唇鼻音 -m 者，及入聲之收 -k ， -t ， -p 者皆依切韵系統秩然分開，有條不紊。至其缺失，則段玉裁評之云：『其說合於漢魏及唐之杜甫、韓愈所用，而於周秦未能合也。』江有誥云：『雖分部至少，而仍有出韵，蓋專就唐韵求其合，不能析唐韵求其分，宜無當也。』

爰逮清朝，有顧、江、戴、段諸人，畢世勤劬，各有啓悟；而戴君所得爲獨優。本師章氏古韻二十三部，最爲憭然。余復益以戴君所明，成爲二十八部。其目如左：

古韻表

聲調	陰陽	收音						
平	陰		歌（開合洪）阿攝開合。今韻歌戈是本音，古音無上去，下同。		灰（合洪）依攝合。今韻灰是本韻。		齊（開合細）依攝齊撮。今韻齊是本韻。	模（合洪）烏攝合。今韻模是本韻。
平	陽	鼻收		寒（開合洪）安攝開合。今韻寒桓是本韻。	痕（開合洪）恩攝開合。今韻痕魂是本韻。	先（開合細），安攝齊撮，今韻先是本韻。	青（開合細），嬰攝齊撮，今韻青是本韻。	唐（開合洪）。鴦攝開合。今韻唐是本韻。
平	陽	脣收		覃（開洪）諳攝開。今韻覃是本韻。		添（開合細）諳攝齊撮今韻添是本韻。		
入		鼻收		曷（開合洪），遏攝開合，今韻曷末是本韻。	没（合洪）麧攝合。今韻没是本韻。	屑（開合細），遏攝齊撮，今韻屑是本韻。	錫（開合細）。餩攝齊撮。今韻錫是本韻。	鐸（開合洪），惡攝開合，今韻鐸是本韻。
入		脣收		合（開洪）始攝開合，今韻合是本韻。		帖（開細）始攝齊撮。今韻帖是本韻。		

陰聲	陽聲（收鼻）	陽聲（收脣）	入聲（收鼻）	入聲（收脣）
侯（開合洪）謳攝開合。今韻侯是本韻。	東（合洪）翁攝合。今韻東是本韻。		屋（合洪）屋攝合，今韻屋是本韻。	
蕭（開合細）爊攝齊撮。今韻蕭是本韻。				
豪（開合洪）爊攝開合，今韻豪是本韻。	冬（合洪）硿攝合，今韻冬是本韻。		沃（合洪）沃攝合，今韻沃是本韻。	
咍（開合洪）哀攝開合，今韻咍是本韻。	登（開合洪）嬰攝開合。今韻登是本韻。		德（開合洪）餩攝開合，今韻德是本韻。	

右今定古韻陰聲八，陽聲十收鼻八 收脣二，入聲十收鼻八 收脣二，凡二十八部。

〔證〕古韻學之有系統有條理之研究，實自清顧炎武始；而古韻分部，雖前有鄭庠之六部，然疏略不足觀，且書又散佚。建立規模，亦自顧氏始。茲分述自顧氏開始之古韵分部諸家之創見於後：

㈠顧炎武：

1. 顧氏著音學五書分古韻爲十部。茲錄其十部於左：

(1)東部：東、冬、鍾、江。舉平以賅上去。顧氏原稱東冬鍾江第一，今簡稱東部後仿此。

(2)支部：支之半、脂、之、微、齊、佳、皆、灰、咍、尤之半；去聲祭、泰、夬、廢；入聲質、術、櫛、昔之半、職、物、迄、屑、薛、錫之半、月、沒、曷、末、黠、鎋、麥之半、德、屋之半。

(3)魚部：魚、虞、模、麻之半、侯；入聲屋之半、沃之半、燭、覺之半、藥之半、鐸之半、陌、麥之半、昔之半。

(4)眞部：眞、諄、臻、文、殷、元、魂、痕、寒、桓、刪、山、先、仙。

(5)蕭部：蕭、宵、肴、豪、尤之半、幽；入聲屋之半、沃之半、覺之半、藥之半、鐸之半、錫之半。

(6)歌部：歌、戈、麻之半、支之半。

(7)陽部：陽、唐、庚之半。

(8)耕部：庚之半、耕、清、青。

(9)蒸部：蒸、登。

(10)侵部：侵、覃、談、塩、添、咸、銜、嚴、凡；入聲緝、合、盍、葉、帖、洽、狎、業、乏。

2. 顧氏古韵分部之貢獻：

(1) 陽、耕、蒸三部自鄭庠東部獨立。鄭氏東多（鍾）江陽（唐）庚（耕清）青蒸（登）諸韵通爲一部。顧氏析東多鍾江爲東部，陽唐與庚之半爲陽部，耕清青與庚之另半爲耕部，蒸登爲蒸部。陽耕蒸三部自東部獨立，在古韻學上已成定論。

(2) 歌部自鄭庠魚部獨立。鄭氏以魚虞（模）歌（戈）麻諸韵通爲一部，顧氏析麻之半與魚虞模侯合爲魚部，麻之另半與歌戈及支之半合爲歌部，歌部之獨立亦已成定論。

3. 顧氏離析唐韵以求古音：顧氏始知離析唐韵以求古音，其離析之步驟有二，首先離析俗韵，返之唐韵，如從唐韵析支脂之爲三，不從俗韵之合爲一者是，所謂『齊一變至於魯』也。然後離析唐韵之字，分别歸於所屬之古韵部。如析五支韵之『支枝卮萎鱸祇伎提兒唲訾卑紕斯虒雌知箎危衰』諸字與六脂七之合爲支部。並云：『凡从支从氏从是从兒从卑从虒从爾从知从危之屬皆入此。』又析五支韵之『敊眵移迻㢋褰移迆匜詑蛇爲麾撝倭縻䌕縻墮隳髟育垂羸吹披陂羆隨虧窺奇錡犧義巇崎踦宜轙鸃儀皮疲罷嫪離籬縭蠡醨羅羈畸施覞鉈差嵯齹髟螭漪猗椅馳池惢規箠䍧』諸字與七歌八戈合爲歌部，並云：『凡从多从爲从麻从垂从皮从育从奇从義从罷从离从也从差从麗之屬皆入此。』即所謂『魯一變至於道』也。

4. 顧氏變更唐韵入聲之分配：鄭庠六部入聲仍從唐韵配陽聲。顧氏則以爲古音入聲恒與陰聲爲韵，故除歌戈麻三韵舊無入聲，及侵覃以下九韵舊有入聲外，悉反韻書之次，以入聲配陰聲。顧氏將入聲分爲四部，以質術櫛等爲支部之入，以屋半沃半燭覺半等爲魚部之入，又以屋半沃半覺半藥半等爲蕭部之入，而緝合等依然爲侵部之入，此純就古音以言古韻，較之鄭庠所配爲合理。

㈡江永：

1.江氏古韻標準於平上去三聲韵分爲十三部。江氏十三部較顧氏多出三部：

(1)眞元分部：顧氏以眞諄臻文殷元魂痕寒桓刪山先仙十四韵通爲一部，江氏則以先之半與眞諄臻文殷魂痕合爲眞部，口斂而聲細；先之另半與元寒桓刪山仙合爲元部，口侈而聲大。故江氏多出元部，元部之獨立，在古韵分部上，已成定論。

(2)侵談分部：顧氏以侵覃以下九韵通爲一部，江氏亦以音之弇侈，別爲二部，一則以侵韵字與覃韵之驂南男湛耽潭楠，談韵之三，塩韵之綅潛合爲侵部，口弇而聲細。又以添嚴咸銜凡諸韵與覃韵之涵，談韵之談惔餤甘藍，塩韵之詹瞻襜合爲談部，口侈而聲洪。故又多出談之一部。

(3)尤部獨立：顧氏合侯於魚虞模，又合尤之半幽於蕭宵肴豪，江氏則使侯及虞之半自顧氏魚部分出，又使尤幽自顧氏蕭部分出，然後合尤侯（虞之半）幽爲尤部，故又多出一部。按江氏別侯及虞半於魚，別尤幽於蕭，皆爲有見，然併尤侯幽爲一，則未爲得也。段玉裁評之云：『顧氏誤合侯於魚一部，江氏又誤合侯於尤爲一部，皆考之未精。』江有誥云：『

顧氏合侯於魚，與三代不合，而合於兩漢，江氏合侯於尤，且不合於兩漢矣。』

2.江氏另立入聲八部：江氏以爲『入聲與去聲最近，詩多通爲韻，與上聲韻者間有之，與平聲韻者少，㠯其遠而不諧也，韻雖通而入聲自如其本音。』因爲入聲如其本音，故入聲獨立成部。江氏入聲八部如左：

(1)屋部：以屋燭爲主，另收沃半，覺半，錫半。

(2)質部：以質術櫛物迄沒爲主，另收屑半，薛半。

(3)月部：以月曷末黠鎋薛爲主，另收屑半。

(4)鐸部：以藥鐸爲主，另收沃半、覺半、陌半、麥半、昔半、錫半。

(5)錫部：以錫韵爲主，另收麥半、昔半。

(6)職部：以職德爲主，另收麥半、屋半。

(7)緝部：以緝韵爲主，另收合半、葉半、洽半。

(8)葉部：以葉韵爲主，另收業狎乏諸韵字。

觀江氏入聲八部之分，實較顧氏精密，入聲諸部有收 -k 、-t 、-p 三聲韻尾之不同，江氏八部分別井然，其屋、鐸、錫、職諸部收 -k 尾者也，質月二部收 -t 尾者也，緝葉二部收 -p 尾者也。

3.江氏數韵同一入。顧氏入聲專附陰聲，江氏不爾，江氏入聲八部獨立不專主某部，兼及今韵之條理，主數韵同一入。其古韻平上去十三部與入聲八部之相配，有如后表：

陽聲	入聲	陰聲
第一部東	第一部屋	第十一部尤
第八部陽	第四部鐸	第三部魚 第六部宵
第五部元	第三部月	第七部歌
第四部眞	第二部質	
第九部耕	第五部錫	第二部支
第十部蒸	第六部職	
第十二部侵	第七部緝	
第十三部談	第八部葉	

㈢段玉裁：

1.段氏六書音均表分古韻爲十七部，較江氏多四部。

(1)支脂之分爲三部：廣韵支脂之微齊佳皆灰咍諸韵江氏合爲一部。段氏則以之咍及入聲職德合爲第一部之部。以支佳及入聲陌麥昔錫合爲第十六部支部，以脂微齊皆灰及去聲祭泰夬廢入聲術物迄月沒曷末黠鎋屑薛諸韵合爲弟十五部脂部。段氏以爲支脂之三部之分，三百篇及羣經有韵之文、楚騷、諸子、秦、漢、六朝詞章所用，皆分別謹嚴。隨擧一章數句無不可證。『如詩相鼠二章齒止俟弟一部也，三章體禮死弟十五部也。魚麗二章鱧旨弟十五部也，鯉有弟一部也。板五章懠毗迷尸屎葵資師弟十五部也，六章篪圭攜弟十六部也。孟子引齊人言雖有智慧二句弟十五部也，雖有鎡基二句弟一部也。屈原賦寧與騏驥抗軛二句，弟十六部也，寧與黃鵠比翼二句弟一部也。秦琅邪臺刻石，自維二十六年至莫不得意，凡二十四句，以始紀子理士海事富志字載意韵，弟一部也。自應時動事至莫不如畫凡十二句，以帝地懈辟易畫韵，弟十六部也。』自段氏之說出，此三部之分，遂告成立。故多之脂二部也。

(2)眞諄分爲二部：江氏古韵標準以廣韻眞諄臻文欣魂痕先合爲一部，尙有未審。段氏則析眞臻先及其入聲質櫛屑合爲第十二部眞部，又析諄文欣魂痕爲十三部諄部。並云：『唐虞時明明上天，爛然星陳，日月光華，宏予一人，弟十二部也，南風之薰兮，可以解吾民之慍兮。弟十三部也。』段氏析眞諄爲二，故又多出一部，諄部獨立，亦已成定論。

(3)侯部獨立：江氏以侯與尤幽合爲一部，段氏則以尤幽爲弟三部尤部，侯獨立爲弟四部侯部。段氏云：『載馳之驅侯，不連下文悠漕憂爲一韵，山有蓲之蓲楰婁驅愉，不連下章栲杻埽考保爲一韵，南山有臺之枸楰耇後，不連上章栲杻壽茂爲一韵，左氏傳專之渝，攘公之羭，不與下文薌臭爲一韵，此弟四部之別於弟三部也。』段氏侯部獨立之說，在古韵學上亦已成定論。江有誥云：『段氏以尤幽爲一部，侯與虞之半別爲一部，雖古人復起，無以易矣。』

2.段氏古韵十七部之次弟：段氏以前古韵學家古韵部之次弟，多仍唐韵之舊弟，未敢前後移易之者。而段玉裁始以音之遠近，重新排列出十七部之次弟。段氏云：『十七部次弟，出於自然，非有穿鑿。』其十七部，共分六類，次弟爲：

弟一類：1.之部

弟二類：2.宵部 3.尤部 4.侯部 5.魚部

弟三類：6.蒸部 7.侵部 8.談部

弟四類：9.東部 10.陽部 11.耕部

弟五類：12.眞部 13.諄部 14.元部

弟六類：15.脂部 16.支部 17.歌部

此種以音近爲次之部目次弟排列法，於說明諸部韻語關涉互通之故，實較按廣韵舊次之排列法爲合於音理。

3.段氏創古本音古合韻說：段氏所謂古本音者，乃古與今異部，蓋段氏既析古韻爲十七部，每部之中，又認定今韵若干韵爲其本韻，今韵字不在本韵，而詩經韵在一部，則視爲古本音。例如段氏第一部以之、咍、職、德爲本韻，亦卽周秦韵在第一部，今韻在之咍諸韻者，固爲本韻；若周秦韵在第一部，而今韻則轉入之咍諸韻之外者，如所擧「尤」「牛」「丘」等字，周秦韵在第一部押，今韵則轉入尤韵，按段氏之條例，則稱之爲古本音。至段氏之所謂古合韻者，則以周秦韵本不同部，而互相諧協者當之，亦卽古與古異部而相押韵者。如段氏所擧思齊以造士爲韻，然造在三部，士在一部、此卽所謂古合韵也。

4.段氏以諧聲系統分部：段氏以爲今韻雖同一諧聲之偏旁而互見諸部。然古韵則同此諧聲，卽爲同部。因類列某聲某聲而成十七部諧聲表。故段氏云：『一聲可諧萬字，萬字而必同部，同聲必同部。』江有誥云：『段氏諧聲表一作，所爲能補顧江二君之未逮也。』

以上四點爲段氏在古韵學上最可稱道者。

㈣戴震：

戴氏著聲類表，據音理將古韵部，陰陽入三分，定爲九類二十五部，茲錄其目於後：

一、阿　平聲歌戈麻
二、烏　平聲魚虞模
三、堊　入聲鐸

（一至三）第一類歌、魚、鐸之類。

四、膺　平聲蒸登
五、噫　平聲之咍
六、億　入聲職德
第二類蒸、之、職之類。

七、翁　平聲東冬鍾江
八、謳　平聲尤侯幽
九、屋　入聲屋沃燭覺
第三類東、尤、屋之類。

十、央　平聲陽唐
十一、夭　平聲蕭宵肴豪
十二、約　入聲藥
第四類陽、蕭、藥之類。

十三、嬰　平聲庚耕清青
十四、娃　平聲支、佳
十五、戹　入聲陌、麥、昔、錫
第五類庚、支、陌之類。

十六、殷　平聲眞、臻、諄、文、欣、魂、痕、先
十七、衣　平聲脂、微、齊、皆、灰
十八、乙　入聲質、術、櫛、物、迄、沒、屑
第六類眞、脂、質之類。

十九、安　平聲元、寒、桓、刪、山、仙

二十靄　去聲祭、泰、夬、廢
二十一遏　入聲月、曷、末、黠、鎋、薛 } 第七類元、祭、月之類。
二十二音　平聲侵、鹽、添
二十三邑　入聲緝 } 第八類侵、緝之類。
二十四醃　平聲覃、談、咸、銜、嚴、凡
二十五諜　入聲合、盍、葉、帖、業、洽、狎、乏 } 第九類覃、合之類。

以戴氏二十五部與段氏十七部相較，其最大特點有二：

1.入聲九部完全獨立。

2.獨立祭部，並以入聲質術諸韻配脂微，月曷諸韻配祭泰。

然戴氏九類二十五部，除入聲獨立甚可取外，實際在古韻分部上乃似密而實疏。故戴氏自己亦云：『若入聲附而不列，則十六部。』戴氏不接受段氏眞諄分部，尤侯分部之事實，蓋其疏漏；卽使在陰陽入三分之情形下，亦不宜將祭泰夬廢獨立成部，應與月曷末黠鎋薛諸韻合成一部。

(五)孔廣森：

孔氏著詩聲類分古韻爲十八部，特點有二：

1.冬部獨立：孔氏古韻分部最大特點，卽東冬分立，孔氏所分冬部，乃以廣韵冬韵爲主，另加東韵及江韵之一部分，凡从多衆宗中蟲戎宮農降宋諸字得聲者，孔氏歸之多部。至其東部，則以鍾韵爲主，另加東韵江韵大部分字，凡从東同丰充公工冢悤从龍容用封凶邕共送雙尨諸字得聲者，孔氏歸之東部。孔氏多部獨立之說，在古韵學上亦已成定論。

2.合部獨立：孔氏以緝合九韵之入聲，併爲一部，使之獨立，稱爲合部。

常人多以爲孔氏十八部只比段氏多一多部，其實不然，除多部外，又多合部，但又將段氏眞諄二部合爲一部。另外則將段氏第三部入聲凡从谷屋蜀賣㱿束鹿彔族菐卜木玉獄辱曲足粟豖角得聲者，畫爲侯部之入，此亦與段氏有異者。

㈥王念孫：

王氏著古韻譜分古韵爲廿一部，較段氏多出四部。

1.至部獨立：王氏所謂至部，乃指去聲至霽兩韵，及入聲質、櫛、黠、屑、薛五韵中，凡从至从疐从質从吉从七从日从疾从悉从栗从桼从畢从乙从失从八从必从卩从節从血从徹从設之字及閉實逸一抑別等字，皆以去入同用，而不與平上同用。因此獨立爲至部。

2.祭部獨立：王氏以廣韵去聲之祭泰夬廢四韵及入聲月曷末黠鎋薛等韵亦屬有去入而無平上之部，故從段氏十五部獨立爲祭部。

3.緝盍分爲二部：王氏以爲廣韵緝合以下九韵，當分二部，徧考三百篇及羣經、楚辭所用之韵，皆在入聲中，而無與去聲同用者，而平聲侵覃以下九韵，亦但與上去同用，而入不與焉。因此將緝合以下九部，獨立爲緝盍二部。王氏緝部，以緝合兩韵爲主，另加洽韵之半；王氏盍部，則以盍葉帖狎業乏爲主，加洽部之另半，緝盍分爲二部，與侵談分開，自王氏一倡，亦已成爲定論。

4.侯部有入：段氏別侯於尤是也，然入聲尚有未析。王氏云：『屋、沃、燭、覺四部中，凡从屋、从谷、从木、从卜、从族、从鹿、从賣、从菐、从彔、从束、从辱、从豖、从曲、从玉、从蜀、从足、从局、从岳、从肯、之字及禿、哭、粟、玨等字，皆侯部之入聲。』此說與孔氏同，較段氏爲確。

㈦江有誥：

江氏著音學十書，亦分爲廿一部。在古韵分部上，無特殊之處，但亦可說，王念孫之祭、緝、盍三部之分，亦卽江氏之特點，此外江氏又采孔氏冬部獨立之說，另名之爲中部，故亦得廿一部也。

㈧章炳麟：

章君著國故論衡及文始分古韵爲廿三部。以王氏廿一部爲主，增孔氏冬部則爲二十二部。後又以王氏脂部去入聲字，詩多獨用，不與平上通用，因此乃據以別出隊部。文始二云：『隊脂相近，同居互轉，若聿出內朮戾骨兀鬱勿弗卒諸聲諧韵，則詩皆獨用。』章君隊部實際上卽以廣韵入聲術物迄沒爲主，另加去聲未隊怪三韵一部分字而成。

蘄春黃君本章君廿三部，而益以戴震陰陽入三分之說，將尙未分出入聲之支魚侯宵之五部中，將入聲錫、鐸、屋、沃、德五部獨立成部，故得二十八部也。入聲錫鐸五部應否獨立？近人王力以爲此諸部皆收 -k 音者，若併於陰聲，則陰聲入聲之界何由而別？若陰聲支魚侯宵之諸部既以元音收尾，又以清塞音 -k 收尾，顯然非同一性質之韵部，然則何不使之分開？況收音于 -p 之緝盇，收音于 -t 之質（至）物（隊）月（祭）皆已獨立成部，而獨於收音于 -k 之各部不使獨立，在理論上亦說不通。且既認爲同部，則必須認爲收音相同，若不像孔廣森否認上古有收 -k 之入聲，就得像高本漢等連支魚侯宵之諸部亦認爲收輔音韵尾。兩者皆有未確，若如孔說，則中古之 -k 尾何由而來？若如高說則上古漢語開音節又何其貧乏？亦非情理所宜。據王氏此說，則入聲錫鐸諸部之當獨立，又何足疑！茲據本師瑞安林先生說將黃君考求古韵之法述後：

1. 黃君古韵廿八部乃據鄭庠、顧炎武、江永、戴震、段玉裁、孔廣森、王念孫、江有誥、章炳麟諸家分析而得，以上諸家，分其所可分，恰得廿八部。

2. 據陳澧切韵考分析廣韵聲紐，得影曉匣喻爲見溪羣疑端透定泥來知徹澄娘日照穿神審禪精清從心邪莊初牀疏幫滂並明非敷奉微四十一紐，此四十一紐中，古無輕唇音非敷奉微四紐，錢大昕所證明；古無舌上音知徹澄、亦錢氏所證明；古無娘日二紐，則章君所明。黃君創一聲經韵緯求古音表，持此古所無之九紐，進察廣韵二〇六韵，凡無此九紐之韵及韵類，亦必無喻爲羣照穿神審禪邪莊初牀疏等十三紐。則此十三紐亦必與非敷等九紐同一性質—卽亦爲變聲可知。凡無變聲之韵卽爲古本韵，有者爲今變韻。二〇六韵中，其不見變聲二十二紐者，得三十二韵（擧平入以賅上去）。而此三十二韵中，魂痕、寒桓、歌戈、曷末八韵互爲開合，併其開合，則得二十八部。而此二十八部適與顧江戴段孔王江章諸家所析，若合符節，陸氏切韵旣兼存古音，則此廿八部，卽陸氏所定之古本韵，又復奚疑！

3.黃君又察及等韵，凡一等韵及四等韵，幾皆僅有本聲，其四等或偶雜變聲，其一等則絕無變聲。而此二十八部三十二韻之見於等韵者，非一則四。凡屬一四等之韻，僅有本聲影曉匣見溪疑端透定泥來精清從心幫滂並明十九紐。又與黃君所考，妙契天成，殆非偶然也。

4.黃君旣以知徹澄娘日非敷奉微九紐爲變聲，進察廣韵二〇六韵得知喻爲羣照穿神審禪莊初牀疏邪十三紐亦爲變聲。復經一一證明，卒得本聲十九紐。此三十二古本韵，韵中止有十九古本紐，與他韵之雜有變紐者異，故知其爲古本韵。而此十九紐，僅見於古本韵中，故知其爲古本紐。紐韻互證，彼此符合。又與前賢諸說相吻合，此其所以能籠罩百代，戛然獨造也。

據此四條，則黃君古韻廿八部之立，實三百年來一大發明，論韻至此，可謂奄有衆長，集其大成者矣。然自黃君古韵廿八部之說出，一時言古韵之學者，贊成之者，固不乏人；而非議之者，亦時有聞。余嘗集非議諸家之意見，而爲之一一辨釋。撰黃君古韻廿八部駁難辨一文可參見拙著古音學發微及本篇附錄一。將諸家置疑之處，爲之辨白廓清。

其所本如左：

歌顧炎武立。灰段玉裁所立。齊鄭庠所立模鄭所立侯段所立蕭江永所立豪鄭所立咍段所立。寒江所立痕段所立先鄭所立青顧所立唐顧所立東鄭所立冬孔廣森所立登顧所立覃鄭所立添江所立曷王念孫所立沒章氏所立屑戴震所立錫戴所立鐸戴所立屋戴所立沃戴所立德戴所立合戴所立帖戴所立

此二十八部之立，皆本昔人，曾未以肊見加入。至於本音讀法，自鄭氏以降或多未知；故二十八部之名，由鄙生所定也。

〔證〕 歌部卽顧氏第六部歌部，係顧氏所創；灰卽段玉裁十五部脂部，齊卽鄭庠第二部支部，模卽鄭氏第三部魚部，侯爲段氏第四部，蕭爲江氏十一部尤部，豪卽鄭氏第五部蕭部，咍爲段氏弟一部之部，寒卽江氏弟五部元部，痕卽段氏十三部諄部，先卽鄭氏弟四部眞部，青卽顧氏弟八部耕部，唐卽顧氏弟七部陽部。東卽鄭氏弟一部東部，多卽孔廣森所立多部，登卽顧氏弟九部蒸部，覃卽鄭氏弟六部侵部，添卽江氏十三部談部，曷卽王念孫祭部，沒卽章氏隊部，屑卽戴震乙部（按此部應以王氏至部爲本較切當），錫卽戴氏戹部，鐸卽戴氏堊部，屋卽戴氏屋部，沃卽戴氏約部，德卽戴氏億部，合卽戴氏邑部，帖卽戴氏諜部。至二十八部之名，則因廣韵中，此二十八部原爲古本韵，黃君旣於廣韵中求得古本韵之韵，故卽用古本韵韵目題識，此蓋陸氏所定之古韵標目，今遵用之，正其宜也。而其讀法則亦以是爲準。

『補』 黃君晚年著談添盍帖分四部說一文，察及廣韵談敢闞盍四韻，爲但有古本聲十九紐，無變

紐之韵，於是主張談亦爲古本韵，應自添部分出；盍亦爲古本韵，應自帖部分出。黃君此說後得董同龢氏從諧聲偏旁加以觀察，發現談添盍帖四部確有不同之諧聲分配。因此四部之分，亦得到證實，見董著上古音韵表稿。黃君談部，大致以談銜韵爲主，另收塩嚴二韵一部分字；添部則添咸二韵爲主，另收塩嚴二韵另一部分字。盍韵則以盍狎韵爲主，另收葉業二韵一部分字；帖韵則以帖洽二韵爲主，另收葉業二韵另一部分字。此其四部分別之脈絡也。

言及古韵分部，此後又有黃永鎭肅部獨立說，黃氏所謂肅部，卽蘄春黃君蕭部之入聲，黃君廿八部，各部入聲皆已獨立，惟蕭部入聲尙未分出，原有未善。黃永鎭氏分之是也。黃氏肅部錢君玄同改稱覺部，此部所收有屋韵三之一，沃韵之半、覺韵三之一、錫韵四之一。後來王力著上古韵母系統研究一文，又主張脂微分部，其所謂脂部乃以齊韵爲主，另加脂皆兩韵之開口字。其所謂微部乃以微灰二韵爲主，另加脂皆兩韵之合口字，易言之卽從黃君灰部另別出微部。此種分析，皆具充足理由，自亦可信。若以黃君晚年所分三十部，加上黃永鎭氏肅部，王力氏微部，則古韵分部最後結果當爲卅二部。是則古韵卅二部者乃前人經數百年從考古與審音兩方面所得之最後結果。茲以黃君晚年所定之三十部，與余所定之卅二部與諸家所定韵部，列表對照於後：

鄭庠六部	東一					支二				
顧炎武十部	東一		陽七	耕八	蒸九	支二				
江永十三部	東一		陽八	庚九	蒸十	支二				
段玉裁十七部	東九		陽十	庚十一	蒸六	支十六		脂十五		
戴震二十五部	翁七		央十	嬰十三	膺四	娃十四	戹十五	衣十七		
孔廣森十八部	東五	多六	陽四	丁二	蒸八	支十一		脂十二		
王念孫廿一部	東一		陽五	耕六	蒸二	支十一		脂十三		
江有誥廿一部	東十五	中十六	陽十四	庚十三	蒸十七	支七		脂八		
章君廿三部	東十四	多十六	陽二	青四	蒸十二	支三		脂八		隊七
黃君三十部	東十八	多二一	唐十四	青十一	登二四	齊九	錫十	灰四		沒三
今定三十二部	東十八	多二三	陽十五	耕十二	蒸二六	支十	錫十一	脂四	微七	沒八

		眞 四			魚 三					
		眞 四	歌 六		魚 三					
元 五		眞 四	歌 七		魚 三					
元 四十	諄 三十	眞 二十	歌 七十		魚 五		之 一			併于眞
安 九十		殷 六十	阿 一	堊 三	烏 二	億 六	噫 五	遏 一二	靄 十二	乙 八十
原 一		辰 三	歌 十		魚 三十		之 七十			
元 九	諄 八	眞 七	歌 十		魚 八十		之 七十		祭 四十	至 二十
元 十	文 一十	眞 二十	歌 六		魚 五		之 一		祭 九	
寒 二十	諄 九	眞 六	歌 十		魚 一		之 九十		泰 一十	至 五
桓寒 八	痕魂 五	先 二	戈歌 七	鐸 三十	模 二十	德 三二	咍 二二		末曷 六	屑 一
元 三	諄 九	眞 六	歌 一	鐸 四十	魚 三十	職 五二	之 四二		月 二	質 五

					侵 六						蕭 五
					侵 十		魚併于				蕭 五
			覃 三十		侵 二十				尤 一十		蕭 六
			覃 八		侵 七	尤併于	侯 四		尤 三	尤併于	蕭 二
	諜 五二		醃 四二	邑 三二	音 二二	屋 九			謳 八	約 二十	夭 一十
	合併于		談 九	合 八十	緝 七		侯 四十		幽 五十		宵 六十
	盍 五十		談 四	緝 六十	侵 三		侯 九十		幽 十二		宵 一二
	葉 十二		談 九十	緝 一二	侵 八十		侯 四		幽 二		宵 三
	盍 三二		談 二二	緝 八十	侵 七十		侯 三十		幽 五十		宵 一二
盍 九二	帖 七二	談 十三	添 八二	合 五二	覃 六二	屋 七十	侯 五十		蕭 六十	沃 十二	豪 九十
盍 一三	帖 九二	談 二三	添 十三	緝 七二	侵 八二	屋 七十	侯 六十	覺 二二	幽 一二	藥 十二	宵 九十

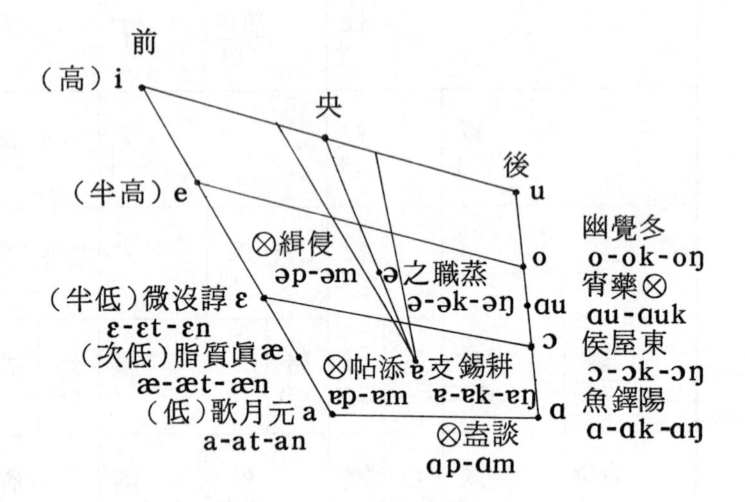

至于卅二部之讀法，經重新考定，有如上表：至於其音讀，何以如此假定，則拙著古音學發微論之詳矣。表中⊗號爲無適當之陰聲或陽聲韵部。

陸、反切

『補』 本師瑞安林先生曰：『反切者，合二字之音，以爲一音也。以今言之，卽拚音之道，實至淺且易。』又云：『反切之名稱，自南北朝以上，多謂之反，雖有言切者，亦不常見。（如顏氏家訓云：「徐仙民毛詩音，反驟爲在遘，左傳音，切椽爲徒緣。」）唐季韻書，改而言切，蓋以當時諱反。故避而不用也。如荀子「口行相反」，戰國策「上黨之民皆反爲趙。」淮南子「談語而不稱師是反也。」家語「其彊禦足以反是獨立。」今本竝作「返」。梁書侯景傳「取臺城如反掌。」亦作「返」。皆後人所改也。隋以前不避反字，漢器首山宮鐙「蒲坂」字作「蒲反」。而水經說文「汳」字，唐人亦寫作「汴」。路史謂：「隋煬帝惡其作反易之。」自此之後，相沿爲諱。故唐玄度九經字樣序曰：「避以反言，但紐四聲，定其音旨。」其卷內之字：「蓋」字下云：「公害翻」代反以翻。「𠬪」字下云：「平表紐」代反以紐。則是反也，翻也，切也，紐也，其名雖異，其實一也。

反切立法之初，蓋謂之反，不謂之切，其後或言反，或言切，或言翻，或言紐，或言體語，或言反語，或言反音，或言切語，或言切音，或並言反切。此皆因時代之影響，稱說之習慣，偶舉其名，不覺其不一致。』至於論及反切之原始，林師云：『顏氏家訓音辭篇曰：「九州之人，言語不同，生民以來，固常然矣。自春秋標齊言之傳，離騷目楚辭之經，此蓋其較明之初也。後有楊雄著方言，其言大備，然皆考名物之同異，不顯聲讀之是非也；逮鄭玄注六經，高誘解呂覽淮南，許愼造說文，劉熹製釋名，始有『譬況』『假借』，以證字音。而古語與今殊別，其間輕重清濁，猶未可曉。加以「內言」「外言」「急言」「徐言」「讀若」之類，益使人疑。孫叔然創爾雅音義，是漢末人獨知反語，至於魏世，此事大行，高貴鄉公不解『反語』，以爲怪異。自茲厥後，音韻蠭出，各有土風，遞相非笑，共以帝王都邑，參校方俗，考覈古今，爲之折衷。」此蓋述聲韵之學，出於「反語」，而「反語」之剏，由于孫叔然也。

自此之後，言「反切」之緣起者，大抵與顏相同。陸德明經典釋文敍錄曰：「古人音書，止爲譬況之說，孫炎（叔然）始爲『反語』，魏朝以降漸繁。」張守節史記正義論例曰：「先儒音字，比方爲音，至魏秘書孫炎，始作反音。」』林師又云：『至謂反切始創于孫炎。證之故記，亦尚未能盡合，蓋「反切」之語，自漢以上，即已有之。謂孫炎取「反切」以代直音則可，謂「反切」剏自孫炎則不可也。』是故餘杭章君云：『經典釋文序例謂漢人不作音，而王肅周易音，則序例無疑辭，所錄肅音，用反語者十餘條，尋魏志王肅傳云：「肅不好鄭氏，樂安孫叔然授學鄭玄之門人。肅集聖證論以譏短玄，叔然駁而釋之。」假令反語始於叔然，子雍（肅字）豈肯承用其術乎，又尋漢地理志，廣漢郡梓潼下。應劭注：「潼水所出，南入墊江，墊音徒浹反。」遼東郡沓氏下，應劭注：「沓水也。音長答反。」是應劭時已有反語，則起於漢末也。』

反切之理，上一字定其聲理，不論其何韻；下一字定其韵律，不論其何聲。質言之：卽上字祇取發聲，去其收韵；下字祇取收韵，去其發聲。

故上一字定清濁，下一字定開合。

假令上字爲清聲，而下字爲濁聲，切成之字仍清聲，不得爲濁聲也。

假令下字爲合口，而上字爲開口，切成之字仍合口也。

今擧一例：

東，德紅切，德清聲，紅濁聲，切成之字爲東，仍隨德爲清聲，不得隨紅爲濁聲。紅合口，德開口，切成之字爲東，仍合口，不得隨德爲開口。

反切上一字，與切成之字必爲雙聲，故凡雙聲者，皆可爲上一字：如東與德，雙聲也，然東與端、與都、與當、與丁等，亦雙聲也。故東爲德紅切可，爲端紅、都紅、丁紅亦無不可。

反切下一字，與切成之字必爲叠韻，故凡叠韵者，皆可爲下一字；如東與紅，叠韻也，然東與翁、與烘、與工、與空等；亦叠韵也。故東爲德紅切可，爲德翁，德烘，德工、德空亦無不可。錯綜言之，左列之音，同其效果。

德紅　德翁　德烘　德工　德空

端紅　端翁　端烘　端工　端空

都紅　都翁　都烘　都工　都空

當紅　當翁　當烘　當工　當空

丁紅　丁翁　丁烘　丁工　丁空

右設二十五反切，皆同切東字。

據以上所列，則用多數字以表明反切上一字，與指定一字以表明反切上一字者，其理無殊；亦與造一字母以表明反切上一字者，無殊。然而至今雜用多數者，從習慣也。

又據以上所列，則用多數字以表明反切下一字，與指定一字以表明反切下一字者，其理無殊；亦與造一字母以表明反切下一字者無殊。然而至今雜用多數者，從習慣也。

如依吾儕之私議，則四十一聲類，即爲指定之反切上一字；而下一字，則於母韻中專指一字亦可。譬如德、當、都、丁同爲端母，吾儕但指定一「端」字以表明上一字；紅、翁、工、空同屬東韵，吾儕但指定一「翁」字以表明下一字。故東、德紅切，可改定爲端翁切，而其實無絲毫之不同。

〔證〕按反切之法，上一字取其聲，下一字取其韵，則上字之韵，與下字之聲，必須棄去。今舉一例而以國際音標表明之：例如：同、徒紅切。

紅〔xuŋ˥〕——（棄聲）〔(x)uŋ˥〕

徒〔t'u〕——（棄韻）〔t'(u)〕

同〔t'uŋ˥〕

據此而言，反切卽拚音，其理至易明瞭。然今日人尚多不明反切之義者，乃若據此法以切語拚切國音，多有不能符合者。殊不知廣韻切語原兼顧古今南北之語，聲有清濁輕重之殊，韻有開合洪細之異，調有平上去入之別，而國音則全濁聲及入聲皆消失，而平聲又有陰陽之別，是以由廣韻演變至國音，歷經千有餘年，聲音多起變化，故純以此法，乃有不能密合者，然亦有條理可尋。首先吾人應熟稔反切上下字之類別，然後知若干韻類，屬於切韻指南十六攝中何攝，明乎此，則可按表稽尋得其正確之音讀。

茲錄切韻指南之韻攝分等與廣韻各韻類之相配表於後：（表中廣韻韻類悉依本師林先生中國聲韻學通論所分）

1.通　攝（合口）

一等：東　董　送　屋㈠　多　（湩）　宋　沃

二等：○　○　○　○　○　○　○　○

三等：東　董　送　屋㈡　鍾　腫　用　燭

四等：○　○　○　○　○　○　○　○

2.江　攝（開口）

一等：○　○　○　○

二等：江　講　絳　覺

三等：○ ○ ○ ○

四等：○ ○ ○ ○

3.止攝：

一等：開 ○○○ ○○○ ○○○ ○○○
合 ○○○ ○○○ ○○○ ○○○

二等：開 ○○○ ○○○ ○○○ ○○○
合 ○○○ ○○○ ○○○ ○○○

三等：開 支紙寘㊀ 脂旨至㊀ 之止志 微尾未㊀
合 支紙寘㊁ 脂旨至㊁ 微尾未㊁

四等：開 ○○○ ○○○ ○○○ ○○○
合 ○○○ ○○○ ○○○ ○○○

4.遇攝：

一等：開 ○ ○ ○
合 模 姥 暮

二等：開 ○ ○ ○
合 ○ ○ ○

三等：開 ○○○ ○○○
合 魚語御 虞麌遇
四等：開 ○○○
合 ○○○

5.蟹攝：

一等：開 咍海代 ○○泰㊀
合 灰賄隊 ○○泰㊁
二等：開 皆駭怪㊀ 佳蟹卦㊀ ○○夬㊀
合 皆駭怪㊁ 佳蟹卦㊁ ○○夬㊁
三等：開 ○○祭㊀
合 ○○祭㊁ ○○廢
四等：開 齊薺霽㊀
合 齊薺霽㊁

6.臻攝：

一等：開 痕很恨（麧）
合 魂混慁沒

二等：開	臻	○	○	櫛					
合	○	○	○	○					
三等：開	眞	軫	震	質	欣	隱	焮	迄
合	諄	準	稕	術	文	吻	問	物
四等：開	○	○	○	○				
合	○	○	○	○				

7.山攝：

一等：開	寒	旱	翰	曷				
合	桓	緩	換	末				
二等：開	刪	潸	諫	鎋㊀	山	產	襇	黠㊀
合	刪	潸	諫	鎋㊁	山	產	襇	黠㊁
三等：開	仙	獮	線	薛㊀	元	阮	願	月㊀
合	仙	獮	線	薛㊁	元	阮	願	月㊁
四等：開	先	銑	霰	屑㊀				
合	先	銑	霰	屑㊁				

8.效攝：（開合）

一等：豪　皓　號

二等：肴　巧　效

三等：宵　小　笑

四等：蕭　篠　嘯

9.果攝：

一等：開　歌　哿　箇

合　戈　果　過㈠

二等：開　○　○　○

合　○　○　○

三等：開　戈　果　過㈡

合　戈　果　過㈢

四等：開　○　○　○

合　○　○　○

10.假攝：

一等：開　○　○　○

合　○　○　○

二等：開　麻　馬　禡㊀
　　　合　麻　馬　禡㊁
三等：開　麻　馬　禡㊂
　　　合　○　○　○
四等：開　○　○　○
　　　合　○　○　○

11.宕攝：

一等：開　唐　蕩　宕　鐸㊀
　　　合　唐　蕩　宕　鐸㊁
二等：開　○　○　○　○
　　　合　○　○　○　○
三等：開　陽　養　漾　藥㊀
　　　合　陽　養　漾　藥㊁
四等：開　○　○　○　○
　　　合　○　○　○　○

12.梗攝：

一等：開　○　○　○　○
　　　合　○　○　○　○
二等：開　庚　梗　映　陌㈠　耕　耿　諍　麥㈠
　　　合　庚　梗　映　陌㈡　耕　耿　諍　麥㈡
三等：開　庚　梗　映　陌㈢　清　靜　勁　昔㈠
　　　合　庚　梗　映　陌㈣　清　靜　勁　昔㈡
四等：開　青　迥　徑　錫㈠
　　　合　青　迥　徑　錫㈡

13. 曾攝：

一等：開　登　等　嶝　德㈠
　　　合　登　○　○　德㈡
二等：開　○　○　○　○
　　　合　○　○　○　○
三等：開　蒸　拯　證　職
　　　合　○　○　○　○
四等：開　○　○　○　○
　　　合　○　○　○　○

合 ○ ○ ○ ○

14. 流攝：（開合）

一等：侯 厚 候

二等：○ ○ ○

三等：尤 有 宥 幽 黝 幼

四等：○ ○ ○

15. 深攝：

一等：○ ○ ○ ○

二等：○ ○ ○ ○

三等：侵 寑 沁 緝

四等：○ ○ ○ ○

16. 咸攝：

一等：開 覃 感 勘 合 談 敢 闞 盍

合 ○ ○ ○ ○ ○ ○ ○ ○

二等：開 咸 豏 陷 洽 銜 檻 鑑 狎

合 ○ ○ ○ ○ ○ ○ ○ ○

三等：開　鹽　琰　豔　葉　嚴　儼　釅　業

合　凡　范　梵　乏

四等：開　添　忝　㮇　帖

合　○　○　○　○

旣明廣韻韻類與切韵指南各攝分等之關係，然後再按照廣韻聲紐與國語聲母比較表（如附表一）及廣韻韵母與國語韻母對照表（如附表二及附表三）聲調變化表（如附表四）卽可求得正確之國語讀音。茲擧二例以明之：

㈠蟲、直弓切。

1.先查弓字屬東韻第二類。（林師反切下字表）

2.查切韵指南韻攝表，東二類屬通攝合口三等。

3.查直字屬澄紐。（林師反切上字表）

4.查附表一、澄紐爲全濁平聲讀ㄔ〔tʂ'〕。

5.查附表三（合口）三四等知系陽聲通攝下韵母爲ㄨㄥ〔uŋ〕。

6.查附表四平聲全濁下聲調爲˧˥。

7.故知「蟲」字國語注音爲ㄔㄨㄥˊ，國際音標爲〔tʂ'uŋ˧˥〕。

㈡知、陟離切

1.先查離字屬支韵第一類。(林師反切下字表)

2.切韵指南韵攝表,支一類屬止攝開口三等。

3.查陟字屬知紐。(林師反切上字表)

4.查附表一,知紐爲全清,讀ㄓ(tʂ)。

5.查附表二(開口)三四等知系陰聲止攝下韵母爲 ʅ。由註㊁知注音符號無韵符僅以聲符注音。

6.查附表四平聲清聲下聲調爲「˥」。

7.故知「知」字國語注音爲ㄓ,國際音標爲(tʂʅ˥)。

附錄一

蘄春黃季剛（侃）先生古音學說駁難辨

陳　新　雄

蘄春黃季剛先生（一八八六—一九三五），邃於音學，廣韻一書，最所精研，日必數檢，韋編三絕，其中義蘊，盡發無遺，非獨能詮其名詞，釋其類例；更由是以稽先秦古音，而考定古韻廿八部，古聲十九紐。雖其所考，由廣韻而定，然與詩騷之用韻，說文之諧聲，竟全然脗合，絲毫不爽；徵之清儒所發明者，亦如析符復合，絕無差失。是以自黃先生之說出，並世之碩儒老師，乃競相稱述，其論音韻，亦翕然以古聲十九紐古韻廿八部之說為依歸。顧黃先生早逝，其說多另星閒見，尚無專著。是故自其古音之說出，贊成之者，固不乏人；然非議之者，亦時有聞。新雄從本師瑞安林先生景伊治聲韵之學有年，於黃先生之古音學說，略窺端倪。用敢不揣固陋，搜集非議諸家之說，為之一一辨釋，以質諸世之知音者，並求教正焉。至黃先生古音學說之內容，因非本文所論重心，是故闕而不言。讀者諸君，欲知其詳，可參見黃先生所著音略，聲韻略說，聲韻通例，與人論治小學書諸文（在中華書局出版黃侃論學雜著內），及劉賾聲韵學表解（商務印書館出版），本師林先生（尹）聲韻學通論（世界書局出版）本師潘先生（重規）中國聲韻學（新亞書院中文系出版），同門生謝一民著蘄春黃氏古音說（嘉新水泥公司文化基金會出版），拙著古音學發微（嘉新文化基金會出版）音略證補（慶祝瑞安林景伊先生六十誕辰論文集）。

下文為行文之便，皆先錄非議諸家之原文，然後為之辨釋。綜合諸家之言，蓋有四家十難，辨釋於后：

一、林語堂先生古音中已遺失的聲母一文非難黃先生云：『更奇怪的，是黃侃的古音十九紐說的循環式論證，黃氏何以知道古音僅有十九紐呢？因爲在所謂「古本韻」的三十二韻中，只有這十九紐。如果你再問何以知道這三十二韻是「古本韻」呢？那末清楚的回答便是：因爲這三十二韻中只有「古本紐」的十九紐。這種以乙證甲，又以甲證乙的乞貸論證（begging the question），豈不是有點像以黃臉孔證明中國人爲偉大民族？何以知道中國人偉大呢？因爲他們黃臉。但是何以知道黃臉人偉大呢？因爲中國人就是偉大民族！』

辨曰：欲辨釋林語堂先生此難，且先問廣韵一書有無包含古音之成分？廣韻沿襲陸法言切韻而來，陸氏切韻序：『因論南北是非，古今通塞。』旣云論古今通塞，是其書原兼含古音在內，關於此點，林先生亦不能不承認。林先生於珂羅倔倫攷訂切韻韻母隋讀表一文卽云：『實則切韻之書，半含存古性質，切韻作者八人，南北方音不同，其所擬韻目，非一地一時之某種方音中所悉數分出之韻母，乃當時眾方音中所可辨的韻母統系。』又云：『又因爲方音所分，同時多是保存古音（如支脂東多之分），所以長孫訥言稱爲「酌古沿今，無以加也。」』廣韻一書旣兼存古音，則於是書求出其所存之古音系統，在理論上有何不可？更何況黃先生考求古音之方法，乃先據前人攷求古韵分部所得之結果，其廿八部之立，全據昔人所分。黃先生音略云：『今定古韻陰聲八，陽聲十，入聲十，凡二十八部。其所本如左：

歌顧炎武所立。灰段玉裁所立。齊鄭庠所立。模鄭所立。侯段所立。蕭江永所立。豪鄭所立。咍段所立。寒江所立。痕段所立。先鄭所立。青顧所立。唐顧所立。東鄭所立。冬孔廣森所立。登顧所立。覃鄭所立。添江所立。曷王念孫所立。沒章氏所立。屑戴震所立。錫戴所立。鐸戴所立。屋戴所立。德戴所立。沃戴所立。合戴所立。帖戴所立。此二十八部之立，皆本昔人，曾未以肊見加入。』至於非、敷、奉、微、知、徹、澄、娘、日九紐之爲變聲，又經前人考實。錢大昕有古無輕脣音一文以爲「凡輕脣之音，古讀皆爲重脣。」錢氏舌音類隔之說不可信一文則謂「古無舌頭舌上之分。知徹澄三母，以今音讀之，與照、穿、牀無別也，求之古音，則與端透定無異。」章太炎先生古音娘日二紐歸泥說一文則證明「古音有舌頭泥紐，其後支別，則舌上有娘紐，半舌半齒有日紐，于古皆泥紐也。」黃先生進察廣韵二百六韵中，凡無變聲非敷奉微知徹澄娘日九紐之韵或韵類，同時亦必無喻、爲、羣、照、穿、神、審、禪、邪、莊、初、牀、疏十三紐，則喻爲等十三紐亦必與非、敷等九紐同一性質可知，非敷等九紐既爲變聲，則喻爲等十三紐亦屬變聲無疑。黃先生據此以考廣韻二百六韻，其不見變聲二十二紐者，得三十二韵，而此三十二韵中，魂痕寒桓歌戈曷末八韵互爲開合，併其開合，則得廿八部。而此二十八部適與顧江戴孔段王嚴章諸氏所析，適相符合。陸氏切韵既兼存古音，則此二十八部，即陸氏所定之古本韻、又復奚疑！如此何得謂爲乞貸論證？尤有進者，即黃先生所斷爲變聲之喻爲等十三紐，經後人證明皆確爲變聲。曾運乾喻紐古讀考以喻爲二紐爲定匣之變聲，錢玄同、戴君仁先生古音無邪紐證，古音無邪紐補證二文則證明邪爲定之變聲。前乎此者，清夏燮已有照穿神審禪古歸端透定，莊初牀疏古歸精清從心之見，見所著述韵。筆者亦有羣紐古讀考附驥，以爲羣者匣之變聲也。此除證明黃先生之有眞知灼見之外，又何「乞貸」之可言？

二、林語堂先生前文又非難黃先生云：『實在黃氏所引三十二韻中，不見黏齶聲母並不足奇，也算不了什麼證據，因爲黏齶的聲母，自不能見於非黏齶的韻母，絕對不能因爲聲母之有無，而斷定韻母之是否「古本韻」，更不能乞貸這個古本韻來證明此韻母中的聲母之爲「古本紐」。』

辨曰：黏齶韻母與非黏齶韻母之斷定，當以介音i之有無爲準，有者爲黏齶之韻母，無者爲非黏齶之韻母。至於黏齶聲母與非黏齶聲母之斷定，則其標準據羅常培普通語音學綱要蓋有三焉，即㈠當發聲母之時，舌面接近硬齶，所發聲母具有舌面音之色彩，則此聲母爲黏齶之聲母，否則爲非黏齶之聲母。㈡聲母發音時，因後接元音舌位高低不同，因受元音之影響，使聲母舌位亦有高低之殊，舌位較高時所發之聲母，爲黏齶聲母，否則爲非黏齶之聲母。㈢就語言歷史過程中，本非舌面音之聲母其後變爲舌面音者，稱之爲黏齶聲母，否則爲非黏齶聲母。於黏齶聲韻母與非黏齶聲韵母有此認識後。再檢視黃先生之三十二古本韻，則顯然可知此三十二古本韵並非全然無介音i之韻母，若齊、若先、若蕭、若青、若添、若屑、若錫、若帖，於等韻全居四等，則不可謂無介音i，自不可謂非黏齶之韻母，然此諸韻皆不見黏齶之聲母，又如何不足奇？且非黏齶之聲母如端t-、透tʻ-、定dʻ-、泥n-，如何變成黏齶之聲母如知ȶ-、徹ȶʻ-、澄ȡʻ-，娘ȵ？設無非黏齶之聲母與黏齶之韻母相接，則又何從產生知ȶ-，徹ȶʻ-，澄ȡʻ-，娘ȵ-等之黏齶聲母？非黏齶之聲母既可見於黏齶之韻母，何以非黏齶之韵母，就必不可有黏齶之聲母。且如江韻董同龢先生中國語音史考訂其中古音值爲-ɔŋ。林語堂先生所親譯高本漢氏答馬斯貝囉論切韻之音一文中，高本漢氏亦以江韵切韵之音值爲無i之-ɔŋ（原文作ång）。則江韵爲非黏齶之韵母可知，江韵既爲非黏齶之韻母，又何以韵中亦有惷（丑江切，徹ȶʻ-），幢（宅江切，澄ȡʻ-）聰（女江切，娘ȵ-）諸音？何以亦有黏齶之聲母之存在？又林先生所譯高氏答馬斯貝囉論切韵之音一文跋語中，亦主張先、添、青、齊諸韵之開口韵音皆具je-音，則此諸韵爲黏齶之韻母更無疑。然則林先生所謂『黏齶的聲母，自不能見於非黏齶的韻母』之言，並無任何理論上必然之根據。更何況黃先生所謂古本韵者，並非純屬非黏齶之韵母，則林語堂先生此難，尚不足以爲黃先生病也。又林先生在支脂之三部古讀考中云：『聲母與各韻的連帶關係，這是凡考古音者所必注意，而中國音韵家所未能注意的一種方法。』黏齶聲母何以不能見於非黏齶韻母？林先生曾注意否？此豈非聲母與韵母之連帶關係。黃先生實中國聲韵學家第一人注意及之者，故其音略云：『古聲旣變爲今聲，則古韵不得不變爲今韻，以此二物相挾而變。』未料却爲林先生責爲「乞貸」！

三、王了一先生於中國音韵學批評黃先生學說云：『但所謂「古本韻中只有古本紐」，亦不能無例外。』

辨曰：黃季剛先生於此類例外切語，亦嘗注意。其與人論治小學書云：『先韵有狗牀紐，此增加字。新雄按狗字廣韻崇玄切在韻末，唐寫本切韻殘卷第三種（後簡稱切三）及敦煌本王仁昫刊謬補缺切韻（後簡稱王一）皆無，其非陸氏之舊，爲後世增加者無疑矣。**灰韻上聲有脩字，**爲紐，此增加字。新雄按脩字廣韻于罪切，在韻末，切三及故宮本王仁昫刊謬缺切韻（後簡稱王二）作羽罪反，皆在韻末。王一作素罪反，屬心紐爲古本聲，以其平去二聲準之，齒音四紐具足，惟上聲獨缺心紐，或當據王一正作素罪反。龍宇純君韻鏡校注以爲脩蓋祭韻衞之上聲字。則其附寄於此者當爲字少之故。**曷韻有鶷字，**喻紐，此增加字。新雄按鶷字廣韻各本矛割切，陳氏切韻攷謂當從明本顧本作予割切，此字切三、王一、王二、唐韻皆無，非陸氏之舊，黃君以爲增加字者是也。**桓韻上聲有鄹字，**邪紐，此增加字，新雄按鄹字廣韻辭纂切，唐寫本切韻殘卷第一種（後簡稱切一）切三、王一皆無，五代刊本切韻作聊詞纂切，非陸氏之舊，其爲增加字無疑也。**齊韻有臡字，**日紐，此增加字。新雄按廣韻臡人兮切移成臡切，在韻末，切三及五代刊本切韻皆有此二字，且雜在韻中。董同龢先生中國語音史云：「廣韻咍海兩韻有少數昌（即穿）母以及以（即喻）母字，齊韻又有禪母及日母字，這都是特殊的現象，因爲一等韻與四等韻，照例不與這些聲母配，根據韻圖以及等韻門法中的寄韻憑切與日寄憑切兩條，可知他們當是與祭韻相當的平上聲字，因字少分別寄入咍海齊三韻，而借用那幾個韻的反切下字。寄入齊韻的移字，或本唐韻自成一韻，集韻又入咍韻，都可供參考。」據董先生此說，則臡移二字原非齊韻之字，則雖爲變聲，實與齊韻之爲古本韻無礙。**移字**禪紐，此增加字。按見上。**去聲有遾字，**徹紐，此增加字，新雄按遾字丑戾切，廣韻在韻末，王一、唐韻皆無，王二有，在韻末，蓋亦爲增加字矣。**錫韻有歡字，**徹紐，此增加字。新雄按歡字廣韻丑歷切在韻末，切三、王一、王二、唐韻皆無，增加字也。**侯韻上聲有鯫字**牀紐，此增加字。新雄按鯫字廣韻仕垢切在韻末，王一士垢反，王二仕垢反皆在韻末，切三士垢反又土溝反，亦在韻末，土字疑七字之誤，其又音土溝反。廣韻正作七溝反可證。又張本廣韻侯韻剽紐鯫字又七茍切，正是此音，則土爲七之誤益明矣。又廣韻趣取棷三字倉茍切，王一取棷二字倉垢反，王二取棷二字倉垢反，皆在韻末，切三無，則顯爲增加字無疑，趣取棷爲增加字，則鯫切三原作七垢反益無疑矣。**東一類去聲有諷**非紐**賵**敷紐**鳳**奉紐**字，以平聲準之當入第二類。咍韻有犕字，**穿紐，新雄按犕廣韻昌來切，在韻末，切三、王一皆無，增加字也。又參見臡字下引董氏語。**上聲有腆字，**喻紐，新雄按腆字廣韻與改切在韻末，切一、切三、王一、王二皆無增加字也。又參見臡字下按語。**疓字，**日紐，皆增加字也。新雄按疓字廣韻如亥切在韻末，切一、切三、王一、王二皆無，增加也。**凡此變音諸字，雜在本音中，大氏後人增加，綴於部末，非陸君之舊，不可以執是以譏鄙言之不驗也。』**

此外劉盼遂氏又查出『先韻上聲有編字方典反、非紐。先韻入聲有弼字方結反、非紐。灰韻有胚字芳杯反，奉紐。灰韻上聲有鬄字陟賄反，知紐。魂韻去聲有奔字甫悶反，非紐。戈韻有瘸字巨靴反，羣紐。又有伽字求迦反，羣紐。戈韻去聲有縛字符臥反，奉紐。錫韻有甓字扶歷反，奉紐。登韻去聲有倗字父鄧反，奉紐。又有⿱宀朋字方隥反，非紐。又有懵字武亘反，微紐。侯韻上聲有⿰扌鄒字方垢反，非紐。咍韻有棓字扶來反，奉紐。咍韻上聲有茝字昌待反，穿紐。』劉氏於所著黃氏古音廿八部商兌一文為之辨云：『以上變紐十五文，黃先生所未及舉，總上黃先所錄者共得三十字，皆悖謬於古音定則，使學士滋惑也。盼遂嘗深思所以致誤之由，至於輾轉伏枕而不能解，迨後得唐寫本王仁煦切韻清大內出吳彩鸞寫本，上虞羅氏印。寫本切韻海寧王先生影寫敦煌石室殘卷三種。及唐寫本唐韻吳縣蔣氏藏吳彩鸞寫本殘卷。取以參校廣韻，此疑頓爾冰釋。前方三十字中，其東部去韻諷賵鳳三字此不論。新雄按黃先生已自辨其故，說見前。若狗鄹遂歡犕腴瘸新雄按此七字已辨，見前。鬄新雄按切三、王一、王二皆無。瘸新雄按切三、王一、王二皆無。伽新雄按伽字求迦切，迦字切三無反語，王一去迦反，王二云反法，且迦字切三無，則伽為增加字可知，均在韻末。縛新雄按王一、王二、唐韻皆無。倗新雄按王一、王二在韻末，唐韻無。棓新雄按切三切一皆無。等十四字皆不見於陸孫之書，若魂韻去聲之奔，唐韻則脯悶反，注云一加新雄按顯為增加字，王一有，王二無。，侯韻上聲之鯫，切韻作土垢反新雄按見前。是一字仍屬古本紐也。餘如胚新雄按此字切三、王一皆作芳胚反，本師瑞安林先生云：「廣韻尤韻飄紐有胚字，其又音為普回切，可見灰韻之胚字，原為滂母，韻鏡列一等脣音次清位，指掌圖列滂母下可證。」侑新雄按辨見前。茝新雄按辨見前茝字下引董氏語。編新雄按此字切三方顯反，王一方䋶反，切一、五代刊本無，廣韻一先韻邊紐有編，又音方泫切，又有萹又音北泫切，方泫北泫即銑韻方典切之音，由萹字又切北泫，足證編原為幫母，韻鏡列脣音清音下四等位，切韻指掌圖即列於幫母下可證此字原讀重脣。弼新雄按此字切三、王一、王二、唐韻皆作方結反，然以平上去三聲準之當屬幫母，集韻作必結切，指掌圖入幫紐下，足為旁證甓新雄按此字切三、王一、唐韻與廣韻同作扶歷反，然王二作捕歷反為並紐，以平上去三聲準之，王二是也。⿱宀朋新雄按此字王一、王二方鄧反唐韻方鄧反以平上入三聲準之，當屬幫母，集韻逋鄧切，指掌圖入幫紐下，足爲旁證。帽新雄按此字王一、王二皆作武亘反，以平上入三聲準之，當屬明母，集韻母亘切，指掌圖入明紐下，足爲旁證。掊新雄按此字廣韻作捊方垢切，王一王二皆方后反，以平去二聲準之，當入幫紐下，集韻彼口切指掌圖入幫母下足證。鶩栘新雄按此二字辨見前。等十一字，二書均同廣韻，疑出於長孫箋注緒正朱箋所加，非陸氏所本有，不然何以茲十一字均厠於部末而與上文不一例邪？由是益徵黃先生之精於推論，然非得唐氏秘書，亦終屬託辭而未敢質言之矣。』除黃先生及劉氏所舉諸字之外，廣韻灰韻尙有浼字武罪切，微紐。新雄按切三、王二皆作武罪切，以平去二聲準之，當屬明母，集韻母罪切，指掌圖列明母下。豪韻上聲有蓩字武道切，微紐。新雄按切三、王一皆作武道反，以平去二聲準之，當爲明母字，切韻指掌圖列於明紐下，亦足爲旁證矣。登韻有瞢武登切，微紐。新雄按切三、王一皆然，集韻彌登切，指掌入明母。侯韻有呣亡侯切，微紐新雄按切三、王一、王二皆無，增加字也。合韻有䢃字士合切，牀紐。新雄案切三、王二、唐韻皆無，增加字也。合黃君劉氏所舉，共得三十五字雖有變聲，除顯然爲增加字者外，其混淆無理者，脣音獨多。大唐舍利創字母三十，脣音不、芳、並、明，尙無輕重之別。陳澧所考廣韻聲類，亦明微不分。由此觀之，重脣之支分爲輕脣，時代甚晚，陸氏時尙無輕脣重脣之別。董同龢先生中國語音史卽謂：『中古早期還沒有輕重脣的分別。』了一先生漢語史稿亦云：『直到切韻時代，脣齒音還沒有從雙脣音分化出來。』因陸氏時輕重脣尙無區別，故輕脣重脣多混用也。明乎此，其無害於黃先生古音學說之成立，亦已明矣。除脣音外，其他諸變聲字，皆可尋其羼入之端，由此尤可見黃先生識見之精審，於音學之有獨詣矣。

四、王了一先生於中國音韻學又云：『我們不能贊成黃氏拿廣韻的反切法去做推測古音的工具，因爲反切法是後起的東西，與古音不會發生關係。』

辨曰：廣韻切語承襲切韻而來，雖則間有改易，然基本上其反切仍沿襲切韻，而系統一致，此殆無可疑。羅常培先生中國音韻沿革講義云：『廣韻反切大體沿用法言以下諸家，而於聲音遞變者，間亦改從時音，以求和協。其有改之未盡者，即所謂「類隔」切也。廣韻一字互注之切語，多用類隔，以明古聲之本同。考古音者，系聯類隔切語，參證切韻佚音，正足窺見隋音消息，探討法言舊法。』王了一先生亦謂：『一般所謂「切韻系統」也就是廣韻的系統。』又說：『廣韻的語音系統基本上是根據唐韵的，唐韵的語音系統則又基本上是根據切韻的。』由羅王兩氏所言，則廣韻之反切法即切韻之反切法。至於切韻之反切法，可否作爲推測古音之工具。茲仍引王了一先生自己之說以爲說明。王先生在漢語音韻內說：『陸法言的古音知識是從古代反切得來的，他拿古代反切來跟當代方音相印證，合的認爲「是」，不合的認爲「非」，合的認爲「通」，不合的認爲「塞」。這樣就在很大程度上保存了古音系統。例如支脂之三韻在當代許多方言裏都沒有分別，但是古代的反切證明這三個韻在古代是有分別的，陸法言就不肯把它們合併起來。其中有沒有主觀臆測的地方呢？肯定是有的；但是至少可以說，切韻保存了古音的痕跡，這就有利于我們研究上古的語音系統。』切韻既保存古音痕跡，而陸法言之古音知識，又從古代反切而來。然則以廣韵之反切法，推測其書古音系統，又有何不可？漢語音韻係王了一先生晚年定論，已對其早年所疑，自作圓滿之解答矣。

五、王了一先生於中國音韻學又批評黃先生云：『而且他所指出的古本韻，實際上是在韻圖中居一等或四等的韻；舌上音與正齒音本來沒有一四等，輕脣音與日母本來沒有一二四等，自然不能入於黃氏所謂古本韻之中。由此看來，黃氏只在每一個古韻部中（例如之部或支部）揀出一個一等或四等的韻（例如之部咍韻居一等，支部齊韻居四等），認爲古本韻。這對於古音系統仍不能證明，倒反弄出不妥來。例如「齊」字本身屬於古音脂部，而黃氏所謂齊部，却指古音支部而言；「先」字本身屬於古音諄部，而黃氏所謂先部，却指古音眞部而言。』

辨曰：等韻之分等，尤其是早期之等韻圖，例如韵鏡與七音略，實際上係據切韵廣韵等韵書而制定者，王了一先生卽嘗云：『在宋、元兩代反切圖是專爲切韵、廣韵或集韵的反切而作的。』又因切韵系韵書並非反映當時具體語言之實際語音系統，而是兼顧古音系統，則等韵之四等實際上亦反映出韻書之古音系統。故王了一先生又於漢語音韻云：『韵圖所反映的四等韵只是歷史的陳迹了。』此言基本上實爲絕對正確者。因爲四等之分，只不過是歷史之陳迹，而非實際之語音系統。因其爲歷史之陳迹，故必然存有古音之系統。卽如王先生所謂舌上、正齒本無一四等，輕脣與日母本無一二等而言，此誠然矣。然則吾人當問何以舌上、正齒不存於一四等？輕脣半齒不存於一二四等？卽如高本漢氏所定四等之分，一等主要元音爲較后之〔ɑ〕或〔o〕，二等主要元音爲較前之〔a〕，三等主要元音爲更前之〔ε〕，並有韻頭〔j〕，四等主要元音爲更前之〔e〕，並有韻頭〔i〕。原來一二等元音之〔a〕與〔a〕雖同屬洪音，但〔a〕較〔a〕爲后，不易影響聲母發生變化，而〔a〕則因爲『很前很淺（aigu）』故較易影響聲母發生變化。三四等之韵頭〔j〕與〔i〕雖同屬細音，但輔音性韵頭〔j〕因發音部位極高又帶摩擦性，故易使前接聲母顎化；元音性韵頭〔i〕則較不易。何況據王先生漢語史稿古音二等性韵母當有輔音性之韻頭〔e〕，則較高氏所定〔a〕尤易使聲母變化。因爲二三等之韻頭易使聲母變化，則等韵中二三等之聲母多屬變聲又何可疑？舌上、正齒、輕脣、半齒今皆證明其爲變聲。則其不見於一四等韵豈非極自然之事！明乎此則何以黃先生所謂古本韵在等韵中僅居一四等，其理亦極顯明。因爲一四等韵之元音及韻頭較不易使聲母變化，自然易於保存古音之聲韵母系統。

至於黃先生古本韻標目問題，確如王先生所云有略爲欠妥之處，然此亦極易解釋。吳興錢玄同先生論諸家古韻標目之異同嘗云：『黃季剛二十八部，雖亦用廣韻韻目爲標，然與王（念孫）章（炳麟）嚴（可均）黃（以周）四家任擧一字者迥異。因廣韻二百六部中，此三十二韻原是古本韻，黃氏既於廣韻中求得古本韻之韻，故卽用古本韻韻目題識，此古本韻韻目三十二字，實爲陸法言所定之古韵標目，今遵用之，正其宜也。』（見劉賾聲韻學表解引）據錢先生此言，可知黃先生之古韻標目乃陸氏所定之古韻標目，然陸氏與劉臻等八人定韻之時，雖則「剖析毫釐，分別黍累。」大體皆尙精當。然彼輩數人，「定則定矣」。終不免有審音未到之處，亦難免存有主觀臆斷之處。故乃以齊表支，以灰表脂，以先表眞，其齊、灰、先皆不在本部。蓋陸氏審音之疏，此與黃先生無涉也。是故黃先生雖遵用其舊目，而於部內則必使歸本部，此正所以規陸氏之失也。

六、王先生中國音韻學又云：『所謂「古本紐」（例如幫）與「變紐」（例如非），在古代的音值是否相同呢？如不相同，則非不能歸併於幫，亦卽不能減三十六紐為十九紐；如古代非幫的音值相同，則幫紐可切之字，非紐何嘗不可切呢？』

辨曰：古本紐與變紐於古音值自當相同，易言之，卽尚未分化前自是相同，惟至陸氏時，古本紐與變紐之音值已起變化。陸氏於已變之音值，認為變紐，故其古本韻絕不雜用變紐。如知 ȶ- 徹 ȶʻ- 澄 ȡʻ- 娘 ȵ- 日 nʑ- 諸變紐，其音值至陸氏時已與古本紐端 t- 透 tʻ- 定 dʻ- 泥 n- 諸紐音值迥殊，故陸氏定韻之時，其古本韻中絕不以知徹澄娘日諸變紐為切語上字；至於重脣幫、滂、並、明四紐與輕脣非敷奉微四紐，於陸氏時尚未盡區分，卽音值尚多相同。故陸氏定韻，其古本韻中脣音八母多互混淆，蓋亦以音值之相同，故彼此互切也。然陸氏時已變者，則絕不混切，此其所以為剖析豪釐者乎！

七、王先生中國音韻學又云：『又如泰韻既無變紐，為什麼不認為古本韻，而認為曷末之變韻呢？我們不信黃氏的說法，這也是一個強有力的理由。』

辨曰：泰韻中之聲紐，純為古本紐，此誠然矣。然何以不視為古本韵，而以為曷末之變韻乎？蓋黃季剛先生之考定古本韻，除以紐類韵部交比之外，（按見拙著古音學發微。）尚兼涉於聲調之變化。黃先生音略略例云：『四聲，古無去聲，段君所說；今更知古無上聲，惟有平入而已。』又聲韻通例云：『凡聲有輕重，古聲惟有二類：曰平、曰入。今聲分四類：重于平曰上，輕于入曰去。』又云：『凡今四聲字，讀古二聲，各從本音。本音爲平，雖上去入亦讀平；本音爲入，雖平上去亦讀入。』本師瑞安林先生中國聲韻學通論亦云：『古惟有「平」「入」二聲，以爲留音長短之大限。迨後讀「平聲」少短而爲「上」，讀「入聲」，稍緩而爲「去」。』蓋黃先生以爲古惟有平入二聲，其上聲去聲則後世之變也。關於古代聲調，王了一先生近年亦有類似之見。其漢語史稿云：『先秦的聲調除了以特定的音高爲其特徵外，分爲舒促兩大類，但又細分爲長短，舒而長的聲調就是平聲，舒而短的聲調就是上聲。促聲不論長短，我們一律稱爲入聲。促而長的聲調就是長入，短而促的聲調就是短入。……關於聲調區分的理論根據是這樣：①依照段玉裁的說法，古音平上爲一類，去入爲一類。從詩韻和諧聲看，平上常相通，去入常相通。這就是聲調本分舒促兩大類的緣故。②中古詩人把聲調分爲平仄兩類，在詩句裏平仄交替，實際上像西洋的「長短律」和「短長律」。由此可知古代聲調有音長的音素在內。』又云：『在上古的聲調中舒聲有長短兩類，就是平聲和上聲，促聲也有長短兩類，就是去聲和入聲。所謂舒聲，是指沒有-p、-t、-k收尾的音節來說的；所謂促聲，是指有-p、-t、-k收尾的音節來說的。上古的長入，由於它們的元音都是長元音，在發展過程中，韵尾-t，-k逐漸消失了。長入韵尾的消失大約是在第五世紀或更早的時期完成的。……段玉裁說上古沒有去聲，他的話是完全對的。』泰韻於廣韻爲去聲，去聲上古旣無，則其爲變韵何疑！泰韻於古音爲入聲，王了一先生漢語音韻亦嘗說明。其言曰：『戴氏的古韵廿五部，似密而實疎。…祭、泰、夬、廢獨立，這是他的創見，但是卽使在陰、陽、入三分的情形下，他也只該像王念孫那樣把這四個韻和入聲月曷末等韵合成一部。（黃侃正是這樣做的）而不應該分爲兩部。』又云：『黃氏認爲上古的聲調只有平入兩類，因此他的入聲韵部實際上包括了廣韻裏大部分的去聲字。在這一點上他比戴氏高明。』此爲王先生晚年定論，已足將其早年之疑慮，徹底廓清矣。

八、魏建功先生古音系研究批評黃先生云：『那有降而在切韻書裏面找古音部類的，於是開「韵部紐類交比法」的例。我們說過等列變遷的來源，韻書與等列都是諧聲系統沒落以後的東西。等列裏可以包含一些古音的間架，可不見得古音系統在等列裏頭完全保存著；所以我們也說過了。等列自身變遷可以做等韵以來等列所代表的音系的歷史研究，却不能逕行拿來推論那更早的音系。韻書的情形也是如此。…這種方法首先利用的人是黃侃。』

辨曰：普通韻書若中原音韵，洪武正韻之類，固未必保存古代音系，然切韻、廣韻乃論「南北是非，古今通塞」之作，其保存有古音系統，實無可疑。（參見前辨諸難。）魏氏此難，實昧於廣韻爲一兼賅古今方國之語成爲標準韻書之理。而將切韻、廣韻諸書，視同普通韻書，以爲乃唐、宋以來產物，其韻字僅爲唐、宋以來之音系；以爲只可從廣韵中聲韻相互關係論音變，而不能考古音系統。實由於基本觀念之錯誤。對切韻廣韻爲書之基本性質，未能認識清楚。故宮本王仁昫刋謬補缺切韵若干韵目下注明各韵諸家分合之異同。兹錄於后：

冬都宗無上聲、陽與鍾江同，呂、夏侯別，今依呂、夏侯。

脂章夷呂、夏與微韻大亂，陽、李、杜別，今依陽、李杜。

真職鄰呂與文同，夏侯、陽、杜別，今依夏侯、杜。

臻側詵無上聲、呂、陽、杜與真同韻、夏別，今依夏。

敦煌本王仁煦刋謬補缺切韻亦有若干韻目注明各家分合之異同。亦錄於后：

董多動反、呂與腫同、夏侯別、今依夏侯。

旨職雉反、夏侯與止爲疑、呂、陽、李、杜別、今依呂、陽、李、杜。

語魚舉反、呂與麌同、夏侯、陽、李、杜別、今依夏侯。

蟹鞵買反、李與駭同、夏侯別，今依夏侯。

賄呼揋反、李與海同、夏侯爲疑、呂別，今依李。

隱 於謹反、呂與吻同、夏侯別、今依夏侯。

阮 虞遠反、夏侯、陽、杜與混很同、呂別、今依呂。

潸 數板反、呂與旱同、夏侯別、今依夏侯。

產 所簡反、陽與銑獮同、夏侯別、今依夏侯。

銑 蘇典反、夏侯、陽、杜與獮同、呂別、今依呂。

篠 蘇鳥反、陽、李、夏侯與小同、呂別、今依呂。

巧 苦皎反、呂與晧同、陽與篠小同、夏侯並別，今依夏侯。

養 餘兩反、夏侯在平聲陽唐、入聲藥鐸別、上聲養蕩爲疑、呂與蕩同、今別。

梗 □□反、夏侯與靖同、呂別、今依呂。

耿 古幸反、李杜與梗迥同、呂與靖迥同、□與耿別、夏侯與梗靖迥並別、今依夏侯。

靜　疾郢反、呂與迥同、夏侯別、今依夏侯。

有　□□□李與厚同、夏侯與□同、呂別、今依呂。

敢　古覽反、呂與檻同、夏侯別、今依夏侯。

琰　范、豏同、夏侯同、今並別。

宋　蘇統反、陽與用、絳同、夏侯別、今依夏侯。

至　脂利反、夏侯與志同、陽、李、杜別、今依陽、李、杜。

怪　古懷反、夏侯與泰同、呂別、今依呂。

隊　徒對反、李與代同、夏侯爲疑、呂別、今依呂。

廢　方肺反、無平上聲、夏侯與隊同、呂別、今依呂。

願　魚怨反、夏侯與慁別、與恨同、今並別。

諫 古晏反、李與襉同、夏侯別、今依夏侯。

霰 蘇見反、陽、李、夏侯與線同、夏侯與□同、呂、杜並別、今依呂、杜。

嘯 蘇弔反、陽、李、夏侯與笑同、夏侯與效同、呂杜並別、今依呂、杜。

效 胡教反、陽與嘯笑同、夏侯、杜別、今依夏侯、杜。

箇 古賀反、呂與禡同、夏侯別、今依夏侯。

漾 餘亮反、夏侯在平聲陽唐入聲□□並別、去聲漾宕爲疑、呂與宕同、今□□

敬 居命反、呂與諍同、勁徑並同、夏侯與勁同、與諍徑別、今並別。

宥 尤救反、呂、李與候同、夏、侯爲疑今別。

幼 伊謬反、杜與宥、候同、呂夏侯別、今依呂、夏侯。

豔 以贍反、呂與梵同、夏侯與㮇同、今別。

陷戶椺反、李與鑑同、
夏侯別、今依夏侯。

沃烏酷反、陽與燭同、呂
夏侯別，今依呂、夏侯。

櫛阻瑟反、呂、夏
與質同、今別。

迄許訖反、夏侯與質
同、呂別、今依呂。

月魚厥反、夏侯與沒
同，呂別、今依呂。

屑先結反、李、夏侯與
薛同、呂別、今依呂

藥以灼反、呂與鐸同、
夏侯別、今依夏侯。

錫先擊反、李與昔同、夏侯與陌
同、呂與昔同、與麥同、今並別。

葉與涉反、呂與怗
洽同、今別。

洽侯夾反、李與狎同、
夏侯別、今依夏侯。

從以上兩本王韵韵目所注可知，凡某人相混，陸氏必不從其混，某人有別，陸氏則從其分。其非當時實際語音系統，已極其顯然。故羅常培先生云：『對於切韵論定「南北是非，古今通塞」的性質，也就用不着再辯論了。』

吳興錢玄同先生云：『廣韻一書，兼賅古今南北之音，凡平仄、清濁、洪細、陰陽諸端分別甚細。今日欲研究古音，當以廣韻爲階梯。』又云：『廣韻分韵之多，其故有四：㈠平上去入之分，㈡陰聲陽聲之分，㈢開齊合撮之分，㈣古今沿革之分。』『第四項之分，則陸法言定韵精意，全在于此。吾儕生于二千年後，得以考明三代古音之讀法，悉賴法言之兼存古音。』（見文字學音篇）。廣韻兼顧古今沿革，自可保存古音系統，觀錢先生此言，亦足以釋魏氏之疑矣。

九、魏建功先生前書又云：『廣韻所收（1）有說文所無的，還有（2）依諧聲系統應是此部而廣韵入他部的，（3）更有別部收入此部的。』

辨曰：廣韵一書爲標準韻書，非字書也。以其爲標準韻書，故乃求備韵，收字與說文之有無，並無關連，且經傳典籍之字，說文失收者，亦所在多有，故本韵所收之字，說文之有無，並不足以影響其是否爲古本韵。劉賾聲韵學表解云：『古本韻二十八部，係指收音而言，非指每韻所收之字而言也。』至依諧聲應入此部而却入於他部者，則法言兼載古韵今韵，既非純爲古韵而作，自應兼顧今韵。如移、皮、宜、爲等字，依諧聲自當入歌韵，而廣韵入於支韵者，兼及於今音也。他部而收入此部者，其理亦同。卽以歌韵而論，其鼉、驒、[illegible]、儺、鸛等字依諧聲當入寒韵，今入於歌韵者，其故一則歌寒古近，音可相通；一則寒變入歌，爲時已久，法言錄之，正足以見古音之相通，又不違於當時之音讀，固無損歌之爲古本韻也。

十、董同龢先生中國語音史論黃先生古韻分部云：『古韻分部，近年又有黃侃二十八部之說，實在並無新奇之處。他所以比別人多幾部，是把入聲字從陰聲各部中抽出獨立成「部」的緣故。就古諧聲而論，那是不能成立的。因爲陰聲字與入聲字押韻或諧聲的例子很多，如可分，淸儒早就分了。』

辨曰：董先生批評之焦點，在於入聲諸部應否獨立成部。關於此點，近年王了一先生在漢語音韵一書論之綦詳。其言曰：『黃侃承受了段玉裁古無去聲之說，更進一步主張古無上聲，這樣就只剩下平入二類，平聲再分陰陽，就成了三分的局面。用今天語音學的術語來解釋，所謂陰聲，就是以元音收尾的韻部，又叫做開口音節；所謂陽聲，就是以鼻音收尾的韵部；所謂入聲就是以淸塞音p、t、k收尾的韵部。這樣分類是合理的。陰陽兩分法和陰陽入三分法的根本分歧，是由于前者是純然依照先秦韵文來作客觀的歸納，後者則是在前者的基礎上，再按照語音系統進行判斷，這裏應該把韵部和韵母系統區別開來。韵部以能互相押韻爲標準，所以只依照先秦韻文作客觀歸納就夠了；韻母系統則必須有它的系統性（任何語言都有它的系統性），所以研究古音的人必須以語音的系統性着眼，而不能專憑材料。

具體說來，兩派的主要分歧表現在職覺藥屋鐸錫六部是否獨立。這六部都是收音于-k的入聲字，如果併入了陰聲，我們怎樣了解陰聲呢？如果說陰聲之、幽、宵、侯、魚、支六部既以元音收尾，又以清塞音-k收尾，那麼顯然不是同一性質的韵部，何以不讓它們分開呢？況且收音于-p的緝葉，收音于-t的質物月都獨立起來了，只有收音于-k的不讓它們獨立，在理論上也講不通。既然認爲同部，必須認爲收音是相同的；要末就像孔廣森那樣，否認上古有收-k的入聲（原注：孔氏同時還否認上古有收-t的入聲，這裏不牽涉到收-t的問題，所以只談收-k的問題。）要末就像西洋某些漢學家所爲，連之、幽、宵、侯、魚、支六部都認爲也是收輔音的。（原注：例如西門（Walter Simon）和高本漢（B. Karlgren）。西門做得最徹底，六部都認爲是收濁擦音γ高本漢顧慮到開口音節太少了，所以只讓之幽宵支四部及魚部一部分收濁塞音g。）我們認爲兩種做法都不對：如果像孔廣森那樣，否定了上古的-k尾，那麼中古的-k尾是怎樣發展來的呢？如果像某些漢學家那樣，連之、幽、宵、侯、魚、支六部收塞音（或擦音），那麼，上古漢語的開音節那樣貧乏，也是不能想像的。（王先生於漢語史稿亦云：『高本漢拘泥於諧聲偏旁相通的痕跡，於是把之幽宵支四部的全部和魚部的一半都擬成入聲韵（收-g），又把脂微兩部和歌部的一部分擬爲收r的韻，於是只剩下侯部和魚歌的一部分是以元音收尾的韻，卽所謂「開音節」。世界上沒有任何一種語言的開音節是像這樣貧乏的。原注：倒是有相反的情形：例如彝語（哈尼語）的開音節特別豐富，而閉音節特別少。只要以常識判斷，就能知道高本漢的錯誤。這種推斷完全是一種形式主義。這樣也使上古韵文失掉聲韻鏗鏘的優點；而我們是有充分理由證明上古的語音不是這樣的。』）王力之所以放棄了早年的主張，採用了陰陽入三聲分立的說法，就是這個緣故。』從王了一先生上文觀之，則入聲字應否脫離陰聲韵獨立成部，已彰彰明矣。入聲韵部獨立後，其與陰聲韵部諸聲與押韵之現象、如何解釋？王了一先生又云：『不同聲調可以押韵，至今民歌和京劇、曲藝都是這樣的。甚至入聲也可以跟陰聲押韵，只要元音相同，多了一個唯閉音收尾還是勉強相押，這叫做「不完全韻」』。

本文搜集諸家之說，彙而釋之，純就事論事，以學理爲說明。並無對諸家有何褒貶之處。其實以上諸家在聲韻學上之成就，向爲筆者所欽慕。若能經由此篇之討論，而於中國聲韵學若干存疑之問題，皆獲徹底之解決，則幸甚焉。

民國五十九年四月一日脫稿於師大。

（原載國立台灣師範大學出版師大學報第十五期、民國五十九年六月）

附錄二

廣韻韻類分析之管見

陳新雄

自陳澧切韻考考訂廣韻韻類爲三百十一類以來，歷來學者各有增訂，茲將諸家異同表列於后：

	東一			屋一	東二		
陳澧		董	送一			○	送二
黃侃	〃	〃	〃	〃	〃	○	〃
高本漢	ung	〃	〃	uk	i̯ung	○	〃
錢玄同	uŋ	〃	〃	uk	i̯uŋ	○	〃
林尹	東一	〃	〃	屋一	東二	○	〃
王力	uŋ	〃	〃	uk	ĭuŋ	○	〃
周祖謨	〃	〃	〃	〃	〃	○	〃
陸志韋	紅 uŋ	孔 〃	貢 〃	木 uk	弓 ɪuŋ	○	仲 〃
李榮	〃	〃	〃	〃	〃	○	〃
董同龢	〃	〃	〃	〃	〃	○	〃
周法高	uŋ	〃	〃	uk	iuŋ	○	〃
備考			㊀	㊁			

屋二	冬			沃	鍾			燭	江
		湩	宋			腫	用		
		附于腫韻							
〃	〃	〃	〃	〃	〃	〃	〃	〃	〃
i̭uk	uong	〃	〃	uok	i̭wong	〃	〃	i̭wok	ång
i̭uk	uoŋ	〃	〃	uok	i̭woŋ	〃	〃	i̭wok	ɔŋ
屋二	冬	〃	〃	沃	鍾	〃	〃	燭	江
ĭuk	uoŋ	〃	〃	uok	ĭwoŋ	〃	〃	ĭwok	ɔŋ
〃	〃	〃	〃	〃	〃	〃	〃	〃	〃
六 ɪuk	冬 woŋ	（湩）〃	宋 〃	沃 wok	容 ɪwoŋ	朧 〃	用 〃	玉 ɪwok	江 ɔŋ
〃	〃	〃	〃	〃	〃	〃	〃	〃	〃
〃	〃	○	〃	〃	〃	〃	〃	〃	〃
iuk	uoŋ	○	〃	uok	iuoŋ	〃	〃	iuok	oŋ
		㊂				㊃			

支三			支二			支一	覺		
爲許	寘二	紙二	羈許	寘一	紙一	支香		緯	講
支二	寘 併於一	紙 併於一	支 併於一	寘一	紙一	支一	〃	〃	〃
(j)wiḙ	○	○	○	〃	〃	(j)iḙ	åk	〃	〃
wiḙ	○	○	○	〃	〃	iḙ	ɔk	〃	〃
支二	○	○	○	〃	〃	支一	覺	〃	〃
ĭwe	○	○	○	〃	〃	ĭe	ɔk	〃	〃
支三	〃	〃	支二	〃	〃	支	〃	〃	〃
爲 ɪwei	(義) 〃	綺 〃	宜 ɪei	義 〃	氏 〃	支 iei	角 ɔk	緯 〃	項 〃
支合A	寘開B	紙開B	支開B	寘開A	紙開A	支開A	〃	〃	〃
支④	寘②	紙②	支②	寘①	紙①	支①	〃	〃	〃
iue	〃	〃	ie	〃	〃	iɪ	ok	〃	〃
				㊆	㊅	㊄			

紙三	寘三	支四 規許	紙四	寘四	脂 脂渠	旨一	至一	脂二 追渠	旨二
紙二	寘二	支併於二	紙併於二	寘併於二	脂一	旨一	至一	脂二	旨二
〃	〃	○	○	○	(j)*i*	〃	〃	(j)w*i*	〃
〃	〃	○	○	○	i	〃	〃	wi	〃
〃	〃	○	○	○	脂一	〃	〃	脂二	〃
〃	〃	○	○	○	i	〃	〃	wi	〃
〃	〃	支四	〃	〃	脂一	〃	〃	脂二	〃
委 〃	僞 〃	（爲） iwei	弭 〃	（僞） 〃	夷 Iěi	几 〃	利 〃	追 Iwěi	鄙 〃
紙合A	寘合A	支合B	紙合B	寘合B	脂開A	旨開A	至開A	脂合A	旨合A
紙④	寘④	支③	紙③	寘③	脂①	旨①	至①	脂②	旨②
〃	〃	iuɪ	〃	〃	iɪi	〃	〃	iui	〃
					㈧	㈨	㈩		

		之			○			脂三	
志	止		○	○		至三	旨三	追渠	至二
〃	〃	〃	○	○	○	併於至二	併於旨二	併於脂二	至二
〃	〃	(j)i	○	○	○	○	○	○	〃
〃	〃	i(:)	○	○	○	○	○	○	〃
〃	〃	之	○	○	○	○	○	○	〃
〃	〃	ĭə	○	○	○	○	○	○	〃
〃	〃	之	〃	〃	脂四	〃	〃	脂三	〃
吏 〃	里 〃	之 iẹ̆i	至 〃	姊 〃	脂 iĕi	醉 〃	癸 〃	隹 iwĕi	位 〃
〃	〃	〃	至開B	旨開B	脂開B	至合B	旨合B	脂合B	至合A
〃	〃	〃	至④	○	○	至③	旨③	脂③	至③
〃	〃	i	〃	〃	iei	〃	〃	iuei	〃
	㊁								

虞			魚			微二			微一
	御	語		未二	尾二	非於	未一	尾一	希於
〃	〃	〃	〃	〃	〃	〃	〃	〃	〃
iu	〃	〃	i̯wo	〃	〃	(j)wei̯	〃	〃	(j)ei̯
i̯u	〃	〃	i̯wo	〃	〃	wĕi	〃	〃	ĕi
虞	〃	〃	魚	〃	〃	微二	〃	〃	微一
ĭu	〃	〃	ĭo	〃	〃	ĭwəi	〃	〃	〃
〃	〃	〃	〃	〃	〃	〃	〃	〃	ĭəi
俱 Iwo	據 〃	呂 〃	魚 io	貴 〃	鬼 〃	非 Iwəi	旣 〃	豈 〃	希 Iəi
〃	〃	〃	〃	〃	〃	〃	〃	〃	〃
〃	〃	〃	〃	〃	〃	〃	〃	〃	〃
iuo	〃	〃	io	〃	〃	iuəi	〃	〃	iəi
㊄	㊃						㊂	㊁	

麌		〃	〃	〃	〃	〃	〃	庾 〃	〃	〃	〃
遇		〃	〃	〃	〃	〃	〃	遇 〃	〃	〃	〃
模		〃	uo	uo	模	u	〃	胡 wo	〃	〃	uo
姥		〃	〃	〃	〃	〃	〃	古 〃	〃	〃	〃
暮		〃	〃	〃	〃	〃	〃	故 〃	〃	〃	〃
齊一 奚古		〃	*i*ei	iei	齊一	iei	〃	奚 εi	齊四開	〃	iεi
薺一		〃	〃	〃	〃	〃	〃	禮 〃	薺四開	〃	〃
霽二		〃	〃	〃	〃	〃	〃	計 〃	霽四開	〃	〃
齊二 攜古		〃	*i*wei	iwei	齊二	iwei	〃	攜 ʷεi	齊四合	〃	iuεi
薺二		〃	〃	〃	○	○	○	○	薺四合	○	〃

㈥

霽二	〃	〃	〃	〃	〃	〃	惠 〃	霽四合	〃	〃	
							移	齊丑開			
○	○	○	○	○	○	○	例 ɪɛi	祭開A	祭②	iæi	
祭一	〃	i̭äi	i̭æi	祭一	ĭɛi	〃	制 iɛi	祭開B	祭①	iai	㊆
祭二	〃	i̭wäi	i̭wæi	祭二	ĭwɛi	〃	衞 ɪwɛi	祭合A	祭③	iuæi	
○	○	○	○	○	○	○	芮 iwɛi	祭合B	祭併於③	iuai	
泰一	〃	â*i*	a:i	泰一	ai	〃	蓋 ai	〃	〃	ai	
泰二	〃	wâ*i*	ua:i	泰二	uai	〃	外 uai	〃	〃	uai	
佳一 蛙古	〃	a*i*	a:i	佳一	ai	〃	佳 æi	〃	〃	æi	
蟹一	〃	〃	〃	〃	〃	〃	蟹 〃	〃	〃	〃	㊅
卦一	〃	〃	〃	〃	〃	〃	懈 〃	〃	〃	〃	㊄

佳二	蛙古	〃	wa*i*	wa:i	佳二	uai	〃	媧 ʷæi	〃	〃	uæi		
	蟹二	〃	〃	〃	〃	〃	〃	夥 〃	〃	〃	〃		
	卦二	〃	〃	〃	〃	〃	〃	卦 〃	〃	〃	〃		
皆一	諧古	〃	ă*i*	ai	皆一	ɐi	〃	皆 ɐi	〃	,	εi		㊃
	駭	〃	〃	〃	〃	〃	〃	駭 〃	〃	〃	〃		
	怪一	〃	〃	〃	〃	〃	〃	拜 〃	〃	〃	〃		㊂
皆二	懷古	〃	wă*i*	wai	皆二	wɐi	〃	懷 wɐi	〃	〃	uɛi		
	○	○	○	○	○	○	○	○	○	○	○		
	怪二	〃	〃	〃	〃	〃	〃	怪 〃	〃	〃	〃		
	夬一	〃	ɑ*i*	a:i	夬一	æi	〃	犗 ai	〃	〃	ai		㊂

	灰			咍			○		
夬二		賄	隊		海	代		○	○
〃	〃	〃	〃	咍一	海	〃	咍二	海二	○
wa*i*	uậ*i*	〃	〃	ậ*i*	〃	〃	○	○	○
wa:i	uɑi	〃	〃	ɑi	〃	〃	○	○	○
夬二	灰	〃	〃	咍	〃	〃	○	○	○
wæi	uɒi	〃	〃	ɒi	〃	〃	○	○	○
〃	〃	〃	〃	〃	〃	〃	○	○	○
夬 wai	囘 wəi	罪 〃	對 〃	來 ɒi	亥 〃	代 〃	○	iɐi	○
〃	〃	〃	〃	咍一開	海一開	代一開	○	海 丑茝開	○
〃	〃	〃	〃	〃	〃	〃	○	○	○
uai	uəi	〃	〃	əi	〃	〃	○	○	○
			㊂	㊃		㊄			

	廢一	〃	i̯ɒi	i̯ɐi	○	ĭɐi	〃	肺 ɪɐi	〃	○	iɑi	㉖
	廢二	〃	i̯wɒi	i̯wɐi	廢	iwɐi	〃	廢 ɪwɐi	〃	〃	iuɑi	
眞一	眞於	〃	i̯ĕn	i̯ĕn	眞一	ĭĕn	〃	鄰 iĕn	眞開A	眞①	ien	㉗
	軫一	〃	〃	〃	〃	〃	〃	忍 〃	軫開A	軫①	〃	㉘
	震	震一	〃	〃	〃	〃	〃	刃 〃	震開A	震①	〃	㉙
質一		〃	i̯ĕt	i̯ĕt	質一	ĭĕt	〃	質 iĕt	質開A	質①	iet	㉚
眞二	巾於	〃	○	○	眞二	○	〃	巾 ĭĕn	眞開B	眞②	iɪn	
	軫二	〃	i̯wĕn	i̯uĕn	〃	ĭwĕn	〃	（忍） 〃	軫開B	軫②	〃	
	○	震二	○	○	〃	〃	〃	（刃） 〃	震開B	○	〃	
質二		〃	○		質	ĭwĕt	〃	乙 ĭĕt	質開B	質②	iɪt	

眞 三			質 三	諄			術	臻	
倫於	○	○			準	稕			○
○	○	○	○	〃	〃	〃	〃	〃	○
○	○	○	○	i̯uĕn	〃	〃	i̯uĕt	i̯ɛn	○
i̯uĕn	〃	〃	i̯uĕt	i̯uen	〃	〃	i̯uet	i̯en	○
諄○併入	○	○	術○併入	諄	〃	〃	術	臻	○
○	○	○	○	ĭuĕn	〃	〃	iwĕt	ĭĕn	○
○	○	○	○	〃	〃	〃	〃	〃	（榛）
（倫） Iwĕn	殞 〃	○ 〃	律 Iwĕt	倫 iwĕn	尹 〃	閏 〃	聿 iuĕt	臻 Iĕn	○
眞合B	軫合B	震合B	質合B	眞合A	軫合A	震合A	質合A	臻開A	○
③ 併於	② 併於	○	○	眞⑧	軫⑧	震②	質⑧	〃	○
iuen	〃	○	iuet	iuIn	〃	〃	iuIt	en	○
				㊂	㊂				㊂

	○	○	○	○	○	○	（齕）	○	○	○	○	㉔
櫛		〃	i̭ɛt	i̭et	櫛	ĭet	〃	瑟 ɪĕt	櫛開A	〃	et	
文		〃	i̭uən	i̭uən	文	ĭuən	〃	云 ɪwən	〃	〃	iuən	㉕
	吻	〃	〃	〃	〃	〃	〃	粉 〃	〃	〃	〃	
	問	〃	〃	〃	〃	〃	〃	問 〃	〃	〃	〃	
物		〃	i̭uət	i̭uət	物	ĭuət	〃	勿 ɪwət	〃	〃	iuət	
殷		〃	i̭ən	i̭ən	殷	ĭən	〃	斤 ɪən	〃	〃	iən	
	隱	〃	〃	〃	〃	〃	〃	謹 〃	〃	〃	〃	
	焮	〃	〃	〃	〃	〃	〃	靳 〃	〃	〃	〃	
迄		〃	i̭ət	i̭ət	迄	ĭət	〃	迄 ɪət	〃	〃	iət	㉖

韻目												註
元一	軒語	〃	i̯ɐn	i̯ɐn	元一	ĭɐn	〃	言 ɪɐn	〃	〃	iɑn	
	阮一	〃	〃	〃	〃	〃	〃	偃 〃	〃	〃	〃	
	願一	〃	〃	〃	〃	〃	〃	建 〃	〃	〃	〃	㉘
月一		〃	i̯ɐt	i̯ɐt	月一	ĭɐt	〃	竭 ɪɐt	〃	〃	iɑt	㉙
元二	袁愚	〃	i̯wɐn	i̯wɐn	元二	ĭwɐn	〃	袁 〃	〃	〃	ɪwɑn	
	阮二	〃	〃	〃	〃	〃	〃	阮 〃	〃	〃	〃	
	願二	〃	〃	〃	〃	〃	〃	願 〃	〃	〃	〃	
月二		〃	i̯wɐt	i̯wɐt	月二	ĭwɐt	〃	月 ɪwɐt	〃	〃	iuɑt	
魂		〃	uən	uən	〃	uən	〃	昆 wən	〃	〃	uən	
	混	〃	〃	〃	〃	〃	〃	本 〃	〃	〃	〃	

	慁		〃	〃	〃	〃	〃	〃	困 〃	〃	〃	〃	
沒			〃	uət	uət	沒	uət	〃	沒 wət	〃	沒 ①	uət	㊃
痕			〃	ən	ən	痕	ən	〃	痕 ən	〃	〃	ən	
	很		〃	〃	〃	〃	〃	〃	很 〃	〃	〃	〃	
	恨		〃	〃	〃	〃	〃	〃	恨 〃	〃	〃	〃	
○			麧	一	ət	○	○	（麧）	（沒） ət	沒 合	沒 ②	ət	
寒			〃	ân	*a*n	寒	*a*n	〃	干 ɒn	寒 開	寒	*a*n	㊃
	旱		〃	〃	〃	〃	〃	〃	旱 〃	旱 開	旱	〃	
	翰		〃	〃	〃	〃	〃	〃	旰 〃	翰 開	翰	〃	
曷			〃	ât	*a*t	曷	*a*t	〃	割 ɒt	末 開	曷	*a*t	

桓			〃	uân	u*a*n	桓	u*a*n	〃	官 wɒn	寒合	桓	u*a*n		
	緩		〃	〃	〃	〃	〃	〃	管 〃	旱合	緩	〃		
	換		〃	〃	〃	〃	〃	〃	貫 〃	翰合	換	〃		㊃
末			〃	uât	u*a*t	末	u*a*t	〃	括 wɒt	末合	末	u*a*t		㊃
刪一	顏古		〃	aṇ	a(:)n	刪一	an	〃	姦 ɐn	〃	〃	an		
	潸一		〃	〃	〃	〃	〃	〃	（赧）〃	〃	〃	〃		㊃
	諫一		〃	〃	〃	〃	〃	〃	晏 〃	〃	〃	〃		
黠一			〃	鎋 at	黠 a(:)t	黠一	鎋 at	〃	黠 ɐt	鎋開	鎋 ①	鎋 at		㊃
刪二	還古		〃	wan	wa(:)n	刪二	wan	〃	還 wan	〃	〃	uan		
	潸二		〃	〃	〃	〃	〃	〃	板 〃	〃	綰	〃		

	諫二	〃	〃	〃	〃	〃	〃	患 〃	〃	〃	〃	
黠二		〃	鎋 wat	wa(:)t	黠二	wat	，	滑 wɐt	鎋合	鎋②	鎋 uat	
山一	閑古	〃	ǎn	an	山一	æn	〃	閑 an	〃	〃	æn	㊻
	產一	〃	〃	〃	〃	〃	〃	限 〃	〃	〃	〃	㊼
	襇一	〃	〃	〃	〃	〃	〃	莧 〃	〃	〃	〃	㊽
鎋一		〃	黠 ǎt	鎋 at	鎋一	黠 æt	〃	鎋 at	黠開	黠①	黠 æt	
山二	頑古	〃	wǎn	wan	山二	uæn	〃	頑 ʷan	〃	〃	uæn	
	產二	〃	〃	〃	〃	〃	〃	（綰） 〃	〃	〃	〃	
	襇二	〃	〃	〃	〃	〃	〃	幻 〃	〃	〃	〃	
鎋二		〃	黠 wǎt	wat	鎋二	wæt	〃	刮 ʷat	黠合	黠②	黠 uæt	

先一 賢古		〃	*i*en	ien	先一	ien	〃	前 ɛn	〃	〃	iɛn		(四九)
銑一		〃	〃	〃	〃	〃	〃	典 〃	〃	〃	〃		
霰一		〃	〃	〃	〃	〃	〃	甸 〃	〃	〃	〃		(五〇)
屑一		〃	*i*et	*i*et	屑一	iet	〃	結 ɛt	〃	〃	iɛt		
先二 玄古		〃	*i*wen	iwen	先二	iwen	〃	玄 ʷɛn	〃	〃	iuɛn		
銑二		〃	〃	〃	〃	〃	〃	泫 〃	〃	〃	〃		
霰二		〃	〃	〃	〃	〃	〃	縣 〃	〃	〃	〃		
屑二		〃	*i*wet	iwet	屑二	iwet	〃	決 ʷɛt	〃	〃	iuɛt		
仙一 乾於		〃	î̯än	î̯æn	仙一	ĭɛn	仙一	延 ɛn	仙開A	仙②	ian		(五一)
獮一		〃	〃	〃	〃	〃	〃	輦 〃	獮開A	獮②	〃		

線一	薛一	仙二 權於	獮二	線二	薛二	仙三 緣於	獮三	線三	薛三
〃	〃	〃	〃	〃	〃	併於仙二	併於獮二	併於線三	併於薛三
〃	i̯ät	i̯wän	〃	〃	i̯wät	同仙二	○	○	同薛二
〃	i̯æt	i̯wæn	〃	〃	i̯wæt	○	○	○	○
〃	薛	仙二	〃	〃	薛二	○	○	○	○
〃	〃	ĭwɛn	〃	〃	ĭwɛt	○	○	○	○
〃	ĭɛt	仙二	〃	〃	〃	仙三	〃	〃	〃
扇 〃	列 ɪɛt	員 ɪwɛn	（免）〃	戀 〃	劣 ɪwɛt	緣 ïuɛn	兗 〃	絹 〃	悅 iwɛt
線開A	薛開A	仙合B	獮合B	線合B	薛合B	仙合A	獮合A	線合B	薛合B
線②	薛②	仙④	○	線④	薛④	仙⑧	獮⑧	線⑧	薛⑧
〃	iat	iuan	〃	〃	iwɛn	iuæn	〃	〃	iuæt
(五一)	(五二)								

	蕭	○			○	○			○
篠			○	○			○	○	
〃	〃	○	○	○	○	○	○	○	○
〃	*i*eu	○	○	○	○	○	○	○	○
〃	ieu	○	○	○	○	○	○	○	○
〃	蕭	○	○	○	○	○	○	○	○
〃	ieu	○	○	○	○	○	○	○	○
〃	〃	○	○	○	○	薛 四	線 四	○	○
了 〃	聊 ɛu	○	○	○	○	列 iɛt	戰 〃	善 〃	連 iɛn
〃	〃	○	○	○	○	薛開B	線開B	獮開B	仙開B
〃	〃	○	線⑤	○	○	薛①	線①	獮①	仙①
〃	iɛu	○	○	○	○	iæt	〃	〃	iæn

嘯	〃	〃	〃	〃	〃	〃	弔 〃	〃	〃	〃	
宵一	〃	i̭âu	i̭æu	宵	ĭɛu	宵一	嬌 ɪɛn	宵A	宵①	iæu	(五四)
小一	〃	〃	〃	〃	〃	〃	小 〃	小A	小①	〃	(五五)
笑一	〃	〃	〃	〃	〃	〃	召 〃	笑A	笑①	〃	(五六)
宵二	〃	○	○	○	○	宵二	遙 iɛu	宵B	宵②	iau	
小二	〃	○	○	○	○	〃	沼 〃	小B	小②	〃	
笑二	〃	○	○	○	○	〃	笑 〃	笑B	笑②	〃	
肴	肴一	au	au	肴	au	〃	交 au	〃	〃	au	
巧	巧一	〃	〃	〃	〃	〃	巧 〃	〃	〃	〃	
效	效一	〃	〃	〃	〃	〃	敎 〃	〃	〃	〃	

歌			○			豪			○
	○	○		號	晧		○	○	
〃	·號二	·晧二	·豪二	號一	晧一	豪一	·效二	·巧二	·肴二
â	○	○	○	〃	〃	âu	○	○	○
a	○	○	○	〃	〃	*a*u	○	○	○
歌	○	○	○	〃	〃	豪	○	○	○
a	○	○	○	〃	〃	*a*u	○	○	○
〃	○	○	○	〃	〃	〃	○	○	○
何 ɒ	○	○	○	到 〃	晧 〃	刀 ɒu	○	○	○
歌一開	○	○	○	〃	〃	〃	○	○	○
〃	○	○	○	〃	〃	〃	○	○	○
a	○	○	○	〃	〃	*a*u	○	○	○
						㊆			

	哿	″	″	″	″	″	″	可 ″	哿一開	″	″	
	箇	″	″	″	″	″	″	箇 ″	箇一開	″	″	
戈一	戈七	″	uâ	ua	戈一	ua	戈一	禾 wɒ	歌一合	戈①	ua	
	果	″	″	″	″	″	″	果 ″	哿一合	果	″	(五八)
	過	″	″	″	″	″	″	臥 ″	箇一合	過	″	(五九)
戈二	伽醋	″	○	i̯a	戈二	ĭa	戈二	伽 Iɒ	歌丑開	戈②	ia	
	戈一併於	戈三	○	i̯ua	戈三	ĭua	戈三	鞾 IWɒ	歌丑合	戈③	iua	
麻	加陟	″	a	a	麻一	a	″	加 a	″	″	a	
	馬一	″	″	″	″	″	″	下 ″	″	″	″	
	禡一	″	″	″	″	″	″	駕 ″	″	″	″	(六〇)

陽一			○			麻三			麻二
良巨	○	○		禡三	馬三	邪陟	禡二	馬二	瓜陟
〃	○	・馬四	○	〃	〃	〃	〃	〃	〃
i̯ang	○	○	○	〃	〃	*ia*	〃	〃	wa
i̯aŋ	○	○	○	〃	〃	i̯a	〃	〃	wa
陽一	○	○	○	〃	〃	麻三	〃	〃	麻二
ĭaŋ	○	○	○	〃	〃	ĭa	〃	〃	wa
〃	○	○	○	〃	〃	〃	〃	〃	〃
良 ɪaŋ	○	○	○	夜 〃	者 〃	遮 ia	化 〃	瓦 〃	瓜 ʷa
〃	○	○	○	〃	〃	〃	〃	〃	〃
〃	○	○	○	〃	〃	〃	〃	〃	〃
iaŋ	○	○	○	〃	〃	ia	〃	〃	ua
㊅									

養一	・	〃	〃	〃	〃	〃	〃	兩 〃	〃	〃	〃
漾一		〃	〃	〃	〃	〃	〃	亮 〃	〃	〃	〃
藥一		〃	i̯ak	i̯ak	藥一	ĭak	〃	略 ɪak	〃	〃	iak
陽二 王巨		〃	i̯wang	i̯waŋ	陽二	ĭwaŋ	〃	方 ɪawŋ	〃	〃	iuaŋ
養二		〃	〃	〃	〃	〃	〃	往 〃	〃	〃	〃
漾二		〃	〃	〃	〃	〃	〃	放 〃	〃	〃	〃
藥二		〃	i̯wak	ĭwak	藥二	ĭwak	〃	縛 ɪwak	〃	〃	iuak
唐一 郎胡		〃	âng	aŋ	唐一	aŋ	〃	郎 ɒŋ	〃	〃	aŋ
蕩一		〃	〃	〃	〃	〃	〃	朗 〃	〃	〃	〃
宕一		〃	〃	〃	〃	〃	〃	浪 〃	〃	〃	〃

鐸一		〃	âk	ɑk	鐸一	ɑk	〃	各 ɒk	〃	〃	ɑk	(六二)
唐	光胡	〃	wâng	uɑŋ	唐二	uɑŋ	〃	光 wɒŋ	〃	〃	uɑŋ	
	蕩二	〃	〃	〃	〃	〃	〃	晃 〃	〃	〃	〃	
	宕二	〃	〃	〃	〃	〃	〃	曠 〃	〃	〃	〃	
鐸二		〃	wâk	uɑk	鐸二	〃	uɑk	郭 wɒk	〃	〃	uɑk	
庚一	行古	〃	ɐng	ɐŋ	庚一	〃	ɐŋ	庚 aŋ	〃	庚①	aŋ	(六三)
	梗	〃	〃	〃	〃	〃	〃	梗 〃	〃	梗①	〃	(六四)
	映一	〃	〃	〃	〃	〃	〃	孟 〃	〃	映①	〃	(六五)
陌一		〃	ɐk	ɐk	陌一	ɐk	〃	格 ak	〃	陌①	ak	(六六)
庚二	横古	〃	wɐng	wɐŋ	庚二	wɐŋ	〃	横 ʷaŋ	〃	庚①	uaŋ	

韻										
梗二	〃	〃	〃	〃	〃	〃	礦 〃	〃	梗②	〃
映二	〃	〃	〃	〃	〃	〃	橫 〃	〃	映②	〃
陌二	〃	wɐk	wɐk	陌二	wɒk	〃	擭 ʷak	〃	陌②	uak
庚三 卿舉	〃	i̭ang	ieŋ	庚三	ĭeŋ	〃	京 ɪæŋ	〃	庚③	iaŋ
梗三	〃	〃	〃	〃	〃	〃	影 〃	〃	梗③	〃
映三	〃	〃	〃	〃	〃	〃	敬 〃	〃	映③	〃
陌三	〃	i̭ɐk	i̭ek	陌三	ĭek	〃	戟 ɪæŋ	〃	陌③	iak
庚四 榮許	〃	i̭weng	i̭weŋ	庚四	ĭweŋ	〃	兵 ɪwæŋ	〃	庚④	iuaŋ
梗四	〃	〃	〃	〃	〃	〃	永 〃	〃	梗④	〃
映四	〃	〃	〃	〃	〃	〃	病 〃	〃	映④	〃

清一	麥二			耕二	麥一			耕一	○
盈於		○	○	宏烏		諍	耿	甇烏	
〃	〃	諍二	•耿二	〃	〃	諍一	耿一	〃	陌四
i̭äng	wɛk	〃	〃	wɛng	ɛk	〃	〃	ɛng	○
i̭æŋ	wɐk	〃	〃	wɐŋ	ɐk	〃	〃	ɐŋ	○
清一	麥二	○	○	耕二	麥一	〃	〃	耕一	○
ĭɛŋ	wæk	〃	○	wæŋ	æk	〃	〃	æŋ	○
〃	〃	〃	○	〃	〃	〃	〃	〃	○
盈 iɛŋ	獲 wɐk	○	○	宏 wɐŋ	革 ɐk	迸 〃	幸 〃	耕 ɐŋ	（役）?
〃	〃	○	○	〃	〃	〃	〃	〃	〃
〃	麥②	○	○	耕②	麥①	諍①	耿①	耕①	○
iæŋ	uæk	○	○	uæŋ	æk	〃	〃	æŋ	○
								(六七)	

		青一	昔二			清二	昔一		
徑	迥一	靈古		○	靜二	縈於		勁一	靜一
〃	〃	〃	〃	勁二	〃	〃	〃	〃	〃
〃	〃	ieng	i̯wäk	〃	〃	i̯wäng	i̯äk	〃	〃
〃	〃	ieŋ	i̯wæk	〃	〃	i̯wæŋ	i̯æk	〃	〃
〃	〃	靑一	昔二	○	〃	淸二	昔一	〃	〃
〃	〃	ieŋ	ĭwɛk	〃	〃	iwɛŋ	ĭɛk	〃	〃
〃	〃	〃	〃	〃	〃	〃	〃	〃	〃
定 〃	挺 〃	經 ɛŋ	役 iwɛk	○	頃 〃	營 iwɛŋ	益 iɛk	正 〃	郢 〃
〃	〃	〃	〃	○	〃	〃	〃	〃	〃
〃	〃	〃	〃	○	〃	〃	〃	〃	〃
〃	〃	iɛŋ	iuæk	○	〃	iuæŋ	iæk	〃	〃
	(六九)						(六八)		

錫一	青二			錫二	蒸			職	○
	螢古	迥二	○			拯	證		
〃	〃	〃	徑二	〃	〃	〃	證一	職一	·蒸二
iek	iweng	〃	〃	*i*wek	i̯əng	〃	〃	i̯ək	○
iek	iweŋ	〃	〃	iwek	i̯əŋ	〃	〃	i̯ək	○
錫一	青二	〃	○	錫二	蒸	〃	〃	職	○
iek	iweŋ	〃	〃	iwek	ĭəŋ	〃	〃	ĭək	○
〃	〃	〃	〃	〃	〃	〃	〃	〃	○
歷 ɛk	扃 wɛŋ	迥 〃	○	関 ʷɛk	陵 iĕŋ	拯 〃	證 〃	力 iĕk	○
〃	〃	〃	○	〃	〃	〃	〃	〃	○
〃	〃	〃	○	〃	〃	〃	〃	職①	○
iɛk	iuɛŋ	〃	○	iuɛk	ieŋ	〃	〃	iek	○
			(七二)						

		登二	德一			登一	○		
○	○	弘古	一	嶝	等	恒古		○	○
·嶝二	·等二	〃	〃	〃	〃	〃	職二	·證二	○
○	○	wəng	ək	〃	〃	əng	i̯wək	○	○
○	○	uəŋ	ək	〃	〃	əŋ	i̯wək	○	○
○	○	登二	德一	〃	〃	登一	○	○	○
○	○	uəŋ	ək	〃	〃	əŋ	ĭwək	○	○
○	○	〃	〃	〃	〃	〃	〃	○	○
○	○	肱 wəŋ	則 ək	鄧 〃	等 〃	登 əŋ	逼 iwĕk	○	○
○	○	〃	〃	〃	〃	〃	〃	○	○
○	○	登②	德①	〃	〃	登①	職②	○	○
○	○	uəŋ	ək	〃	〃	əŋ	iuek	○	○
			(七三)				(七二)		

		侯			○			尤	德二
候	厚		○	○		宥	有		
候一	厚一	侯一	·宥二	·有二	·尤二	宥一	有一	尤一	〃
〃	〃	ə̯u	○	○	○	〃	〃	i̯ə̯u	wək
〃	〃	ə̯u	○	○	○	〃	〃	i̯ə̯u	uək
〃	〃	侯	○	○	○	〃	〃	尤	德二
〃	〃	əu	○	○	○	〃	〃	ĭəu	uək
〃	〃	〃	○	○	○	〃	〃	〃	〃
候 〃	后 〃	侯 əu	○	○	○	救 〃	九 〃	鳩 ɪəu	或 wək
〃	〃	〃	○	○	○	〃	〃	〃	〃
〃	〃	〃	○	○	○	〃	〃	〃	德②
〃	〃	əu	○	○	○	〃	〃	iəu	uək
						(七四)		(七三)	

侵一			○			幽			○
	○	○		幼	黝		○	○	
侵	·幼二	○	·幽二	幼一	〃	幽一	·侯二	·厚二	·候二
i̭əm	○	○	○	〃	〃	i̭ĕu	○	○	○
i̭əm	○	○	○	〃	〃	i̭ə̆u	○	○	○
侵	○	○	○	〃	〃	幽	○	○	○
ĭěm	○	○	○	〃	〃	iəu	○	○	○
侵一	○	○	○	〃	〃	〃	○	○	○
金 Iěm	○	○	○	幼 〃	黝 〃	幽 iěu	○	○	○
侵A	○	○	○	〃	〃	〃	○	○	○
侵②	○	○	○	〃	〃	〃	○	○	○
iᵻm	○	○	iᵻu	〃	〃	ieu	○	○	○
㉕									

寑一		〃	〃	〃	〃	〃	〃	錦 〃	寑 A	寑 ②	〃	(矢)
沁		〃	〃	〃	〃	〃	〃	禁 〃	沁 A	○	〃	
緝一		〃	i̭əp	i̭əp	緝	ĭĕp	〃	立 ɪĕp	緝 A	緝 ②	iɪp	
侵二 二		○	○	○	○	○	侵二	林 iĕm	侵 B	侵 ①	iem	
寑二		·〃	○	○	○	○	〃	荏 〃	寑 B	寑 ①	〃	
○		○	○	○	○	○	〃	鴆 〃	沁 B	沁	〃	
緝二		·〃	○	○	○	○	〃	入 iĕp	緝 B	緝 ①	iep	
覃		〃	ậm	ɑm	覃	ɒm	〃	含 ɒm	〃	〃	əm	
感		〃	〃	〃	〃	〃	〃	感 〃	〃	〃	〃	
勘		〃	〃	〃	〃	〃	〃	紺 〃	〃	〃	〃	

鹽一	○			○	盍			談	合
		○	○			闞	敢		
〃	○	○	·敢二	·談二	〃	〃	敢一	談二	〃
i̯âm	○	○	○	○	âp	〃	〃	âm	ập
i̯æ̂m	○	○	○	○	*a*(:)p	〃	〃	*a*(:)m	*a*p
鹽	○	○	○	○	盍	〃	〃	談	合
ĭɛm	○	○	○	○	*a*p	〃	〃	*a*m	ɒp
鹽一	○	○	○	○	〃	〃	〃	〃	〃
廉 ɪɛm	○	○	○	○	盍 *a*p	濫 〃	敢 〃	甘 *a*m	合 ɒp
鹽A	○	○	○	○	〃	〃	〃	〃	〃
鹽②	○	○	○	○	〃	〃	〃	〃	〃
iæm	○	○	○	○	*a*p	〃	〃	*a*m	əp
					㊆				

琰一	〃	〃	〃	〃	〃	〃	檢 〃	琰 A	琰 ②	〃	㊆㊇
豔一	〃	〃	〃	〃	〃	〃	驗	豔 A	豔 ②	〃	㊆㊈
葉一	〃	ịäp	ịæp	葉	ĭɛp	〃	輒 ɪɛp	葉 A	葉 ②	iæp	
鹽二	〃	○	○	○	○	鹽二	（廉）iɛm	鹽 B	鹽 ①	iam	
琰二	〃	○	○	○	○	〃	琰 〃	琰 B	琰 ①	〃	
豔二	〃	○	○	○	○	〃	豔 〃	豔 B	豔 ①	〃	
葉二	○	○	○	○	○	〃	涉 iɛp	葉 B	葉 ①	iap	
添	〃	iem	iem	添	iem	〃	兼 ɛm	〃	〃	iɛm	
忝	〃	〃	〃	〃	〃	〃	忝 〃	〃	〃	〃	
㮇	〃	〃	〃	〃	〃	〃	念 〃	〃	〃	〃	

銜	洽			咸	○			○	帖
		陷	豏			○	○		
銜一	〃	〃	〃	〃	○	○	•忝二	○	〃
am	ăp	〃	〃	ăm	○	○	○	○	*i*ep
a(:)m	ap	〃	〃	am	○	○	○	○	iep
銜	洽	〃	〃	咸	○	○	○	○	帖
am	ɐp	〃	〃	ɐm	○	○	○	○	iep
〃	〃	〃	〃	〃	○	○	○	○	〃
銜 am	洽 ɐp	陷 〃	減 〃	咸 ɐm	○	○	○	○	協 ɛp
〃	〃	〃	〃	〃	○	○	○	○	〃
〃	〃	〃	〃	〃	○	○	○	○	〃
am	æp	〃	〃	æm	○	○	○	○	iɛp

	檻		〃	〃	〃	〃	〃	〃	檻 〃	〃	〃	〃	
	鑑		鑑 一	〃	〃	〃	〃	〃	鑑 〃	〃	〃	〃	
狎			〃	ap	a(:)p	狎	ap	〃	甲 ap	〃	〃	ap	
○			·銜 二	○	○	○	○	○	○	○	○	○	
	○		○	○	○	○	○	○	○	○	○	○	
	○		·鑑 二	○	○	○	○	○	○	○	○	○	
○			○	○	○	○	○	○	○	○	○	○	
嚴			〃	i̭ɐm	i̭ɐm	嚴	ĭɐm	〃	嚴 ıɐm	〃	〃	iɑm	
	儼		〃	〃	〃	〃	〃	〃	广 〃	〃	〃	〃	㕣
	釅		〃	〃	〃	〃	〃	〃	欠 〃	〃	〃	〃	

○	乏			凡	○			○	業
		梵	范			○	○		
·凡二	乏一	梵一	范一	凡一	○	·醶二	○	○	〃
○	i̯wɐp	〃	〃	i̯wɐm	○	○	○	○	i̯ɐp
○	i̯wɐp	〃	〃	i̯wɐm	○	○	○	○	i̯ɐp
○	乏	〃	〃	凡	○	○	○	○	業
○	ĭwɐp	〃	〃	ĭwɐm	○	○	○	○	ĭɐp
○	〃	〃	〃	〃	○	○	○	○	〃
○	法 ɪwɐp	劍 〃	犯 〃	凡 ɪwam	○	○	○	○	業 ɪɐp
○	〃	〃	〃	〃	○	○	○	○	〃
○	法	梵 泛①	范	凡	○	（劍）	○	○	〃
○	iuɑp	〃	〃	iuɑm	○	○	○	○	iɑp
		㈥							

范	梵	乏
		○
○	○	
范二	·梵二	·乏二
○	○	○
○	○	○
○	○	○
○	○	○
○	○	○
○	○	○
○	○	○
○	梵劍(2)	○
○	○	○

陳澧之韻類分析見於所著切韻考，黃侃之說見於音略，高本漢之韻類分析見於中國音韻學研究，本篇所錄擬音據原本中國音韻學大綱（B. Karlgren: Compendium of phonetics in Ancient and Archaic Chinese. Göteborg 1970 ）錢玄同說見於趙蔭棠等韻源流附錄一錢玄同廣韻之韻類及其假定之讀音。本師林先生說見於所著中國聲韻學通論，王力說見於所著漢語史稿上册；周祖謨說見於問學集下册陳澧切韻考辨誤，陸志韋說見於古音說略切韻的音值，李榮說見於切韻音系，董同龢說見於漢語音韻學，周法高說見於論切韻音（香港中文大學中國文化研究所學報第一卷）。以上各家或錄韻類，或錄擬音，所擬之音既據韻類而來，在基本上固無二致也。惟諸家分類亦多參差，系聯與否亦各有是非，茲將諸家異同略申論於後，亦僅據現存材料分析，未敢以爲確論也。

㈠去聲一送韻：鳳馮貢切誤，按鳳字平聲為馮房戎切，入聲為伏房六切，均為合口細音，則相承之鳳自亦當入合口細音一類無疑，韻鏡切韻指掌圖皆列三等可證。廣韻一東韻夢莫中切，又武仲切，武仲切即一送韻之莫鳳切，亦可證鳳仲韻同類。

㈡入聲一屋韻：祿盧谷切，穀（谷）古祿切，卜博木切，木莫卜切兩兩互用不能系聯，然此韻目莫六切，則卜六韻不同類，卜既與六韻不同類，故併卜木谷祿為一類，韻鏡以木卜谷祿同列一等可證併卜木於谷祿是也。

㈢上聲二腫韻：湩都鵚切，鵚莫湩切，湩鵚互用不與他字系聯，此實為冬韻上聲字，當別出為一類。

㈣腫韻：腫之隴切，隴力踵（腫）切，拱居悚切，悚息拱切兩兩互用不系聯，然此韻洶許拱切，王二許勇切則勇拱韻同類，勇余隴切，拱既與勇同類，則亦與隴同類矣。又本韻末有𢞵職勇切與腫之隴切同音，切三、王一、王二、全王俱無，蓋增加字也。

㈤五支韻諸家分類，最為參差，茲整理如下：

(1)為薳支切誤。廣韻為薳支切又王僞切，寘韻為于僞切又允危切，危廣韻魚為切，據為字又音，則危為正互用為類，不與支移同類也。

(2)宜魚羈切，羈居宜切，羈宜互用，既不與支移為一類，亦不與為危垂等一類，然支韻於韻鏡居三四等，其為細音無疑，究其極端，不外二類。羈上聲掎居綺切，去聲寄居義切皆為齊齒一類，則羈宜自亦當併入齊齒一類。

(3)併羈宜入支移又出現重紐問題，本師林先生切韵韵類考正論及此類問題嘗曰：「虧闚二音，廣韵切殘刊謬本皆相比次，是當時陸氏搜集諸家音切時，蓋音同而切語各異者，因並錄之，並相次以明其實同類，亦猶紀氏（容舒）唐韵考中（陟弓）芔（陟宮）相次之例，嬀䅎，祇奇、㩻陴、陴皮疑亦同之，今各本之不相次，乃後之增加者竄改而混亂也。」隨旬爲切，虧去爲切，闚去隨切可證虧闚原本同音也。關於重紐問題董同龢先生有廣韵重紐試釋一文以爲係古音來源不同，此點余極同意，但仍認爲在廣韵爲同音較合理。

(4)茲整理支韵韵母如后：

移支知離羈宜奇一類齊齒呼；

爲規垂隨隋危吹一類撮口呼。

㈥上聲四紙韵：本韵跪去委切，綺墟彼切，去墟聲同類則彼委韵不同類，彼字甫委切，切語用委字蓋其疏也。今全王本彼補靡反當據正。狔女氏切，集韵乃倚切，是倚氏韵同類。又本韻俾並弭（瀰）切、瀰綿婢切，婢便俾（俾）切三字互用，然王二婢避爾反，則爾俾韵同類也。其兩類韵母如下：

氏紙帋此是豸侈爾綺倚彼靡弭婢俾一類齊齒呼

委詭累捶毀髓一類撮口呼

㈦去聲五寘韵：本韵恚於避切，餧於僞切，上字聲同類，則避僞韵不同類，僞危睡切，避既與僞不同類，則亦與睡不同類。考本韵諉女恚切，王二女睡反，則恚睡韵同類，是恚與避韵不同類也，恚之切語用避字蓋其疏也。周祖謨氏陳澧切韵考辨誤云：『反切之法，上字主乎聲，下字主乎韵，而韵之開合皆從下字定之，惟自梁陳以迄隋唐，制音纂韵諸家，每以脣音之開口字切牙喉音之合口字，似爲慣例，如經典釋文軌媿美反，宏戶萌反，虢寡白反，敦煌本王仁昫切韵卦古賣反，坬古罵反，化霍霸反，切三、唐韵韄乙白反，嚄胡伯反是也。』恚於避切，亦以脣音開口字切喉牙音之合口字也，按韵鏡避義一類在內轉第四開，恚睡一類在內轉第五合，分別畫然，足證恚以避爲切蓋其疏也。今重訂兩類韵母於后：

義智寄賜豉企避一類齊齒呼

睡僞瑞累恚一類撮口呼

㈧平聲六脂韻：廣韻尸式之切誤，切三、王二式脂反當據正。又本韵眉武悲切，悲府眉切，悲眉互用與各類不系聯。按韵鏡內轉第六開以悲丕邳眉一類列於三等與飢耆狋等一類當从之。本韵帷洧悲切亦以脣音開口切喉牙音合口字也。重訂本韵兩類韵母於后：

夷脂飢私肌資尼悲眉一類齊齒呼

追佳遺維綏（帷）一類撮口呼

㈨上聲五旨韵：本韻几居履切，履力几切；視承矢切，矢式視切。履几、矢視兩兩互用不能系聯。然切三、王二視承旨切、則旨矢韵同類、旨職雉切，雉直几切，則几矢亦韵同類矣。又本韵美無鄙切，鄙方美切，鄙美互用。韵鏡內轉第六開以鄙嚭否美與黹䊾雉几同列三等爲一類當从之。又本韵洧榮美切，亦以脣音開口切喉牙音合口字也。本韵嶵徂累切誤，累在四紙韵，全王徂壘反是也、當據正。重訂兩類韵母於后：

雉矢履几姊視美鄙一類齊齒呼

洧軌癸水誄壘一類撮口呼

(十)去聲六至韻：本韵至脂利切，利力至切；悸其季切，季居悸切。利至、季悸兩兩互用不系聯，考本韵𥌒香季切，王一許鼻反，則季鼻韵同類，鼻毗至切，故季至韵亦同類。本韵位于愧（媿）切，媿俱位切；遂徐醉切，醉將遂切。愧位、醉遂兩兩互用不系聯，考本韻㲉楚愧切，王一楚類反，則類愧韵同類，類力遂切，則愧遂韵亦同類也。又本韵郿（媚）明祕切，祕兵媚切，祕媚互用。韵鏡內轉第六開以祕濞備郿與冀器至示同列三等爲類當从之。重訂兩類韵母於后：

利至器二冀季四悸自寐祕媚備一類爲齊齒呼

愧醉遂位類萃一類撮口呼

(十一)上聲六止韵：止諸市切、市時止切；士鉏里切、里良士切，兩兩互用不系聯。考本韵以羊己（紀）切，切三作羊止反，則己止韵同類，己居理（里）切，則理止亦韵同類矣。

(十二)上聲七尾韵：尾無匪切，匪府尾切；鬼居偉（韙）切，韙于鬼切，兩兩互用不系聯，今考本韵韙于鬼切，玉篇于匪切，則匪鬼韵同類也。

(十三)去聲八未韵：貴居胃切，胃于貴切，未（味）無沸切，沸方味切，兩兩互用不系聯。考本韵沸方味切，王一府謂反，則味謂（胃）韵同類矣。又本韵鬻扶涕切誤，涕在十二霽，王一、王二均作扶沸切當據正。

(十四)去聲九御韵：御牛倨切，據（倨）居御切；署常恕切，恕商署切，兩兩互用不系聯。署王一常據反，則恕據韵同類也。

(十五)上平十虞韵：無武夫切，跗（夫）甫無切，夫無互用，切三跗甫于切，則無于韵同類也。

(十六)上聲九麌韵：羽（雨）王矩切，矩俱雨切；主之庾切，庾以主切，兩兩互用不系聯。考甫方矩切，切三方主切。則矩主韵同類也。

(十七)去聲十三祭：本韵㹱丘吠切，猭呼吠切，按吠在二十一廢，非本韻字。全王、唐韻皆無，蓋廢韻增加字誤入本韻者也。

(十八)上聲十二蟹：𠁥乖買切，以脣音開口字切喉牙音合口字也。

(十九)去聲十九卦：卦古賣切，以脣音開口字切喉牙音合口字也。

(二十)上平十四皆：崴乙皆切，切三乙乖切當據正。

(二十一)去聲十六怪：本韵㨃博怪切，陳澧切韻考卷四云：『㨃（同拜）布戒切，張本、曹本及二徐皆博怪切誤也，戒古拜切，是拜戒韻同類，今從明本顧本。』按陳說是也。韵鏡外轉第十四合以拜湃憊

（犕）昒列二等，然僃平聲爲排步皆切，昒平聲爲埋莫皆切，韻鏡以排埋列外轉第十三開，平去二聲脣音字不相應，當从陳氏所考據明本改擺爲布戒切爲開口，韻鏡十四轉蓋誤植也。今重訂本韻兩類韻母於后：

怪壞一類合口呼

界拜介戒一類開口呼

(二十一)去聲十七夬：夬古賣切誤，賣在十五卦，非本韻字，全王、唐韻古邁切，當據正。

(二十二)去聲十八隊：佩蒲昧（妹）切，妹莫佩切；隊徒對切，對都隊切，兩兩互用不系聯，然王一、王二、全王對都佩切，則隊佩韻同類。

(二十三)上平十六咍：裁（才）作哉切，𢦏（哉）祖才切，才哉互用，考本韻裁切三昨來切，則哉來韻同類。

(二十四)去聲十九代：慨苦蓋切誤，蓋在十四泰，非本韻字，王二、全王苦愛切當據正。

(二十五)去聲二十廢：廢方肺切，全王方肺切，當據正，肺方廢切，全王芳廢切，當據正。韻鏡第九開以刈列三等，不與廢吠等同列第十轉合口。周祖謨陳澧切韻考辨誤云：『廢韻刈魚肺切，王二魚廢切，韻鏡此字列爲開口，今從之。分廢韻爲二類。又祭韻䝹𧳋二字入此爲合口字。』按𧳋呼吠切韻鏡誤植於第十轉牙音清濁疑母下，故又誤植刈於第九轉開口，實則廢韻僅一類爲撮口呼，周說未必然也。

(27)上平十七眞：本韵有囷去倫切，贇於倫切，麏居筠切，筠爲贇切當併入諄。又本韵巾銀一類韵鏡列於外轉十七開。考法國巴黎國家圖書館藏唐本文選音殘卷，臻切側巾，詵切所巾，榛切仕巾，顯然可知本韵巾銀一類字原與臻韻相配之喉牙脣音也，故韵鏡隨臻韵植於十七轉開口，迨切韵眞臻有別，此類字乃置於眞韵，就韵母言仍爲齊齒音，其有以爲撮口者未必然也。

(28)上聲十六軫：殞于敏切，以脣音開口字切喉牙音合口字也。本韻殞窘(渠殞切)二字當併入準韵，愍字切語用殞字蓋其疏也。查愍字平聲爲珉武巾切，實與臻韵相配之脣音字，則愍亦當爲與臻韵上聲𪗨齔相配之脣音字，非撮口也。韵鏡以愍入十七轉開口，窘入十八轉合口可證，然則韵鏡十七轉有殞亦爲誤植。龍宇純君韵鏡校注云：『廣韵軫韻殞湏磒隕霣愪苭等七字于敏切、合口，當入十八轉喻母三等，七音略十八轉有隕字是也。唯其十七轉愪字亦當删去。』按龍說是也，殞當併入準韵，置於韵鏡十八轉合口喻三地位。

(29)去聲二十一震：昀九峻切，峻與𡸣陵同音，當併入稕韵。

(30)入聲五質韵：密美畢切、切三美筆反當據正，率所律切，律在六術韵當併入術韵。本韵乙筆密一類，實與臻韵入聲櫛相配之脣牙喉音，公孫羅文選音決櫛音側乙反可證。據此則乙筆密亦猶巾銀一類當爲齊齒呼也。

(31)上平十八諄：趣渠人切，昐普巾切當併入眞韵。

(32)上聲十七準：螼弃忍切，脣珍忍切，𦜓興腎切，濜鉏紖切當併入軫韵，軫韵窘殞二字當併入本韵。

(二三)臻韵上聲有⿰魚秦美仄謹切，齔初謹切，因字少併入隱韵，並借用隱韵謹為切語下字。

(二四)臻韵去聲有櫬瀙嚫䞋襯儭齔初覲切，因字少併入震韵，或謂僅有一齔字併入隱韵，兩說均有根據，前說則據韵鏡十七轉齒音二等有櫬字，後說則據隱韵齔字又初靳切，初靳切當入焮韵，焮韵無齒音字則其屬臻韵去聲無疑，焮韵無此字，故謂附於隱韵也。兩說皆不可非之。

(二五)上平二十文：芬府文切，與分同音，全王撫雲切，明本撫文切，當據正。

(二六)入聲九迄韵：訖居乙切誤，乙在五質韵，切三居乞反，當據正。

(二七)去聲廿五願：𥳏芳万切與嬔芳万切同音誤，王二作𥳏與⿰麥産同紐音叉万切，又初万切，當正作叉万切。周祖謨廣韵校勘記云：『𥳏故宮王韵作叉万切，當據正。此字或體⿰麥産字，玉篇亦音叉萬切，⿰麥産見鹵部，張改作芳万切非也，段校改芳作方，亦非，若作芳万切則與嬔字芳万切音同。』又本韵健渠建切，圈臼万切，渠臼聲同類，則建万韵不同類，建居万切，切語用万字，蓋其疏也。今按韵鏡外轉第二十一開以建健堰憲為類同列三等，外轉二十二合以販萬圈願怨為類同列三等，今從之別為二類。又考建字之平聲為榩居言切，上聲為湕居偃切均為齊齒一類則建字亦當為齊齒無疑。今重訂兩類韵母於后：

怨願販万一類撮口呼

建堰一類齊齒呼

㊳入聲十月韵：月魚厥切，厥居月切；伐房越切，越王伐切。兩兩互用不能系聯，然本韵髮方伐切，王二方月切，則伐月韵同類。

㊴入聲十一沒：本韵麧下沒反與搰戶骨切音同，按麧本爲痕韵相承之入聲，因字少併入沒韵，因借沒爲切語下字耳。又本韵沒莫勃切，勃蒲沒切；忽呼骨切，骨古忽切，兩兩互用不系聯，考窣蘇骨切，王二蘇沒反，則沒骨韵同類。

㊵上平廿五寒：本韵有濡乃官切，當併入桓韵。

㊶上聲廿四緩：本韵滿莫旱切，五代刋本切韵作莫卵反，當據正。伴蒲旱切五代刋本切韵作步卵反，當據正。又本韵攤奴但切當併入二十三旱韵。

㊷去聲廿九換：本韵半博慢切，慢在三十諫，全王、唐韵博漫反當據正，漫（縵）莫半切，漫半互用不系聯。考韵鏡外轉二十四合以半判畔縵與段玩等爲一類，今從之。

㊸入聲十五末：末莫撥切，撥北末切，括古活切，活戶括切，兩兩互用不系聯，按本韵䟦蒲撥反，切三蒲活反，則撥活韵同類。

㊹上聲廿五潸：本韵睆戶板切與僩下赧反同音、按全王僩胡板反睆戶板反二音相次，考韵鏡外轉二十四合以睆綰爲一類，潸僩爲一類置於外轉二十三開。廣韵刪潸諫黠四韵脣音字配列參差最爲無定，茲分列於下：

平聲刪韻	上聲潸韻	去聲諫韻		入聲黠韻
開口合口	開口合口	開口合口		開口合口
班布還	版布綰	○	○	八博板
攀普班	眅普板		襻普患	汃普八
○	阪扶版	○	○	拔蒲八
蠻莫還	矕武板	慢謨晏		傄莫八

刪韻全合口、潸黠二韻全在開口，諫韻開合各一，韻鏡全在合口。高本漢以爲皆爲開口。（參見譯本中國音韻學研究四二頁）此類脣音字似列入開口爲宜，其入合口者以脣音聲母俱有合口色彩故也。卽班 $p^{w}an \to pwan$。

(四五)入聲十四黠：滑戶八切，此以脣音開口切喉牙音合口字也。婠烏八切亦以開口切合口也。五[臬+出]骨反誤、唐韻五滑反是也，當據正。

(四六)上平二十八山：切三此韻有頑吳鰥反一音，當據補。

(四七)上聲二十六產：周祖謨云：『產韻陳氏分爲剗憴二類，按憴廣韻初綰切，唐本殘韻並無，綰在潸韻，憴萬象名義音叉產反，玉篇叉限反，是此與剗爲同音之字，今合併爲一類。』按全王憴與醆同音側限反，不別爲音，周說是也，當併爲一類。

(四八)去聲卅一裥：幻胡辨切，此以脣音開口切喉牙音合口字也。

㊾下平一先韻：先蘇前切，前昨先切；顛都年切，年奴顛切，兩兩互用不系聯。考本韻賢胡田切，切三胡千切，則千田韻同類，千蒼先切，田徒年切，則先年韻亦同類矣。

㊿去聲三十二霰：縣黃練切誤，王二玄絢反，當據正。

(五一)下平二仙韻：延以然切，然如延切，焉於乾切，乾渠焉切。兩兩互用不系聯。考本韻嘕許延切，五代刋本切韻許乾反，則延乾韻同類。又專職緣（沿）切，沿與專切；權巨員切，員王權切。兩兩互用不系聯，考本韻嬛於權切，五代刋本切韻於緣反，則權緣韻同類。今重訂兩類韻母於后：

然仙延乾焉一類齊齒呼

緣泉全專宣川員權圓攣一類撮口呼

(五二)去聲卅三線：戰之膳（繕）切，繕時戰切；線私箭切，箭子賤切，賤才線切；膳戰互用。箭賤線互用，兩類不系聯，考本韻騗匹戰切，集韵匹羨切，則戰羨韻同類，羨似面切，面彌箭切，則戰箭韵同類矣。又絹吉掾切，掾以絹切；眷（卷）居倦切，倦渠卷切，兩兩互用不系聯，考本韵旋辝戀切，王二辝選反，則戀選韵同類，戀力卷切，選息絹切，則卷絹韵同類也。又本韵徧方見切，見在三十二霰，全王徧博見反與遍同音，在三十二霰韵，當併入彼。今重訂兩類韵母於后：

箭膳戰扇賤線面碾一類齊齒呼

變掾眷卷絹倦戀選釧彥囀一類撮口呼

(五三)入聲十七薛：絕情雪切，雪相絕切；輟陟劣切，劣力輟切。兩兩互用不系聯，考本韻爇如劣切，切三、王二、全王如雪反，則劣雪韻同類。又本韻朅丘謁切誤，謁在十月韻，切三、王二、全王去竭反，唐韻丘竭反，當據正。

(五四)下平四宵韻：宵相邀（要）切，要於霄切；昭止遙切，遙餘昭切；喬巨嬌（驕）切，驕舉喬切。彼此互用不系聯。考本韻焦卽消（霄）切，切三卽遙反，則遙霄韻同類，又喬巨嬌切，切三巨朝反，則嬌朝韻同類，朝陟遙切，故嬌遙韻亦同類。

(五五)上聲三十小：小私兆（肇）切，肇治小切；沼之少切，少書沼切。本韻摽苻少切，切三符小反，故少小韻同類。

(五六)去聲卅五笑：照之少切，少失照切；笑私妙切，妙彌笑切，兩兩互用不系聯，考本韻照之少切，王一、王二之笑反，則少笑韻同類。

(五七)下平六豪韻：勞魯刀切，刀都牢（勞）切，褒博毛切，毛莫袍切，袍薄褒切。刀牢互用，毛袍褒三字互用遂不系聯。今考本韻蒿呼毛切，切三呼高切，則高毛韻同類，高古勞切，則毛勞韻亦同類。

(五八)上聲三十四果：爸捕可切，䂚作可切，蓋哿韻增加字，誤入本韻，此二字切三皆無。

(五九)去聲三十九過：侉安賀切，王一、全王烏佐反，當入三十八箇，七音略內轉二十七箇韻有侉字是也。又本韵有磋字七過切與剉麤卧切音同，韵鏡內轉二十七，七音略內轉二十七以磋入箇韵，此字全王七箇反是也，當據正。

(六十)去聲四十禡：化呼霸切，此以脣音開口切喉牙音合口之例也。集韵火跨切，可據正。

(六十一)下平十陽韵：本韵強巨良切，狂巨王切，則王良韵不同類。陳澧切韵考卷五云：『王雨方切，此韵狂字巨王切，強字巨良切，則王與良韵不同類，方字府良切，王既與良韵不同類，則亦與方韵不同類，王字切語用方字，此其疏也。』本師林先生景伊以爲王字切語用方字未誤，方字切語用良字乃其疏也。考方字上聲爲昉，廣韵分兩切，玉篇分往切，正爲合口細音一類、廣韵四聲相承，故可證方字切語用良字之疏誤也。考廣韵陽及其上去入相承之脣音字，宋元韵圖之配列甚爲可疑。茲先錄諸韵切語於后，然後加以申論：

平聲陽韵	上聲養韵	去聲漾韵	入聲藥韵
方府良切	昉分网切	放甫妄切	○
芳敷方切	髣妃兩切	訪敷亮切	霈孚縛切
房符方切	○	防符况切	縛符鑊切
亡武方切	网文兩切	妄巫放切	○

除入聲藥韵霈縛二字確與撮口一類系聯外，其平上去三聲皆齊撮兩類雜用無截然之分界，宋元韵圖韵鏡、七音略、四聲等子，切韵指南皆列開口，切韵指掌圖列合口。若從多數言似當列開

口，然此類脣音字，後世變輕脣，則指掌圖非無據也。周祖謨氏萬象名義中原本玉篇音系一文問學集三六三頁卽以宕攝羊類脣音字屬合三等，擬音爲-iuang，-iuak。就脣音變輕脣言，此類字應屬合口殆無疑義。高本漢中國聲韻學大綱亦以筐王方、縛爲一類擬音爲-i̯wang，i̯wak。據此以論，方字切語用良字蓋誤，林先生說是也。上聲昉當據玉篇正作分往切，往正作于昉切，罔正作文往切，髣字切語用兩字，亦其疏也。去聲況許訪切，訪敷亮切，亮字亦疏，況王二許放反，原本玉篇況詡誑反皆爲合口細音一類，入聲列合口細音無誤，四聲相承、平上去三聲亦當同列合口細音，其入開口者誤也。周祖謨陳澧切韵考辨誤云：『陽韵脣音字方芳房亡，韵鏡七音略均爲開口，切韵考據反切系聯亦爲開口，然現代方音方等多讀爲輕脣f（汕頭福州讀hu，文水讀xu），可知古人當讀同合口一類也。（脣音聲母於三等合口前變輕脣）等韻圖及切韻考之列爲開口，其誤昭然可辨。』

(六二)入聲十九鐸：郭古博切，此以脣音開口字切喉牙音合口也。

(六三)下平十二庚：陳澧切韻考卷五：『橫戶盲切，此韻諻字虎橫切，脝字許庚切，虎與許聲同類，則橫與庚韵不同類，盲字武庚切，橫既與庚韻不同類，則亦與盲韵不同類，橫字切語用盲字，此其疏也。』按此亦以脣音開口字切喉牙音合口字也。

(六四)上聲三十八梗：陳澧切韵考卷五：『影於丙切，此韻警字居影切，憬字俱永切，居俱聲同類，則影與永韻不同類，丙字兵永切，影既與永韻不同類，則亦與丙韻不同類，影字切語用丙字亦其疏也。』按集韻影於境切，可據正。猛莫幸切，幸在三十九耿，明本莫杏切是也。礦古猛切，陳氏曰：『礦字無同類之韻，故借用猛字。』按此亦以脣音開口字切喉牙音合口字。陳氏又云：『此韻末又有打字德冷切，冷字魯打切，二字切語互用，與此韻字絕不聯屬，且其平去入三聲皆無字，又此二字皆已見四十一迥，此增加字也，今不錄。』按陳說非也，董同龢氏漢語音韻學以冷打與梗杏同屬一類，考韻鏡外轉三十三開冷列梗韻二等與梗同等，則董氏所分是也，打字韻鏡未見，龍宇純君韻鏡校注以爲打字當補於三十三轉舌音清位梗韻一等處。又按今音打冷二字之音皆與梗韻二等合，與四等迥韻讀音異。

(六五)去聲四十三映：蝗戶孟切，此以脣音開口切喉牙音合口字也。

(六六)入聲二十陌：按本韻韄乙白切，嚄胡伯切，謋虎伯切，虢古伯切，皆以脣音開口字切喉牙音合口字也。韻鏡外轉三十四合以虢擭砉（謋同音字）嚄同列陌韻二等可證。按擭一虢切實與韄同音，七音略三等無字，二等作韄，集韻韄擭同音握虢切即其證。

(六七)下平十三耕：宏戶萌切，脣音開口切喉音合口也。

(六八)入聲廿二昔：昔思積切，積資昔切；石常隻切，隻之石切，兩兩互用不系聯，考本韻彳丑亦（繹）切，王二丑尺反，則尺亦韻同類，尺昌石切，繹羊益切，益伊昔切，則石昔韻同類。然隻之石切，蒖之役切，上字聲同類，則石役韻不同類也。役既與石韻不同類，則亦與隻韻不同類，役字切語用隻字蓋其疏也。

(六九)上聲四十一迥：迥戶頂切與婞胡頂切音同，陳氏曰：『明本、顧本、曹本戶頂切，頃字在四十靜，徐鉉戶穎切，穎字亦在四十靜，蓋頲字之誤也。今從而訂正之，徐鍇篆韵譜呼炯反，篆韵譜呼字皆胡字之誤，炯字則與頲同音，集韵戶茗切，茗與頲韻同類，皆可證頲字是也。』按陳氏以頲切迥是也、至謂茗頲同類則非也。考本韵脣音字鞞補鼎切入齊齒，頩匹迥切，竝蒲迥切，茗莫迥切入撮口，與平聲竮普丁切，瓶薄經切；去聲覭莫定切；入聲壁北激切，霹普擊切，甓扶歷切，覓莫狄切之皆入齊齒者不一律，實則青迥徑錫四韵脣音字惟齊齒一類，韵鏡置於外轉三十五開四等可證。

(七十)去聲四十六徑：周祖謨陳澧切韵考辨誤云：『徑韵陳氏定為一類。案鎣烏定切，與徑定非一類，定開口，鎣合口也，今以鎣字自為一類。』按周說是也。考鎣字相承之上聲為濙，同偏旁之平聲字熒戶扃切皆入撮口一類，韵鏡亦以熒入三十六合可證。

(七一)入聲二十四職韵：職之翼切，弋（翼）與職切；直除力切，力林直切，兩兩互用不系聯。本韵職之翼切，集韵質力切，則翼力韵同類。又本韵域雨逼切，恤況逼切，皆以脣音開口字切合口字也。韵鏡以恤域一類入內轉四十三合三等可證。本韵赩許極切，洫況逼切，上字同類，則下字不同類，極逼既同類，則恤逼不同類也。

(七二)入聲廿五德：德多則切，則子德切；墨莫北切，北博墨切，兩兩互用不系聯，考本韵黑呼北切，王二、全王呼德反，即北德韵同類。

(七三)下平十八尤：浮縛謀切，謀莫浮切，兩字互用。韵鏡內轉三十七開與不甫鳩切同列三等，按浮字上聲爲婦房久切，去聲爲復扶富切均可與喉舌牙齒各類系聯，則浮謀亦當與本韵他類字同類，切語偶失系聯耳。

(七四)去聲四十九宥：宥于救切，救居祐（宥）切；僦卽就切，就疾僦切。兩兩互用不系聯，考僦全王卽救反，則就救韵同類。

(七五)下平廿一侵：尋徐林切，林力尋切；斟職深切，深式針（斟）切；吟魚金切，金居吟切。兩兩互用不系聯。集韵林黎針切，則林針韵同類，又考本韵岑鋤針切，全王鋤金反，則針金韵同類。

(七六)上聲四十七寑：荏如甚切，甚常枕切，枕章荏切，錦居飲（歓）切，歓於錦切。兩兩互用不系聯、考本韵蕈慈荏切，切三、全王慈錦反，則荏錦韵同類。

(七七)入聲二十八盍：皶都搕切誤搕在合韵，全王皶都盍反，當據正，囃倉雜切誤，全王倉臘反，當據正。又考本韵砝居盍切，譫章盍切，切三、王二、全王皆無，增加字也，當刪。

(七八)上聲五十琰：本韵險虛檢切，碩丘檢切，顩魚檢切，貶方斂切，儉巨險切，檢居奄切，奄衣儉切，王二分別爲險虛广反，碩丘檢反，顩魚儉反，貶彼檢反，儉巨險反，檢居儼反，奄應險反均在五十一广韵，當从之併入五十二儼韵。

(七九)去聲五十五豔：豔以贍切，贍時豔切；驗魚窆切，窆方驗切，兩兩互用不系聯。今考本韵惗於驗切，集韵於贍切，則贍驗韵同類。然此字王一、王二、全王均於驗反又於豔反，似本有二音，韻鏡以愴屬外轉三十九開豔韻三等，厭屬外轉四十開豔韻四等。今姑據集韻切語系聯，俟再考。

(八十)上聲五十二儼：儼魯掩切誤，王一虞埯反可證魯爲魚之譌，掩爲埯之譌。琰韻險、碩、顩、貶、儉、檢、奄等字當从王二入本韻。

(八十一)去聲六十梵：本韻劒居欠切，欠去劒切，俺於劒切三字，當併入五十七釅韻與釅魚欠切，脅許欠切，㱔丘釅切爲一類。釅韻菱廣韻亡劒切誤，全王字誤作蔓妄泛切，字誤音不誤，當改作妄泛（汎）切，改入梵韻。

新雄按：黃先生以爲脣音皆合口未必然也，諸家分類所以參差者若周祖謨、陸志韋、李榮、董同龢、周法高諸氏於支脂眞祭仙宵鹽諸韻分類較多，以同音異切之重紐字亦計算在內予以分開也。此類字究應如何處理？是否當予區分？周祖謨陳澧切韻考辨誤云：『以上所列凡三百二十四類，較陳氏所定多十三類，然支脂仙宵侵鹽諸韻（舉平賅上去入）之分類，皆以廣韻之切語爲定，古人之讀音究竟如何分辨，不能盡詳矣。（若定支脂仙各有開合二類、宵侵鹽各有開口一類，則三百廿四爲二百九十六。）』是重紐是否當分尚在兩可之間，今不分重紐，故合併如上。（重紐問題董同龢有廣韻重紐試釋，周法高有廣韻重紐研究。見史語所集刊十三本。此類問題尚待詳考，今姑不論。）

（原載國立政治大學中文研究所出版中華學苑第十四期、民國六十三年九月）

聲韻學導讀

陳新雄

一、緒　言

(一) 甚麼是聲韻學

聲韻學是我國傳統的一門學問，民國以前把它跟文字學、訓詁學合稱爲小學。所謂小學就是研究中國文字的字形、字音、字義的學問。研究字形的我們稱它爲文字學，研究字義的稱它爲訓詁學，研究字音的我們現在叫它做聲韻學。但是我們要知道，聲韻學雖然是研究字音的，可是它並不等於發音學，因爲它還要照顧我們漢族語言各個時期的語音系統，跟它們的歷史演變的規律。我們中國的文化有悠久的歷史，這是大家所熟知的，實際上中國的語言，特別是漢族的語言，比我們的文化還要悠久些。現代的漢族語言，不論它是那種方言，無論是語音、語法、詞彙各部門，都是從古代漢語逐漸發展出來的，只是分化的時間有些比較早，有些比較遲，有些保留較古的形式，有些呈現較晚的形式，這樣就形成了方言的參差。假如我們用現代的國語讀唐詩，就常常會發現有些詩的韻腳都不和諧了，平仄也不協調了。例如杜甫的蕭八明府實處覓桃栽詩：

奉乞桃栽一百根，春前爲送浣花村，
河陽縣裏雖無數，濯錦江邊未滿園。

這首詩的韻腳「根」ㄍㄣ、「村」ㄘㄨㄣ、「園」ㄩㄢˊ三字，「根」「村」都收音於ㄣ，讀起來還覺和諧，但「園」字收音於ㄢ，就很不對頭了，爲甚麼還可以在一起押韻呢？又如杜牧的泊秦淮詩：

煙籠寒水月籠沙，夜泊秦淮近酒家。
商女不知亡國恨，隔江猶唱後庭花。

第三句的格律應該是「平仄仄平平仄仄」，可是國語讀「國」作ㄍㄨㄛˊ，應屬陽平，也就不合律了。但杜牧原詩的格律音響是非常和協的。這都是因爲唐代那個時候的讀音，發展到現代已經起了變化的緣故。假如我們讀詩經，碰到像「參差荇菜，左右采之；窈窕淑女，琴瑟友之。」一類不押韻的地方就更多一些，因爲詩經時代離開我們現在的時間更長久，所以語音的差距也就更大了。

古人很早就發現了這種現象，他們從不同的角度去分析這些語音變化的現象，解釋它們變化的原因，尋找它們變化的規律。這樣就逐漸建立起來聲韻學這門科學。傳統的聲韻學包括「今音學」、「古音學」、「等韻學」三個部門。大致說起來，今音學所研究的是中古時期特別是隋唐兩宋時的音韻系統，尤其是切韻廣韻等韻書所代表的音系；古音學所研究的是上古時期特別是先秦時代的音韻系統；等韻學是分析漢語發音原理跟方法的一門學問，相當於現代的發音學。在每一個部門裏，歷代的音韻學家都下了不少功夫，獲得很大的成績。但是過去的學者沒有現代語言科學的訓練，在分析音素跟詮釋名詞上往往弄得非常玄妙，使初學的人越看越糊塗。民國以後，我國學者吸收了西方語言學的方法，對聲韻學的研究取得了新的成就，大大地超越前人。但是他們寫的一些闡明聲韻學的著作中，往往著重結果，而忽略了方法，有的又太嫌專門了些，文字也過於深奧。初學的人還是不大容易懂，往往望洋興嘆，甚至於一講到聲韻學就感到恐懼。本文的目的，就是想用比較淺近的文字，向初學的人介紹一些聲韻學的基本知識，希望引導初學的人步入聲韻學的大門。

（二）為甚麼要學聲韻學

我們研究中國聲韻學的目的主要是爲了讀懂古書，以便全面地瞭解中國文化。我國文字的構造雖然是形符，但我國文字的運用依然是音符。從我國文字構造的六書來說，諧聲一類，十居八九。轉注跟假借也都是由於聲韻的關係而滋生。這原因是文字由語言而來，語言靠聲音來表達，因此在用文字記錄語言的時候，有許多文字還沒有構造出來，只好借用音義相近的字暫時替代，這就是許愼所說的「本無其字，依聲託事」的假借了。也有些文字雖然早就構造好了，可是紀錄語言的人，還不知道，或者記憶不清，於是也只好隨便用一個同音的字，暫時替代，那就成了「本有其字，依聲託事。」也就是所謂同音通假了。中國方言分歧得也十分厲害，原也本來是一種聲音，由於方言的差異，各地方的人又根據自己的方言，造出不同的字來，字雖然是兩個，意義卻是一樣。在文字統一以後，我們要加以溝通，就用得上「建類一首，同意相受」的轉注了。無論諧聲、假借、轉注，沒有一樣不是以音爲用的。但是一般人所感痛苦的，這些音常有古今南北的差異，憑甚麼方法才能確切地明瞭那些字是同音？那些字是不同音呢？這絕不是憑猜測想像所能解決的，也不是憑一時一地的方言可以擬議的。必須有聲韻上基礎的知識，知道音變的規律，才可運用自如確切掌握，所以要減少閱讀古書的困難，明白文字訓詁的條例，不懂得聲韻學是沒有辦法的。

我國典籍蘊藏，深奧的恉義，用字遣辭的慣例，很多跟現代人不一樣了。又經過幾千年來傳鈔誤刻，免不了有許多的錯誤，我們要整理這批文化遺產，自然首先得校正剔除它的錯誤，我們憑甚麼才能做得到呢？高郵王念孫的讀淮南子雜志後序說得好。他說：

「夫入韻之字或有譌脫，或經妄改，則其韻遂亡。有因字誤而失其韻者，有因字脫而失其韻者，有因字倒而失其韻者，有因句倒而失其韻者，有句倒而又移注文者，有錯簡而失其韻者，有改字而失其韻者，有改字以合韻而實非韻者，有改字以合韻而反失其韻者，有改字而失其韻又改注文者，有改字而失其韻又刪注文者，有加字而失其韻者，有句讀誤而又加字以失其韻者，有既誤且脫而失其韻者，有既誤且倒而失其韻者，有既誤且改而失其韻者，有既誤而又加字以失其韻者，有既脫而又加字以失其韻者。」（讀書雜誌卷九）王氏僅僅根據韻腳來校正古書的錯誤，就得到校讐凡例十八條。如果不懂得聲韻學，又怎麼能够探求本源，校改錯誤呢！所以說我們要整理古書，承繼民族遺產，也需要聲韻學做為工具。

我們現在研究聲韻學，除了讀古書以外，還有一個重要的目標，就是要瞭解漢語的歷史，尋找出漢語語音的內部發展規律，以及確立國語讀音的標準。我們要瞭解某種語言的現狀，只有從歷史上去研究，才能更清楚。聲韻學是漢語史上一個重要部門，我們想要更好地瞭解和掌握現代漢語的語音系統，就必須要學習聲韻學。因為聲韻學能够告訴我們：現代漢語語音的各種現象是怎樣從古代漢語的語音系統發展出來的。比方「吸汲泣，接節絜，貼鐵帖，割閣葛」一類的字，現代南方許多方言讀起來跟國語都很不一樣，使得操這類方言的人學習國語的時候遭遇到許多困難。假使我們能從歷史上的發展來看，曉得了這些字怎樣從古代發展到現代的，明白了它們的演變規律，那就容易學習了。確立國語讀音的標準，也只有從歷史上找出根源，纔能得到滿意的答案。例如：「危險」的「危」跟「微風」的「微」，國語目前有陰平ㄨㄟ和陽平ㄨㄟˊ兩種讀音，「波浪」的「波」有不送氣的ㄅㄛ跟送氣的ㄆㄛ兩種讀法，到底那一種讀音合於標準呢？不能僅憑主觀和個人的習慣來決定，因爲你說這種讀音是對的，他說那種讀音是對的，誰也沒法說服別人。如果我們能夠根據語音發展的規律，指出「危」、「微」應讀陽平聲ㄨㄟˊ，「波」應讀不送氣的ㄅㄛ，那才能令人信服，也才容易解決問題。所以能夠掌握語音發展的規律，也是要借重於聲韻學這門學科的。

研究文學，聲韻學也是一大助手。劉勰的文心雕龍聲律篇說：「異音相從謂之和，同聲相應謂之韻。」所謂異音相從，就是不同聲母的字相迭爲用，這樣的文辭唸起來，才不會有佶屈聱牙的艱澀；同聲相應，就是相同韻母的字互相呼應。這樣的韻文讀起來才會覺得珠圓玉潤，鏗鏘悅耳。我國文學自齊梁以後，注重聲律，文尚駢麗，詩變律體，然其音節，不外乎同音相成的重疊與異音相接的錯綜，然後間以雙聲疊韻，協以對偶呼應，造成我國文學特有的格律。到了宋詞元曲，律度更嚴，辨聲則判陰陽，協韻則究開閉。凡此種種，如果沒有聲韻學的基礎，那是很難得其要竅的，所以說聲韻學也是研究文學的必備工具。

（三）怎麼樣學習聲韻學

聲韻學本身並不艱難，主要的要看是否得其方法，能得其方法則很容易學習，不得其法，則往往皓首窮年，終生還大惑不解，現將研究的方術，剖析於下：

1. **審明音理：**

聲韻學既是研究字音之學，它就須要研究人類口齒所發的聲音，推廣到文字上來。所以它偏重在口耳相傳，因此首先要辨別聲韻，分析音素。因爲聲韻學既是研究人類口齒所發的音爲宗旨，就必須能够辨識各種音素的發音部位與方法，在輔音上要明白清濁發送收等的異同，在元音上要識別高低前後洪細的差異，進而瞭解各種音素接合的條件以及彼此影響的變化。能如此就具備初步的基礎了。

2. **知道變遷：**

地方有南北的不同，時間有古今的差異，聲音也不是一成不變的，它隨時隨地都在變遷，我們要瞭解它演變的條件，變遷的路線，絕不可固執不化，引一時一地之音作爲研究聲韻學的根本，以爲不可變易。假如這樣，無疑是閉戶造車，出必不合於轍，也可斷言的了。

3. **尋求旁證：**

聲韻學既然是推求漢語語音歷史演變的規律，可是古人的語音既無法久留人間，又無留音的東西，把古人的聲音保留下來。那麼我們尋究之道，就是旁求證據。這可從漢語方言，古籍文字，域外譯音各方面求其線索，以資參證，能如此必能言之有物，而不流於虛妄。

4. **統一名詞：**

昔人研究聲韻學，因爲沒有一定的標準，於是學者偶有所得就喜歡自己創立名詞，於是在名稱上有同名異實，或異名同實，弄得烏煙瘴氣，讓初學的人感到非常頭痛。甚至於有些學者喜歡比傅，講平仄搞些鐘鼓木石來譬喻。說清濁引用天地陰陽來附會，弄得天昏地暗，鐘鼓亂鳴，不僅初學、內行人也感傷透腦筋，所以我們對於聲韻學上許多名稱，一定要整齊劃一，給它一個統一的名稱，正確的意義。這樣就可免得節外生枝，誤入歧途。

二、今音學概要

(一) 反切的方法

所謂今音學，就是以切韻、廣韻等韻書所代表的音韻系統而言，也就是所謂的中古音系。切韻一書現在殘缺不全，廣韻根據切韻加以增補，並無刋削，所以廣韻的音系基本上與切韻並無二致。只要把廣韻一書弄清楚了，聲韻之學也就思過半矣。廣韻一書兼賅古今南北的音，上可以追溯到周秦的古音，下可以窮究現代各地的方言與標準國語，它在聲韻學上的功用至爲宏大。那末，我們應該怎樣來研究廣韻呢？廣韻的音是拿反切來表現的，所以我們要瞭解廣韻，首先就得瞭解廣韻的反切，反切是用兩個字來拼一個字的音。我們可以把反切分爲兩部分，一部分我們稱它爲反切上字，另一部分稱它爲反切下字，反切上字跟它所拼的字，聲母相同，我們叫它做雙聲；反切下字跟它所拼的字，韻母相同，我們叫它做疊韻。現在舉一個例子來說明。例如同，徒紅切。

同字是由徒跟紅兩個字拼合而成，徒字的聲母ㄊ跟同字的聲母ㄊ相同，所以徒同就是雙聲字。也就是說同字以徒字做反切上字，就是取徒字的聲母ㄊ，所以反切上字跟它所拼切的字一定是同一個聲母。紅字就是反切下字，紅字的韻母ㄨㄥˊ跟同字的韻母ㄨㄥˊ相同，所以紅跟同就是疊韻字。也就是說同字以紅字做反切下字，就是取紅字的韻母ㄨㄥˊ，所以反切下字跟它所拼切的字，一定是同一個韻母，當然是同在一個韻裏頭。不過我們要記住，以徒紅兩字來拼切同字，我們只取反切上字徒的聲母ㄊ，徒的韻母ㄨˊ就要捨棄；反切下字紅也只取韻母ㄨㄥˊ，紅的聲母ㄏ也要捨棄。這樣才能正確地拼切出同字的音來。

(二) 系聯反切上字的條例

我們瞭解了廣韻反切的原則以後，進一步就要去歸納廣韻的反切上字，廣韻的反切上字大約有五百個左右，這五百多個反切上字，雜亂無章地分散在廣韻二〇六韻當中。所以我們應該首先把它們整理出個頭緒來，整理的方法，清代的學者陳澧在他的切韻考一書裏已經說得很明白了，我現在把它抄在下面。陳澧說：

『切語上字與所切之字雙聲，則切語上字同用者，互用者，遞用者聲必同類也。同用者如多都宗切、當都郎切，同用都字也。互用者如當都郎切，都當孤切，都當二字互用也。遞用者如多都宗切、都當孤切，多字用都字，都字用當字也。今據此系聯之爲切語上字四十類。

廣韻同音之字不分兩切語，此必陸氏舊例也。其兩切語下字同類者，則上字必不同類，如紅戶公切，烘呼東切，公東韻同類，則戶呼聲不同類，今分析切語上字不同類者，據此定之也。切語上字既系聯爲同類矣，然有實同類而不能系聯者，以切語上字兩兩互用故也。如多得都當四字聲本同類，多得何切，得多則切，都當孤切，當都郎切，多與得，都與當兩兩互用，遂不能四字系聯矣。今考廣韻一字兩音者互注切語，其同一音之兩切語上二字聲必同類，如一東凍德紅切又都貢切，一送凍多貢切，都貢、多貢同一音，則都多二字實同一類也。今於切語上字不系聯而實同類者，據此以定之。」（切韻考卷一）

以上三條就是陳澧最有名的系聯條例，第一條我們叫它爲「基本條例」，第二條爲「分析條例」，第三條爲「補充條例」。基本條例的作用在把散布廣韻各韻雜亂無章的反切上字歸納出一個頭緒來，分析條例在防止把不同類的反切上字誤歸爲一類，補充條例則當我們歸不攏來的時候，可以參考一些又音來歸類。瞭解方法以後，下面我們舉一個實例來說明：

補充條例系聯

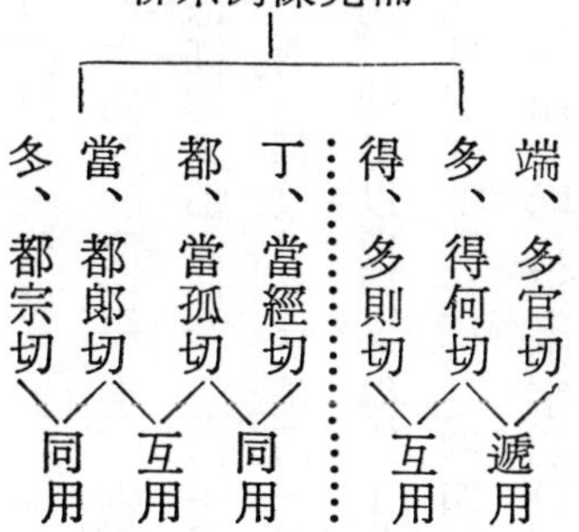

端、多官切 ╲ 遞用
多、得何切 ╱ ╲ 互用
得、多則切 ╱
⋯⋯
丁、當經切 ╲ 同用
都、當孤切 ╱ ╲ 互用
當、都郎切 ╱ ╲ 同用
冬、都宗切 ╱

根據基本條例可以把以上七個反切上字歸納爲兩類，端多得三字自成一類，不能跟丁都當多四字系聯。根據分析條例，沒有同類的反切下字，則不能斷定反切上字非分兩類不可。根據補充條例，廣韻平聲一東韻有一個凍字德紅切又都貢切，這凍字又見於去聲一送韻多貢切又音東。東韻的又音都貢切，就是送韻的正音多貢切，所以都貢、多貢是同一音的兩切語，這兩個切語要同音，則都跟多的聲類必須相同。我們根據補充條例，就可以把端多得跟丁都當多系聯成一類了。把它們系聯爲一類以後，在同類字當中取一字以標聲類之目，就叫做聲母。例如我們取「端」字作爲這一類的標目，那末，這類字我們就稱它爲「端」母字了，「端」就是這類字的聲母。

（三）熟練反切上字的方法

照理說我們每一個學習聲韻學的人都應該按照陳氏的條例去歸納廣韻的反切上字，但是這一步工作對初學的人來說太繁重了，那會減低學習興趣的，所以不必去作，好在陳澧已經把它系聯好了，我們只要知道那些字是一類就好了。對於反切上字不僅要知道那些字是一類，更要熟記那些反切上字屬於那些聲母？這種熟記，不是靠背誦而是靠練習。怎麼樣練習才能熟記得了呢？首先要依據廣韻從上平聲一東韻到入聲三十四乏韻，每一個「韻紐」跟反切都抄下來，所謂「韻紐」，就是廣韻每一個韻內小圈圈下的第一個字，也有人稱它爲「小韻」的。把韻字跟反切抄下來以後，就可以根據林尹先生的中國聲韻學通論後面所附的反切上字表，查出每一個反切上字所屬的聲母。這樣把二百零六韻每一個反切上字都查過之後，就自然可以熟記下來了。現在舉一東韻的反切爲例，說明如何抄反切？如何查聲母？

韻紐	切語	聲母
東	德紅	端
同	徒紅	定
中	陟弓	知
蟲	直弓	澄
終	職戎	照
忡	敕中	徹
崇	鋤弓	牀
嵩	息弓	心
戎	如融	日
弓	居戎	見
融	以戎	喻
雄	羽弓	爲
瞢	莫中	明
穹	去宮	溪
窮	渠弓	羣
馮	房戎	奉

風　方戎　非
豐　敷隆　敷
充　昌終　穿
隆　力中　來
空　苦紅　溪
公　古紅　見
蒙　莫紅　明
籠　盧紅　來
洪　戶公　匣
叢　徂公　從
翁　烏紅　影
怱　倉紅　清
通　他紅　透
葼　子紅　精
蓬　薄紅　並
烘　呼東　曉
㟜　五東　疑

摠　蘇公　心

練習的步驟，先要抄好韻紐跟切語，把二百零六韻所有的韻紐通統抄好以後，再查聲母，經過這樣查一遍以後，那一些切語上字屬於那類聲母，就自然滾瓜爛熟了。

（四）廣韻的四十一聲母

廣韻的反切上字可歸納爲四十一類，每一類取一個字來標目，就是四十一聲母。它是：

喉音：影曉匣喻爲。
牙音：見溪羣疑。
舌頭音：端透定泥。
舌上音：知徹澄娘。
齒頭音：精清從心邪。
正齒音：
　近舌者：照穿神審禪。
　近齒者：莊初牀疏。
重脣音：幫滂並明。
輕脣音：非敷奉微。
半舌音：來。

半齒音：日。

以上四十一聲母的標目，大多數是沿襲唐代釋守温的三十六字母，只有「爲」、「莊」、「初」、「神」、「疏」五個聲母是守温的三十六字母所沒有的。守温的爲併於喻，莊併於照，初併於穿，神併於牀，疏併於審。它們的分合有如下表：

守温三十六字母　廣韻四十一聲母

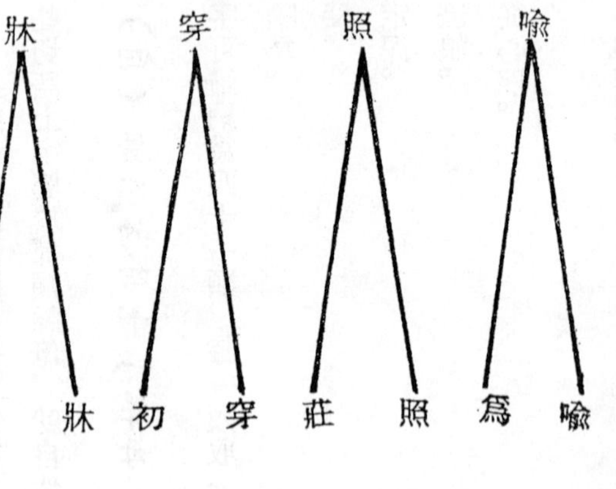

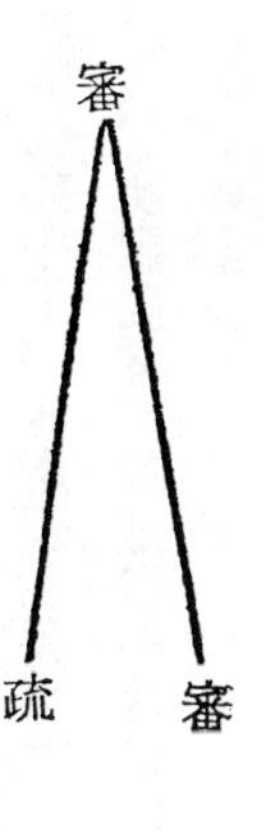

（五）聲母發音的部位和方法

喉、牙、舌、齒、脣是指聲母的發音部位，這些部位可以根據發音器官的不同而一一加以說明的。依照語音學理，我們可以把聲母分別爲以下的十二類：

1. 喉聲：是由聲帶的緊張，以節制外出的氣流構成。
2. 小舌聲：由舌根跟小舌接觸，以節制外出的氣流構成。
3. 舌根聲：以舌根跟軟顎接觸來節制外出的氣流構成。
4. 舌面中聲：以舌面後部跟硬顎接觸來節制外出的氣流構成。
5. 舌面前聲：由舌面前部跟硬顎接觸以節制外出的氣流構成。
6. 舌尖面混合聲：以舌尖跟舌面混合部分來跟硬顎上齒齦相交處接觸、節制外出的氣流構成。
7. 舌尖後聲：由舌尖翻抵上齒齦的後面來節制外出的氣流構成。
8. 舌尖中聲：由舌尖抵緊上齒齦來節制外出的氣流構成。
9. 舌尖前聲：由舌尖與上齒尖端接觸以節制外出的氣流構成。
10. 齒間聲：由舌尖的最前端，放在上下門齒之間，使氣流從舌齒中間的縫隙摩擦而出。

11.脣齒聲：由上門齒跟下脣內緣接觸以節制外出的氣流構成。

12.雙脣聲：由下脣跟上脣接觸，以節制外出的氣流構成。

四十一聲母的喉音就是上述的喉聲，牙音就是舌根聲，舌頭音就是舌尖中聲，舌上音是舌面前聲，齒頭音是舌尖前聲，正齒音近舌的一類是舌面前的塞擦聲跟擦聲，近齒的一類是舌尖面混合聲，重脣音就是雙脣聲，輕脣音就是脣齒聲，半舌音是舌尖中的邊聲，半齒音是舌面前的鼻塞擦聲。

講明了發音部位，再說說發音方法，根據語音學理，就發音方法來分析聲母可得六類：

1.塞聲：當氣流通過時，口腔某一部分，一時完全阻塞，氣流待阻塞解除後，才能流出，這樣的一種過程卽構成此音。

2.鼻聲：當氣流通過時，口腔閉塞，軟顎下垂，氣流由鼻腔流出，卽構成此音。

3.擦聲：當氣流通過時，口腔某一部分，通道變得狹小，氣流從那裏擠出來，卽構成此音。

4.邊聲：當氣流通過時，口腔中間或一旁遭受阻塞，氣流從兩邊或另一旁流出，卽構成此音。

5.顫聲：當氣流通過時，口腔中富有彈性之部分，起一極爲敏捷的顫動，卽構成此音。

6.塞擦聲：塞聲在阻塞解除前，口腔中氣流用力從這一阻塞部位擠出，使這一塞聲變成同部位的擦聲，卽構成此音。

在傳統的聲韻學上，有所謂「發聲」、「送氣」、「收聲」等名稱，實際上也就是指聲母的發聲方法。大致說來，所謂發聲，就是指不送氣的塞聲跟塞擦聲而言，送氣就是指送氣的塞聲跟塞擦聲而言，收聲就是指鼻聲邊聲等而言。

除了發送收等名稱外，又有所謂清濁也是指的聲母發音的方法。清聲就是聲帶不受摩擦而顫動，語音學上叫做不帶音（Voiceless），濁聲就是聲帶受摩擦而顫動，語音學上叫做帶音（Voiced）。這個道理也很容易理解的，我們甚至可以用手指頭按住喉節而感覺出來。例如我們發國語聲母「ㄕ」時，聲帶是不顫動的，所以「ㄕ」是清聲；發聲母「ㄖ」時，聲帶是顫動的，所以「ㄖ」是濁聲。用手指頭按住喉節，就可以覺察出這兩個聲母顫動跟不顫動的差異。不過廣韻的聲母不能用這種方法來試驗，因爲古代很多的濁聲母演變爲現代的國語都變作清聲去了。但如我們能够把廣韻裏頭的反切上字都歸類清楚，則每一字的清濁也極易辨識。陳澧說：

「切語之法，以上字定清濁，不辨清濁，故不識切語，今以切語上字四十類，分別清聲二十一類，濁聲十九類。（按以四十一聲母計，濁聲當爲二十類。）又於每類取平聲字爲首，首一字清，則系聯一類皆清，首一字濁，則系聯一類皆濁，了然可知也。」（切韻考卷二）

從陳氏這段話，可以知道只要我們把四十一聲母的清濁辨別清楚了，則任何一個字的清濁都可由此推知了。

下面是一張四十一聲母的清濁跟發送收分配表：

發聲部位	清濁	發聲	送氣	收聲
喉	清	影（卽喩之清）	曉（卽匣之清）	
	濁	喩「爲」（卽影之濁）	匣（卽曉之濁）	
牙	清	見	溪（卽羣之清）	（疑之清無字）
	濁	（見之濁無字）	羣（卽溪之濁）	疑
舌頭	清	端	透（卽定之清）	（泥之清無字）
	濁	（端之濁無字）	定（卽透之濁）	泥
舌上	清	知	徹（卽澄之清）	（娘之清無字）
	濁	（知之濁無字）	澄（卽徹之濁）	娘
半舌	清			（來之清無字）
	濁			來
半齒	清			（日之清無字）
	濁			日

正齒				齒頭		重脣		輕脣	
近于舌上者		近于齒頭者							
清	濁	清	濁	清	濁	清	濁	清	濁
照	（照之濁無字）	「莊」	（莊之濁無字）	精	（精之濁無字）	幫	（幫之濁無字）	非	（非之濁無字）
穿審（卽神禪之清）	「神」禪（卽穿審之濁）	「初」「疏」（卽牀之清）	牀（卽初之濁）（疏之濁無字）	清心（卽從邪之清）	從邪（卽清心之濁）	滂（卽並之清）	並（卽滂之濁）	敷（卽奉之清）	奉（卽敷之濁）
						（明之清無字）	明	（微之清無字）	微

從右表，我們可以知曉四十一聲母中，那一母是清，那一母是濁，他們的發聲、送氣、收聲的分配是怎樣的，都可了然清楚。能分辨四十一聲母的清濁跟發送收，則任何字音的清濁與發送收都可由此推

知。例如：蟲、直弓切，我們經由反切上字的系聯歸類，知道「直」字屬澄母，澄在右表爲送氣濁聲，那末蟲字自然也是送氣濁聲了。

（六）系聯反切下字的條例

我們對聲母方面有此認識以後，再從廣韻的切語下字談談韻母的問題。要了解廣韻的切語下字仍舊要從陳澧的系聯條例著手。我們先把陳澧的系聯條例抄下來再說：

「切語下字與所切之字爲疊韻，則切語下字同用者，互用者，遞用者韻必同類也。同用者如東德紅切、公古紅切、同用紅字也。互用者如公古紅切，紅戶公切，紅公二字互用也。遞用者如東德紅切，紅戶公切，東字用紅字，紅字用公字也。今據此系聯之爲每韻一類二類三類四類。廣韻同音之字，不分兩切語，此必陸氏舊例也。其兩切語上字同類者，下字必不同類，如公古紅切，弓居戎切，古居聲同類，則紅戎韻不同類，今分析每韻二類三類四類者，據此定之也。切語下字既系聯爲同類矣，然亦有實同類而不能系聯者，以其切語下字兩兩互用故也。如朱、俱、無、夫四字韻本同類，朱、章俱切，俱舉朱切，無武夫切，夫甫無切，朱與俱，無與夫，兩兩互用，遂不能四字系聯矣。今考平上去入四韻相承者，每韻分類亦多相承，切語下字既不系聯，而相承之韻又分類，乃據以定其分類，否則雖不系聯，實同類耳。」（切韻考卷一）

第一條我們仍稱它爲基本條例，第二條爲分析條例，第三條爲補充條例。它們的作用，一如反切上字的三個條例一樣。

（七）反切下字條例的運用

下面我們舉一東韻的字爲例，來說明這幾個條例的運用。

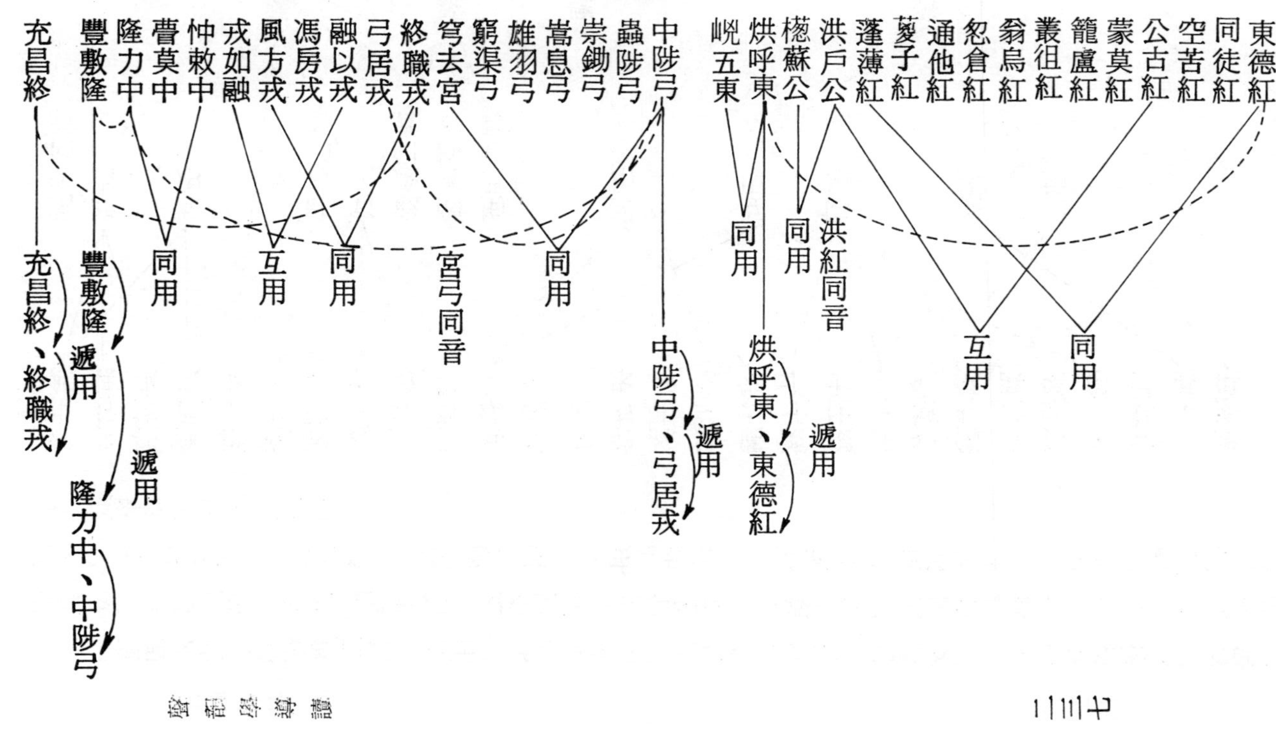

一東韻據此系聯可得二類，而此二類必須分別，因爲公古紅切，弓居戎切，根據分析條例，古居同屬見母，聲已同類，所以紅跟戎韻一定不同類。但假若系聯兩類之後，根據分析條例，找不出聲同類的例子，而這兩類之不能系聯，又恰好是兩兩互用的關係，那我們就可以運用補充條例來判斷是否同類了。玆舉虞韻爲例來說明：

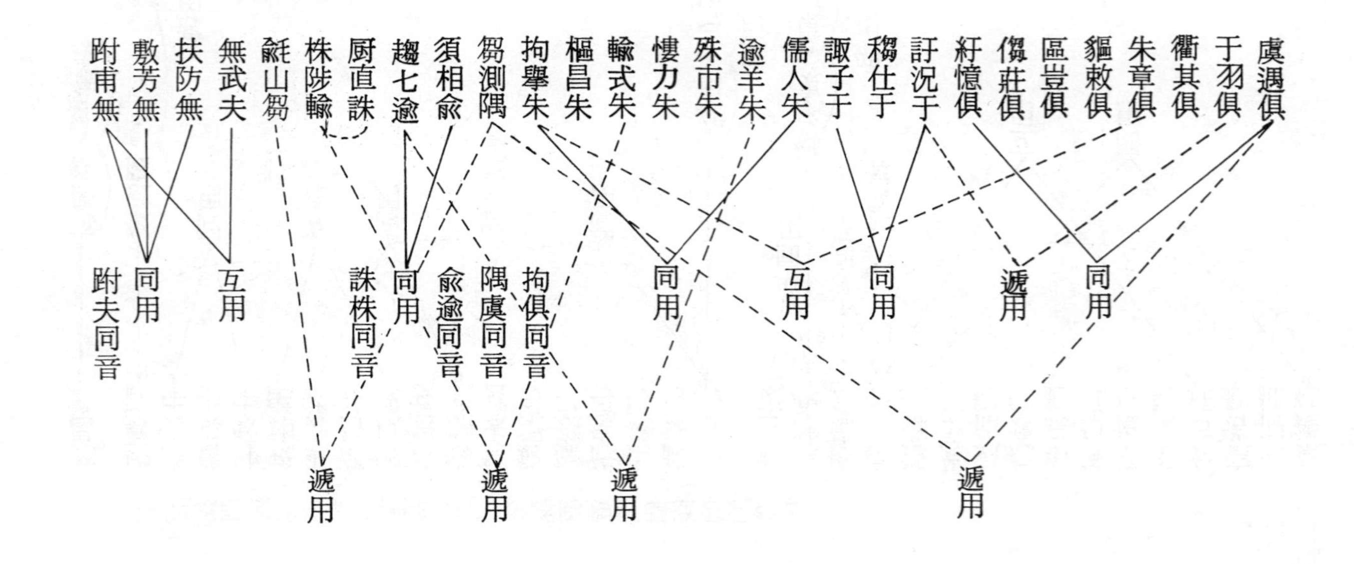

因朱章俱切，拘（俱）舉朱切，無武夫切，跗（夫）甫無切，兩兩互用，於是朱俱跟無夫就不能系聯了。但朱俱一類跟無夫一類並沒有同聲母的，所以並不能斷定非分兩類不可。只有根據補充條例察看相承的上去兩韻系聯的情形而定，例如去聲遇韻就可系聯爲一類，則朱俱無夫也應合併爲一類。但此韻相承上聲的麌韻又因羽（雨）王矩切，矩俱雨切，主之庾切，庾以主切，矩雨、主庾兩兩互用而不系聯，那也不要緊。此韻府方矩切，則府矩韻同類，府之平聲爲跗，矩之平聲爲俱，則亦可證俱跗同類的。相反的，平聲朱章俱切，朱俱韻同類，朱的上聲爲主，俱的上聲爲矩，也可證主矩是同類的。反切雖不無缺點，但對初學的人來說，這還是瞭解廣韻的不二法門。

（八）開齊合撮四等呼

陳澧系聯廣韻的切語下字，每韻最多只得四類的緣故，就是因爲在收音的時候，有「開口」與「合口」的不同。開口與合口又各有「洪音」「細音」的區別，故只得四類。開口洪音爲「開口呼」，簡稱叫「開」，以其收音的時候，開口而呼之；開口細音爲「齊齒呼」，簡稱叫「齊」，以其收音的時候，齊齒而呼之；合口洪音爲「合口呼」，簡稱叫「合」，以其收音的時候，合口而呼之；合口細音爲「撮口呼」，簡稱叫「撮」，以其收音的時候，撮脣而呼之。這樣說起來，開合的區別，實在是由於收音聲勢的不同，所以也極容易分辨。潘耒說：

「初出於喉，平舌舒脣，謂之『開口』，舉舌對齒，聲在舌顎之間，謂之『齊齒』，斂脣而蓄之，聲滿頤輔之間，謂之『合口』，蹙脣而成聲，謂之『撮口』。」（類音）

錢玄同先生更以羅馬字母來加以說明，分析得更爲清楚。他說：

「今人用羅馬字母表中華音，于開口呼之字，但用子音母音字母拼切，齊合撮三呼，則用 i、u、ü三母介於子音母音之間，以肖其發音時口齒之狀，與潘氏之說，適相符合。試以寒、桓、先韻中影紐字言之，則『安』爲開，拼作 an，『煙』爲齊，拼作 ian，『彎』爲合，拼作 uan，『淵』爲撮，拼作 üan，此其理至易明瞭，無待煩言者也。」（文字學音篇第二章）

從錢先生這段話已經可以十分清楚地看出，開齊合撮的區別，全以介音 i、u、ü的有無爲定。抑又有言，介音的ü實在還是 i、u 二音結合而成。因此我們可以說，開合的不同，是看有無 u 介音爲斷，有則爲合口，無則爲開口；洪細的區別，是看有無 i 介音爲準，有則爲細音，無則爲洪音。

（九）陰陽入三聲

廣韻二百六韻中，有陰聲、陽聲、入聲三類。廣韻平聲（舉平以賅上去）的支、脂、之、微、魚、虞、模、齊、佳、皆、灰、咍、蕭、宵、肴、豪、歌、戈、麻、尤、侯、幽及去聲（此無平上聲相配的）祭、泰、夬、廢二十六韻，都是陰聲韻。平聲的東、冬、鍾、江、眞、諄、臻、文、欣、元、魂、痕、寒、桓、刪、山、先、仙、陽、唐、庚、耕、清、青、蒸、登、侵、覃、談、鹽、添、咸、銜、嚴、凡共三十五韻，都是陽聲韻。與陽聲韻相承的屋、沃、燭、覺、質、術、櫛、物、迄、月、沒、曷、末、黠、鎋、屑、薛、藥、鐸、陌、麥、昔、錫、職、德、緝、合、盍、葉、怗、洽、狎、業、乏共三十四韻，都是入聲韻。所謂陰聲，就是收韻時不帶鼻音；所謂陽聲，則收韻時帶有鼻音。不過陽聲的帶鼻音又有三種不同：一爲舌根鼻音，一爲舌尖鼻音，一爲雙脣鼻音，在廣韻的陽聲韻中，收舌根鼻音ŋ的共有十二韻，就是東、冬、鍾、江、陽、唐、庚、耕、清、青、蒸、登各韻。收舌尖鼻n音的有十四個韻，就是眞、諄、臻、文、欣、元、魂、痕、寒、桓、刪、山、先、仙諸韻。收雙脣鼻音m的共有九韻，就是侵、覃、談、鹽、添、咸、銜、嚴、凡等韻。陰聲、陽聲古人雖分別甚嚴，但卻沒有很清楚地說明它們之間的區別，也沒有適當的名稱來表示它。直到清代戴震才開始說明它們的區別。戴氏說：

「僕審其音，有入者，如氣之陽，如物之雄，如衣之表；無入者，如氣之陰，如物之雌，如衣之裏。」（答段若膺論韻書）

到戴震的學生孔廣森著詩聲韻的時候，乃根據戴震的說法，於是定「如氣之陽，如物之雄，如衣之表」的那一類爲「陽聲」。定「如氣之陰，如物之雌，如衣之裏」的一類爲「陰聲」。陰聲、陽聲的名稱才開始正式確定。

至於入聲，乃是介於陰陽之間的，入聲有塞音韻尾，頗有類於陽聲。（凡陽聲收ŋ的，跟它相配的入聲，則收舌根塞音韻尾k，陽聲收n的，入聲收舌尖塞音韻尾t，陽聲收m的，入聲收雙脣塞音韻尾p。）但是入聲的音非常短促，聽覺上頗類於陰聲。所以說入聲是介於陰陽之間的。因爲入聲介於陰陽之間，所以可以兼承陰陽，而與二者皆可通轉。

（十）聲調與韻目的相配

韻有開、合、洪、細及陰、陽、入的區別，是屬於韻的原質問題；其有平、上、去、入的不同，那是韻的聲調問題。廣韻是有平、上、去、入四個聲調的，關於聲調，幾經討論，一般都傾向於漢以前不知有四聲，至齊、梁間才興起四聲，實際上四聲就是由於收音時留聲的長短而為區別。古代的聲調只有平、入兩大類，平聲是比較舒揚的一類，入聲是比較短促的一類，它們就以舒揚與短促作為留音長短的界，後來讀平聲稍短就變作上聲，讀入聲音稍長就變作去聲，於是乃形成了平、上、去、入四個聲調。段玉裁說：

「古四聲之道有二無四，二者平入也。平稍揚之則為上，入稍重之則為去，故平上一類也，去入一類也，抑之、揚之、舒之、促之，順逆交遞而四聲成。古者創為文字，因乎人之語言而為之音讀，曰平上、曰去入、一陽一陰之謂道也。」（答江晉三論韻書）

段氏說明四聲的形成，道理已經很明白了，所以後來的學者像黃侃、王力基本上都採用了他的說法。古代聲調雖然只有兩大類，但廣韻確有四聲。廣韻二〇六韻中，是平、上、去、入四聲相承的。但今廣韻平聲五十七韻，上聲五十五韻，去聲六十韻，入聲三十四韻，所以參差不齊的緣故，那是因為多臻兩韻的上聲，因為字少，分別附於鍾韻的上聲腫韻及欣韻的上聲隱韻去了，故缺少了兩韻，因此上聲就只有五十五個韻。去聲所以有六十韻的道理，是因為多出了去聲特有的祭、泰、夬、廢四個韻，而臻韻的去聲僅有一個齔字附到上聲隱韻去了。廣韻的入聲專配陽聲，陽聲三十五韻而入聲只有三十四韻的道理，是因為痕韻的入聲字數太少併入魂韻入聲沒韻中去了。

三、古音學概要

(一) 研究古音的資料和方法

我們歸納前人研究古音的資料和方法，不外乎下列的幾項，現在列表說明於後：

資料	舉例	
	屬於聲者	屬於韻者
古代韻文	連字如詩谷風「匍匐救之」匍匐並母雙聲；對字如無衣「安且燠兮」安燠影紐雙聲。	如詩關雎以「得」「服」「側」韻，終南以「梅」「止」「裘」「哉」韻。
經籍典文	詩實惟我「特」，韓詩作「直」，直特雙聲；詩「匍匐救之」，檀弓引作「扶服」皆雙聲字	如易「箕子」之明夷，劉向曰今易作「荄茲」；書「哉」生魄，晉書作「才」。
說文形聲	如耏耎從而聲，仍從乃聲，葡從服聲。	如能從以聲，海從每聲，風從凡聲。
重文讀若	如絥或作鞴，周禮太卜注：「陟讀如王德翟人之德。」	如祀重文作禩，玖讀若芑。
音訓釋音	釋名負背也；渚遮也。	說文天顚也；尤異也。
古今方言	錢竹汀云今人呼鰒魚爲鮑魚，此方音之存古者。	章君云衡嶺之間呼子如宰，以之韻縱口呼之，此合於古韻者也。

(二) 古聲紐的研究

1. 錢大昕的研究：

在古聲紐方面研究而著有成績的，首應推清儒錢大昕氏，錢氏在古聲紐的研究上有兩項創見，都經後人同意可認爲定論的。他在十駕齋養新錄裏有兩篇文章，一爲古無輕脣音，他說：「凡輕脣之音，古讀皆爲重脣。」於是舉出詩「匍匐救之」檀弓引作「扶服」，家語引作「扶伏」，漢書天文志的「奢爲扶」，鄭讀爲「蟠」，說文引易「服牛乘馬」作「犕牛」，史記「南面倍依」卽「負扆」，水經注的「文水」卽「門水」——等例來加以證明。另一爲舌音類隔之說不可信，他的意思是說古無舌上音。他說：「古無舌頭、舌上之分，知、徹、澄三母以今音讀之，與照、穿、牀無別也，求之古音，則與端、透、定無異。」也舉出說文「沖讀若動」，周禮故書「中」爲「得」，周禮注「陟讀如王德翟人之德」，詩「陟其高山」，箋以「陟」爲「登」，詩「實爲我特」，韓詩作「直」，孟子「直不百步」、「直」訓爲「但」，論語「君子篤於親」，汗簡古文作「竺」，「身毒」卽「天竺」，「滮池」，卽「滮沱」……等例子來加以證明。錢氏這兩項創見，皆具獨慧，同爲不刊之說。

2. 章炳麟的研究：

章炳麟在國故論衡裏有一篇文章，就是古音娘日二紐歸泥說，在這篇文章裏，他說：「古音有舌頭泥紐，其後支別，則舌上有娘紐，半舌半齒有日紐，于古皆泥紐也。」例證則有「涅」從「日」聲，而「涅而不緇」亦作「泥而不滓」，說文引傳「不義不䵒」，考工記弓人杜子春注引傳作「不義不昵」，釋名「入、內也。」白虎通「男、任也。」羊讀若能，然或作蘸，而讀爲能，如轉爲奈……各例來加以證實，都是信而有徵的，所以論者以爲章氏此說可與錢大昕的兩項發明，先後輝映。

3. 黃侃的研究：

繼錢、章二人之後，在古聲紐研究方面有顯著成績的，就要推黃侃了。黃氏從廣韻以考究古音，他在古聲研究方面，曾說最得力於陳澧的切韻考。他說：

「番禺陳君著切韻考，據切語上字以定聲類，據切語下字以定韻類，於字母等子之說，有所辨明，足以補闕失，解拘攣，信乎今音之管籥，古音之津梁也。」（與人論治小學書）

於是他根據陳澧所考，證於錢、章二家的發明，加上他自己的心得，而確定古聲爲十九個聲紐。他說：

「今聲據字母三十六，不合廣韻，今依陳澧說，附以己意，定爲四十一，古聲無舌上輕脣，錢大昕所證明，無半舌日及舌上娘，本師章氏所證明，定爲十九，侃之說也，前無所因，然基於陳澧之所考，始得有此。」（音略略例）

黃侃確定古聲爲十九紐，是得力於他對切韻一書的透徹了解，因爲切韻兼論「南北是非，古今通塞」，則其四十一聲紐中，自亦兼備古今，有正聲與變聲的不同。若非、敷、奉、微、知、徹、澄、娘、日各紐，乃經錢、章二人所考定確爲後世的變聲，不是古本聲。於是進而考察廣韻二百六韻，凡是沒有非、敷、奉、微、知、徹、澄、娘、日九紐的韻部或韻類，也一定沒有喻、爲、羣、照、穿、神、審、禪、邪、莊、初、牀、疏等十三紐，可見此十三紐與非等九紐是同一性質的聲紐，非等九紐既經考定爲變聲，則喻等十三紐自然也就是變聲，剩下的十九紐當然就是正聲了。現在把他的四十一紐正聲變聲表列後：

發音部位	喉	牙	舌	齒	脣
正聲	影曉匣	見溪疑	端透定泥來	精清從心	幫滂並明
變聲	喻爲	羣	知徹澄娘 照穿神日 審禪	莊初牀疏 邪	非敷奉微
	清濁相變	清濁相變	輕重相變	輕重相變 心邪清濁相變	輕重相變

黃侃所考定的正聲十九紐，是從整個古音系統的觀察而獲得的。至於後代的變聲二十二紐，古應歸屬正聲那些紐，他只作了一個粗略的說明，還來不及詳細地舉證，就與世長辭了。但經他舉證的，仍有下面幾類，極爲後人所推崇。分述於下：

(1)正齒音的照、穿、神、審、禪古聲歸舌頭音端、透、定：黃侃考定正齒音當中的照、穿、神、審、禪五紐近於舌音，爲舌頭音端、透、定的變聲。並舉出爾雅釋天「太歲在乙曰旃蒙。」一史記曆書作「端蒙」，書禹貢「被孟豬」，左傳、爾雅作「孟諸」，史記夏本紀作「明都」；左傳「孟公綽」，「綽」或作「卓」；禮記「不充出於富貴」，「充」或作「統」。「它」或體爲「蛇」，「椎」長言「終葵」，「受」讀如「紂」，「奢」當爲「都」……等等的例來證明。

(2)正齒音的莊、初、牀、疏古聲歸齒頭音精、清、從、心：黃侃又考定正齒音當中的莊、初、牀、疏四紐近於齒音，爲齒頭音精、清、從、心的變聲，也舉出書舜典「黎民阻飢」，漢書食貨志作「祖飢」；書禹貢「滄浪之水」，史記夏本紀作「蒼浪」；詩小雅車攻「助我舉柴」，說文引作「㧘」；詩大雅緜「予曰有疏附」，尚書大傳引作「胥附」……等例子來證明。黃侃的這兩條創見，證據確實，足跟錢、章兩家的說法並駕齊驅了。

4.曾運乾的研究：

黃侃雖考知喻、爲二紐爲變聲，尚未及證明便遽歸道山。益陽曾運乾不但能證明爲、喻二紐爲變聲，更進一步考證出來這兩紐不是影紐的變聲，而原來各另有本聲，在他的喻紐古讀考一文考證得非常詳盡。他說：

「喻于（卽本篇的爲母）二母，本非影母的濁聲，于母古隸牙聲匣母，喻母古隸舌聲定母，部仵秩然，不相陵犯。」

於是舉出韓非子「自營爲私」，說文作「自環」；詩齊風「子之還兮」，漢書引作「營」；春秋「陳孔奐」、公羊作「孔瑗」；詩皇矣「無然畔援」漢書作「畔換」，詩卷阿作「泮奐」魏都賦作「叛換」；毛詩「方渙渙兮」說文引作「汍」韓詩作「洹」……等例證明爲母古隸牙聲匣母。又舉出易渙「匪夷所思」，「夷」荀本作「弟」，左傳「邢遷於夷儀」，公羊作「陳儀」。詩四牡「周道倭遲」，韓詩作「威夷」；「斁」古「度」字，「惕」或作「悐」……等例證明喻母字古隸舌聲定母。曾運乾這一考定曾被羅常培推許爲繼錢大昕後對古聲紐的考證，最具有貢獻的一篇文章。

5. 錢玄同的研究：

錢玄同有古音無邪紐證一文，以爲邪紐古歸定紐。像形聲字中「隋」聲有「隨」，「也」聲有「灺」，「延」聲有「涎」，「盾」聲有「循」……等例都是很好的說明。後來他的學生戴君仁先生復遵依師說，詳舉例證，而作古音無邪紐補證一文，條舉毛詩羔羊的「委蛇」韓詩作「禕隋」；左傳文公十六年傳「分爲二隊」哀公十三年傳「伐吳爲二隧」，「隊」即「隧」；禮記學記「術有序」鄭注「術當爲遂」……諸例推闡錢說有據，非同妄說的。

6. 陳新雄的研究：

筆者著古音學發微與音略證補二書，更全盤研究，以爲黃侃所說「清濁相變」一類的說法，可靠性頗有問題。遂提出羣紐古歸匣紐的說法，像書微子「我其發出狂」史記便作「往」，水經泗水注云「狂黃聲相近」，孟子的「亥唐」，在抱朴子裏就寫成了「期唐」。根據這些證據認爲羣、爲、匣三紐在古音裏頭只是一個匣紐，後來因韻母的差異，遂分化成爲匣、羣、爲三個聲紐。

以上各家雖然或多或少，都對黃侃的古聲學說提出了部分修正，但對古聲十九紐都一致贊同。筆者更以我所擬測的古聲讀法與黃侃的古聲十九紐，列成對照表，遂錄在下面，以供參考。

黃侃發聲部位	古聲名稱	今定古聲	今定發聲部位
脣音	幫滂並明	p p′ b′ m	脣音
舌音	端透定泥來	t t′ d′ n l	舌尖音
齒音	精清從心	ts ts′ dz′ s	舌尖前音
牙音	見溪疑	k k′ ŋ	舌根音
喉音	曉匣	x ɣ	
	影	ʔ	喉音

(三) 古韻部的研究

自宋吳棫著韻補一書，開創古音的研究以來，多數學者都在韻方面打轉，因此韻的義例，更爲顯明。宋鄭庠著詩古音辨分古韻爲東、支、魚、眞、蕭、侵六部，實開古韻分部的先河，然專就唐韻求其合，而不知析唐韻以求其分，故多未當。使古韻分部走上有條理的研究，還是從清儒開始的。玆分述列於次：

1. 顧炎武的研究：

顧炎武著音學五書分古韻爲十部，他所以分畫成十部，不僅歸納先秦有韻之文而得，更能從唐韻的離析分合上而得古音的眞象，實爲研究古韻的一大發明。今把顧炎武古韻十部跟唐韻各韻對應的關係列於後：

(1)東、冬、鍾、江第一。(舉平以賅上去後倣此。)

⑵支、脂、之、微、齊、佳、皆、灰、咍第二。去聲祭、泰、夬、廢。入聲質、術、櫛、昔之半，職、物、迄、屑、薛、錫之半，月、沒、曷、末、黠、鎋、麥之半，德、屋之半。

⑶魚、虞、模、侯第三。入聲屋之半，沃之半，燭、覺之半、藥之半，鐸之半，陌、麥之半，昔之半。

⑷眞、諄、臻、文、殷、元、魂、痕、寒、桓、刪、山、先、仙第四。

⑸蕭、宵、肴、豪、幽第五。入聲屋之半，沃之半，覺之半，藥之半，鐸之半，錫之半。

⑹歌、戈、麻第六。

⑺陽、唐、庚之半第七。

⑻耕、清、青、庚之半第八。

⑼蒸、登第九。

⑽侵、覃、談、鹽、添、咸、銜、嚴、凡第十。入聲緝、合、盍、葉、怗、洽、狎、業、乏。

顧炎武除在古韻分部方面，有他的創見外，在研究古韻的方法上，也還有兩項貢獻，爲後人所樂於稱道的，那就是：⑴離析唐韻以求古音的分合。⑵變易唐韻入聲的分配。

2. 江永的研究：

江永著古韻標準一書，分古韻爲十三部，他的分部大致是依據顧炎武來的，但他卻比顧氏多了三部。第一、他把顧炎武的第四部分爲眞、元二部，以眞、諄、臻、文、殷、魂、痕及先之半爲眞部，又以元、寒、桓、刪、山及先之另半爲元部；第二、江永把顧炎武的第十部分作侵談兩部，以侵韻、覃之半，鹽之半爲侵部，又以談、添、嚴、咸、銜、凡及覃、鹽二韻之半爲談部；第三、他從顧炎武第三部分出侯韻，第五部分出尤幽兩韻，然後把尤侯幽合成爲尤部。比起顧炎武來，他就多出了元、談、尤三部，這三部之分，他不僅純粹依據客觀的材料，也有些是憑藉他審音的精到。

3. 段玉裁的研究：

段玉裁著六書音韻表分古韻爲十七部。古韻分部到了他的手裏，可以說是規模已立。又因爲他的六書音韻表是附在說文解字注的後面，對於初學的人，最爲有用。先錄他的六類十七部於後：

第一類：

(1)第一部：之、咍、職、德。

第二類：

(2)第二部：蕭、宵、肴、豪。

(3)第三部：尤、幽、屋、沃、燭、覺。

(4)第四部：侯。

(5)第五部：魚、虞、模、藥、鐸。

第三類：

(6)第六部：蒸、登。

(7)第七部：侵、鹽、添、緝、葉、怗。

(8)第八部：覃、談、咸、銜、嚴、凡、合、盍、洽、狎、業、乏。

第四類：

(9)第九部：東、冬、鍾、江。

(10)第十部：陽、唐。

(11)第十一部：庚、耕、清、青。

第五類：

(12)第十二部：眞、臻、先、質、櫛、屑。

(13)第十三部：諄、文、欣、魂、痕。

(14)第十四部：元、寒、桓、刪、山、仙。

第六類：

(15)第十五部：脂、微、齊、皆、灰、祭、泰、夬、廢、術、物、迄、月、沒、曷、末、黠、鎋、薛。

(16)第十六部：支、佳、陌、麥、昔、錫。

(17)第十七部：歌、戈、麻。

段玉裁的十七部，所以比江永多出四部的原因，首先就是他樂於稱道的支、脂、之分爲三部。他說：

「五支、六脂、七之三韻，自唐人功令同用，鮮有知其當分者矣。今試取詩經韻表第一部、第十五部、第十六部觀之，其分用乃截然。且自三百篇外，凡羣經有韻之文，及楚騷、諸子、秦、漢、六朝詞章所用，皆分別謹嚴，隨舉一章數句，無不可證。或有二韻連用而不辨爲分用者，如詩相鼠二章齒、止、俟第一部也；三章體、禮、死第十五部也。魚麗二章鱧、旨第十五部也；三章鯉、有第一部也。板五章懠、毗、迷、尸、屎、葵、資、師第十五部也；六章篪、圭、攜第十六部也。孟子引齊人言，雖有智慧二句，第十五部也；雖有鎡基二句，第一部也。屈原賦寧與騏驥抗軛二句，第十六部也；寧與黃鵠比翼二句，第一部也。……三部自唐以前分別最嚴，蓋如眞、文與庚；青與侵，稍知韻理者，皆知其不合用也。」（六書音韻表一）另外則眞、諄分爲二部，也是他的獨見。他說：

「江氏考三百篇，辨元、寒、桓、删、山、仙獨爲一部矣。而眞、臻一部與諄文欣魂痕一部分用，尚有未審，讀詩經韻表而後見古韻分別之嚴，唐、虞時『明明上天，爛然星陳，日月光華，宏予一人。』第十二部也；『南風之薰兮，可以解吾民之慍兮。』第十三部也；『卿雲爛兮，糺縵縵兮；日月光華，旦復旦兮。』第十四部也。三部之分，不始於三百篇矣。」（六書音韻表一）

再次，便是把侯部從江永的尤部獨立出來。他說：「載馳之驅，侯不連下文悠、漕、憂爲一韻；山有樞之樞、榆、婁、驅、愉不連下章栲、杻、埽、考、保爲一韻；南山有臺之枸、楰、耇、後不連上章栲、杻、壽、茂爲一韻；左氏傳專之渝，攘公之羭，不與下文蕕、臭爲一韻；此第四部之別於第三部也。」（六書音韻表一）

段玉裁分別脂之與支，諄與眞，侯與尤，實在是古韻學上一大發明，因爲這幾部後世讀音都非常相近，如果不是考古之精，實在很難察覺的。難怪乎江有誥要發出「雖古人復起，無以易矣。」的讚歎了。

4.**戴震的研究：**

戴震著聲類表分古韻爲九類二十五部，他所以比段玉裁多了八部的原因，就是把入聲九部完全獨立，他把入聲全部獨立的原因，是受了他審音知識的影響。他認爲古韻分部應該純就古代韻母系統着眼，而不完全依靠古人用韻作標準，因此乃大膽的把入聲都獨立起來了。他的九類二十五部如下：每部下附注段氏古韻分部，以資參照。

第一類：(1)阿段十七部 (2)烏段五部 (3)堊段五部入聲

第二類：(4)膺段六部 (5)噫段一部 (6)憶段一部入聲

第三類：(7)翁段九部 (8)謳段三、四部 (9)屋段三部入聲

第四類：(10)央段十部 (11)夭段二部 (12)約段三部入聲

第五類：(13)嬰段十一部 (14)娃段十六部 (15)戹段十六部入聲

第六類：(16)殷段十二、十三部 (17)衣段十五部 (18)乙段十二、十五部入聲

第七類：(19)安段十四部 (20)靄段十五部 (21)遏段十五部入聲

第八類：(22)音段七部 (23)邑段七部入聲

第九類：(24)醃段八部 (25)諜段八部入聲

戴震最大的特點就是把陰、陽、入三分，使入聲各部從陰聲韻部獨立起來。除此以外，戴震的創見

就只有霽部的獨立還算是改進段玉裁的地方。但是仍舊不够精密，因為縱使在陰陽入三分的情況下，也只能將霽（即廣韻祭、泰、夬、廢）曷（即廣韻月、曷、末、黠、鎋、薛）二部合為一部，不宜分成兩部。因此嚴格說來，戴氏除將入聲獨立確為有功外，其他各部則似密而實疏，他不肯接受段玉裁的尤、侯分部及眞、諄分部的結果，也是太自信他審音能力的疏漏。

5. 孔廣森的研究：

孔廣森著詩聲類分古韻為十八部，他最大的特點就是東、冬分為二部。他自己說：「東、冬之分為二，……廣森自率臆見，前無所因。」（詩聲類卷四）孔廣森的東、冬分部連古音學大家段玉裁也稱揚不已。段氏說：

「檢討舉東聲、同聲、丰聲、充聲、公聲、工聲、冢聲、悤聲、从聲、龍聲、容聲、用聲、封聲、凶聲、邕聲、共聲、送聲、雙聲、尨聲為一類，今一東、三鍾、四江是也。冬聲、衆聲、宗聲、中聲、蟲聲、戎聲、宮聲、農聲、降聲、宋聲為一類，今之二冬是也。核之三百篇、羣經、楚辭、太玄無不合。」（答江晉三論韻書）

一般人多以為孔廣森的十八部，就是段玉裁的十七部再加冬部獨立而已，其實這是一種誤解。因為他的十八部除增多冬部以外，也還有跟段玉裁相異的地方。那就是段氏十二、十三兩部，孔氏合為辰部，段氏七、八兩部的入聲孔氏併成為一個合部。這才是段、孔兩家分部的區別。

此外孔氏在古音學上又有陰陽對轉的說法，實在也是發前人所未發，是很有創見的。他說：

「本韻分為十八……曰元之屬、耕之屬、眞之屬、陽之屬、東之屬、冬之屬、侵之屬、蒸之屬、談之屬是爲陽聲者九；曰歌之屬、支之屬、脂之屬、魚之屬、侯之屬、幽之屬、宵之屬、之之屬、合之屬，是爲陰聲者九。此九部者，各以陰陽相配而可以對轉。（詩聲類自序）

錢玄同先生曾說：「音之轉變，失其本有者，加其本無者，原是常有之事，如是則對轉之說，當然可以成立。」（文字學音篇）孔廣森能注意到這一點，實在是難能可貴。而且他所定的對轉各部，像蒸之對轉、耕支對轉、東侯對轉、陽魚對轉、眞脂對轉、元歌對轉等都是非常合於音理的，這就不能不推崇他考證的精切了。

6. 王念孫的研究：

王念孫著古韻譜分古韻爲二十一部。他的貢獻有以下幾點：(1)他把段玉裁十二部的入聲質、櫛、屑諸韻及廣韻去聲至、霽一部分的字合併成至部。(2)他把段玉裁十五部中的祭、泰、夬、廢及入聲的月、曷、末、黠、鎋、薛諸韻獨立爲祭部。(3)他把段玉裁第七部的入聲獨立爲緝部。(4)把段氏第八部的入聲獨立爲盍部。(5)他又把屋、沃、燭、覺四韻當中从屋、从谷、从木、从卜、从族、从鹿、从賣、从業、从彔、从束、从辱、从豖、从曲、从玉、从蜀、从足、从局、从岳、从肯得聲之字，改爲侯部的入聲。

7. 江有誥的研究：

江有誥著音學十書也分古韻爲廿一部，他的見解跟王念孫頗爲相近。他的創見是：(1)把祭部獨立。他說：「段氏以去祭、泰、夬、廢，入之月、曷、末、鎋、薛附於脂部，愚考周、秦之文，此九韻必是獨用。」（古韻凡例）(2)緝部跟葉部獨立。他說：「昔人以緝、合九韻分配侵、覃，愚遍考古人有韻之文，唐韻之偏旁諧聲，而知其無平上去，故別分緝、合及洽半爲一部，盍、葉、怗、狎、業、乏及洽之半爲一部。」（古韻凡例）以上祭、緝、葉三部之分，是他的見解跟王念孫相同的。(3)他另取孔廣森東、多分部的道理，把孔氏的多部改稱爲中部，故總數也是廿一部。

後來他的朋友夏炘著詩古韻表二十二部集說，就是以他的二十一部作基礎，再加上王念孫的至部，就成了爲人所宗尚的二十二部了。這二十二部是清儒研究古韻的總結果，爲顧炎武、江有誥以下諸儒心血的結晶，比較注重考古及材料的歸納，不容以後說私見參雜其間。

8. 章炳麟的研究：

章炳麟著國故論衡跟文始二書，分古韻爲二十三部，用同樣的方法，研究同樣的材料，而能跳出清儒的範圍，在古韻分部上有新創見的人，就是餘杭章先生了。他以爲王念孫脂部的去入聲字，詩經多獨用，不跟平上聲通用，於是乃據以別出隊部。他說：

「脂隊二部同居而旁轉，舊不別出，今尋隊與術、物諸韻，視脂、微、齊平上不同。其相轉者，如豖從豕聲，渠魁之字借爲䫌，突出之字借爲自𩑶是也。」（國故論衡小學略說）

據此則隊部別出，實章氏的卓見，合前人所分，共得古韻二十三部。茲錄其二十三部韻目如左：

寒——（歌、泰）

諄——（隊、脂）

眞------至

上表上一列爲陽聲，下一列爲陰聲，凡陰陽相對的韻部可以對轉，數部同居的則同一對轉。他又據此二十三部而作成均圖，以爲說明文字轉注假借及其孳乳之由。茲錄其成均圖於左方：

青——文

陽——魚

京——侯

侵 緝 冬——幽

蒸——之

談 盍——宵

成均圖

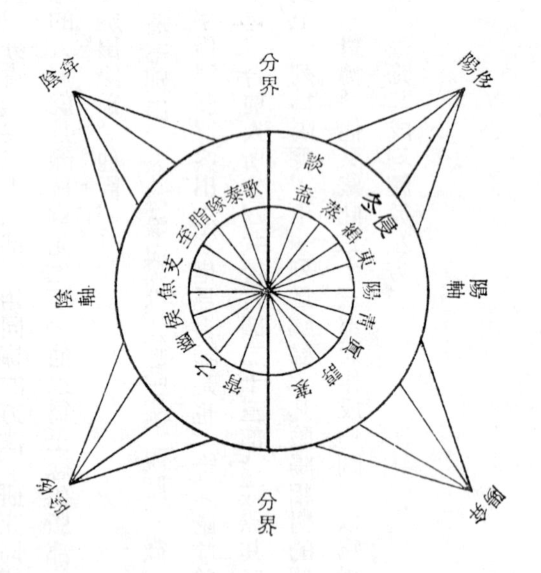

他自定對轉、旁轉的條例如下：

陰弇與陰弇爲同列。

陽弇與陽弇爲同列。

陰侈與陰侈爲同列。

陽侈與陽侈爲同列。

凡數部同居爲近轉。

凡同列相比爲近旁轉。

凡同列相近爲次旁轉。

凡陰陽相對爲正對轉。

凡自旁轉而成對轉爲次對轉。

凡近旁轉次旁轉正對轉次對轉爲正聲。

凡雙聲相轉不在五轉之例爲變聲。

世人每於章氏成均圖深表不滿，以爲他這個圖是無所不通無所不轉的，近於取巧的方法。其實這都是不了解章氏作此圖的用意而產生的誤解。章氏此圖僅在說明文字轉注假借及其孳乳之由，以及古籍例外押韻的現象，並沒有泯滅古韻的大界。所以作這樣的一種安排，只不過在說明古韻某部與某部相近罷了。且古韻分部自段玉裁以後，無論怎樣的縝密，而例外押韻的情形，仍是在所不免。在前人或叫做合韻，或稱爲通韻，又或叫借韻。章氏整齊百家，一之以對轉旁轉二名，所以使名號一統而使後學易於了解，為圖以表明之，則所以省記識之繁而已，世人不明此理，妄加指斥，實在是率爾操觚未加深思的。因為對轉、旁轉的道理，實聲韻學史上常見的事實。就現象說：所謂對轉，乃指陰聲韻部與陽聲韻部之間，有例外押韻或諧聲的事實；所謂旁轉，就是陰聲韻部與陰聲韻部之間、或陽聲韻部與陽聲韻部之間，有互相押韻或諧聲的現象。就音理說：對轉是陰聲加收鼻音而成陽聲，或陽聲失落鼻音而成陰聲。旁轉是某一陰聲或陽聲韻部因舌位高低前後的變化，成為另一陰聲或陽聲韻部。這些變化都是非常可能而合理的。胡以魯說：

「方音者起於空間的社會心理與夫時間的社會心理之差，蓋自然之勢也。保持之特質，與自然趨勢相衝擊，折衷調和之，乃發近似之音聲。近似者，加之鼻音（謂之對轉者此），別之弇侈（謂之旁轉者此）也，弇侈之別，口腔大小之差耳，訛傳固甚易易，而鼻音亦其相近者也。」（國語學草創）

胡氏這段話拿來解釋對轉旁轉所以形成的道理，已經很明白了。所以胡氏又說：「對轉、旁轉者，音聲學理所應有，方音趨勢所必至也。」有了章炳麟的成均圖，對於古韻諸部的音轉，也就可以執簡馭繁了。

9. 黃侃的古韻研究：

黃侃著音略，分古韻為廿八部。黃氏承繼顧、江以下諸人及餘杭章氏研究的結果，考古與審音兩方面都兼顧到了。他的古韻分部，實際上是以餘杭章氏的廿三部為基礎，並采用戴震陰、陽、入三分的學說，故所得結果，最為圓滿，可以說是集古韻研究大成之作了。黃侃曾說：

「古韻部類自唐以前未嘗昧也。唐以後始漸茫然。宋鄭庠肇分古韻爲六部，得其通轉之大界，而古韻究不若是之疏，爰逮清朝，顧、江、戴、段諸人畢世勤劬，各有啓悟，而戴君所得獨優，本師章氏論古韻廿三部，最爲瞭然，余復益以戴君所明，成爲二十八部。」（音略）

如前面說過的，戴震在古韻分部上的主要貢獻，就是陰、陽、入三分。黃侃既主戴氏之說，所以他把入聲韻部都獨立了。下面是他的古韻廿八部：

陰聲部		灰	歌戈	齊	模	侯	蕭	豪	咍		
入聲部	屑	沒	曷末	錫	鐸	屋		沃	德	合	怗
陽聲部	先	魂痕	寒桓	青	唐	東		多	登	覃	添

這廿八部，都是前有所承的，黃氏並說明他的廿八部之根源。他說：

「今定古韻陰聲八、陽聲十、入聲十，凡二十八部，其所本如左：

歌（顧炎武所立）灰（段玉裁所立）齊（鄭庠所立）模（鄭所立）侯（段所立）蕭（江永所立）豪（鄭所立）咍（段所立）寒（江所立）痕（段所立）先（鄭所立）青（顧所立）唐（顧所立）東（鄭所立）多（孔廣森所立）登（顧所立）覃（鄭所立）添（江所立）曷（王念孫所立）沒（章氏所立）屑（戴震所立）錫（戴所立）鐸（戴所立）屋（戴所立）沃（戴所立）德（戴所立）合（戴所立）怗（戴所立）此廿八部之立，皆本昔人，曾未以臆見加入，至於本音

讀法，自鄭氏以降，或多未知，故二十八之名，由鄙生所定也。」（音略）

他的廿八部，不僅是前有所承，卽考之於廣韻亦有所據。因爲「廣韻所包，兼有古今方國之音，非並時同地得聲勢二百六種也。」廣韻既包含有古今方國之音，那末，古音自在其間。所以黃氏說：

「古本音卽在廣韻二百六韻中，廣韻所收，乃包舉周、漢至陳、隋之音，非別有所謂古本音也，凡捨廣韻而別求古音皆妄也。」（劉賾聲韻學表解引）。

廣韻既包含有周、漢古音，自可卽廣韻而求得古本音。黃氏自廣韻而求古本音之法，大致是這樣的：他根據陳澧切韻考所定之廣韻四十聲類，更進而考得影、曉、匣、見、溪、疑、端、透、定、泥、來、精、清、從、心、幫、滂、並、明等十九紐爲正聲，其他各紐爲變聲。（參見古聲紐的研究節）更立一聲經韻緯表，察廣韻二百六韻之聲紐，凡僅有此正聲十九紐而無變聲之韻或韻類，卽爲古本韻，其有變聲者，因本聲爲變聲所挾而變，則爲變韻。黃氏據此而考得廣韻二百六韻中僅有正聲而無變聲之韻共得三十二韻（舉平入以晐上去）。此三十二韻中，魂痕、寒桓、歌戈、曷末八韻互爲開合，併其開合，則恰爲二十八部。適與顧、江、戴、段諸人以及章氏所析，若合符節，此其所以爲籠罩百代，戛然獨造，論韻及此，實已如日在中天，皦然大白了。故錢玄同稱揚之爲「其說之不可易」（文字學音篇）。又因廣韻二百六韻中，此二十八部原爲古本韻，黃氏既從廣韻中求得古本韻之韻，卽以古本韻之韻目爲題識。錢玄同說：

「此古本韻韻目三十二字，實爲陸法言所定之古韻標目，今遵用之，正其宜也。」

自黃先生古本韻廿八部之說出，後世多有非難之者，其實後人所持非難的理由，都從片面立說，實絲毫無損黃氏立說之精確。在我的古音學發微一書裏，已有很詳細地辨白，此處不擬多說，讀者可自行參看，就可了然了。

黃氏晚年又著談添盍怗分四部說一文，又察及廣韻的談、敢、闞、盍四韻的切語，也只具有古本聲十九紐，不雜變聲的韻。故主張談、盍兩部，也應從他的二十八部當中的添怗二韻分出來。從文字諧聲上看來，這兩部的獨立也是有必要的。大體說來，黃氏所分的談部，是以談、銜兩韻的字爲主，另收鹽、嚴兩韻一部分字；黃氏的添部，是以添、咸二韻的字爲主，再加鹽、嚴兩韻另一部分字。盍部則以盍、狎爲主，另收葉、業一部分字；怗部以怗、洽二韻的字爲主，另加葉、業其他部分的字。這是四部分別的界線，如此說來，則黃氏晚年主張把古韻分爲三十部的。

我著古音學發微，又基於黃侃古韻三十部的基礎上，兼採姚文田的匊部，王力的微部，而分古韻爲三十二部。姚文田的匊部，事實上只要把黃氏蕭部的入聲字分出來就是了。現在我們稱它爲覺部。王力的微部，是把黃氏的灰部，別作脂、微兩部，王氏的脂部以廣韻的齊韻字爲主，別收脂皆兩韻開口字組成，王氏的微部，以廣韻微、灰兩韻的字爲主，另加脂、皆兩韻的合口字組成。這種分析，在諸聲的分配上，是有充足理由的。茲將我所定的三十二部與前說各家的古韻分部，列一對照表於後，以明其分合而便於查考：

鄭庠六部	顧炎武十部	江永十三部	段玉裁十七部	戴震二十五部	孔廣森十八部	王念孫廿一部	江有誥廿一部	章君廿三部	黃君三十部	今定三十二部
東一	東一	東一	東九	翁七	東五	東一	東十五	東十四	東十八	東十八
					多六		中十六	多十六	多二一	多二三

			支二									
陽七	耕八	蒸九	支二									
陽八	庚九	蒸十	支二									
陽十	庚十一	蒸六	支十六		脂十五			併于眞			之一	
央十	嬰十三	膺四	娃十四	戹十五	衣十七			乙十八	霱二十	遏二一	噫五	億六
陽四	丁二	蒸八	支十一		脂十二						之十七	
陽五	耕六	蒸二	支十一		脂十三			至十二	祭十四		之十七	
陽十四	庚十三	蒸十七	支七		脂八				祭九		之一	
陽二	青四	蒸十二	支三		脂八		隊七	至五	泰十一		之十九	
唐十四	青十一	登二四	齊九	錫十	灰四		沒三	屑一	曷末六		咍二三	德二三
陽十五	耕十二	蒸二六	支十	錫十一	脂四	微七	沒八	質五	月二		之二四	職二五

魚三	眞四	蕭五		侵六
魚三 歌六	眞四	蕭五	併于魚	侵十
魚三 歌七	眞四 元五	蕭六 尤十一		侵十二
魚五 歌十七	眞十二 諄十三 元十四	蕭二 併于尤 尤三	侯四 併于尤	侵七
烏二 垔三 阿一	殷十六 定十九	夭十一 約十二 謳八	屋九	音二二 邑二三
魚十三 歌十	辰三 原一	宵十六 幽十五	侯十四	綅七 合十八
魚十八 歌十	眞七 諄八 元九	宵二一 幽二十	侯十九	侵三 緝十六
魚五 歌六	眞十二 文十一 元十	宵三 幽二	侯四	侵十八 緝二一
魚一 歌十	眞六 諄九 寒十二	宵二一 幽十五	侯十三	侵十七 緝十八
模十二 鐸十三 歌戈七	先二 魂痕五 寒桓八	豪十九 沃二十 蕭十六	侯十五 屋十七	覃二六 合二五
魚十三 鐸十四 歌一	眞六 諄九 元三	宵十九 藥二十 幽二二 覺二三	侯十六 屋十七	侵二八 緝二七

覃十三			
覃八			
醃二四		諜二五	
談九		併于合	
談四		盍十五	
談十九		葉二十	
談二三		盍二三	
添二八	談三十	帖二七	盍二九
添三十	談三二	帖二九	盍三一

至於三十二部古韻的讀法，經重加考定，有如後表所示：

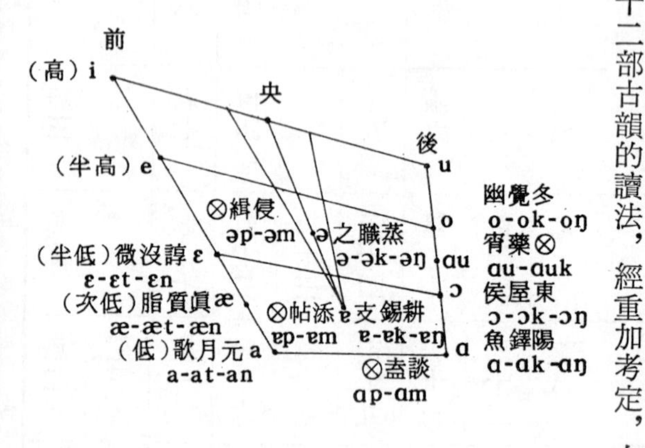

這三十二部音讀，爲何要作這樣的一種假定，則拙著古音學發微已詳加討論過了，這裏就不遑細說了。

四、重要參考書目

大宋重修廣韻　宋陳彭年邱雍等奉勑撰　商務印書館四部叢刊影印古逸叢書本　中華書局四部備要影印古逸叢書覆宋本　藝文印書館影印張士俊澤存堂本　聯貫出版社印行互註校正本

瀛涯敦煌韻輯　民國姜亮夫撰　鼎文書局民國六十一年九月初版

瀛涯敦煌韻輯新編　民國潘重規撰　新亞研究所民國六十一年十一月初版

十韻彙編　民國劉復等編　學生書局民國五十七年九月再版

中國聲韻學通論　民國林尹著　世界書局民國五十年九月初版

漢語音韻學　民國董同龢著　廣文書局民國五十七年九月初版

音略證補　民國陳新雄著　文史哲出版社民國六十年五月景印初版

古音學發微　民國陳新雄著　文史哲出版社民國六十四年十二月再版

語言學大綱　民國董同龢撰　中華叢書編審委員會民國五十三年五月印行

中國聲韻學大綱　民國謝雲飛撰　蘭臺書局民國六十年十二月初版

中國音韻學研究　瑞典高本漢（B. Karlgren）原著　民國趙元任羅常培李方桂合譯　商務印書館民國二十九年九月初版　民國五十一年六月臺一版

文字學音篇　民國錢玄同著　學生書局民國五十三年七月臺初版

聲韻學表解　民國劉頤撰　商務印書館民國二十一年初版　菁華文化傳播公司影印

中國聲韻學　民國姜亮夫著　世界書局民國二十年初版

音韻學通論　民國馬宗霍著　商務印書館民國十九年初版　泰順書局六十一年三月臺初版

中國聲韻學概要　民國張世祿撰　商務印書館民國十九年四月初版　民國五十二年四月臺一版

聲韻學大綱　民國葉光球著　正中書局民國二十五年二月初版　四十八年八月臺一版

中國音韻學　民國王力著　商務印書館民國二十五年初版　按此書大陸淪陷後改名漢語音韻學　香港龍門書局曾據影印　泰順書局影印出版時復改名中華音韻學

中國音韻學史　民國張世祿著　商務印書館民國五十四年十一月臺一版

廣韻研究　民國張世祿著　商務印書館民國二十二年二月初版

漢語音韻學導論　民國羅常培著　影印本（未著出版書局年月）

漢語史稿　民國王力著　影印本（未著出版書局年月）

漢語音韻　民國王力著　弘道文化事業有限公司民國六十四年八月初版

中國聲韻學大綱　瑞典高本漢原著　民國張洪年譯　中華叢書委員會民國六十一年二月初版

音學簡述　民國陳新雄著　木鐸第二期　民國六十二年十一月十一日出版

聲韻學入門　民國陳新雄著　學粹第十八卷第一、二期國學研究法專號　民國六十五年四月三十日出版

附錄四

韻鏡

讀書難字過不知音切之病也誠能依切以求音即音而知字故無載酒問人之勞學者何以是爲緩而不急歟余嘗有志斯學獨恨無師承既而得友人授指微韻鏡一編（微字避聖祖名上一字）且教以大略曰反切之要莫妙於此不出四十三轉而天下無遺音其製以韻書自一東以下各集四聲列爲定位實以廣韻玉篇之字配以五音清濁之屬其端又在於橫呼雖未能立談以竟若按字求音如鏡映物隨在現形久久精熟自然有得於是蚤夜留心未嘗去手忽一夕頓悟喜而曰信如是哉遂知每翻一字用切母及助紐

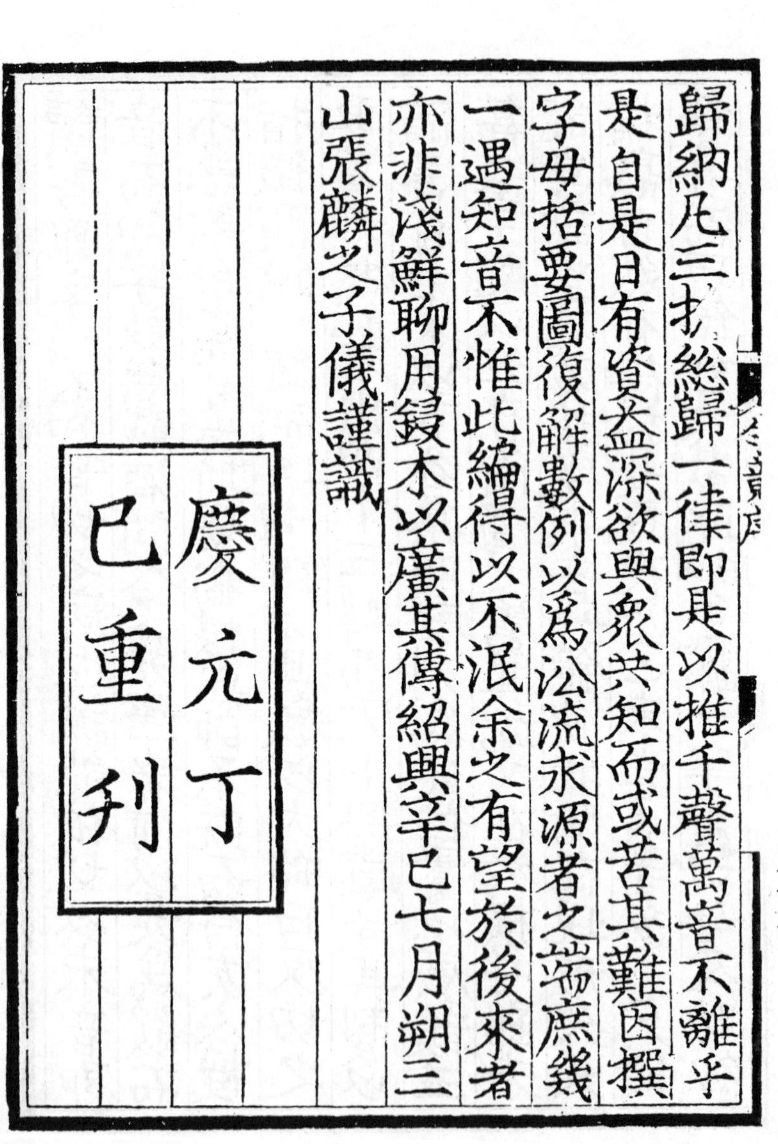

歸納凡三才總歸一律即是以推千聲萬音不離乎
是自是日有資益深欲與衆共知而或苦其難因撰
字母括要圖復解數例以爲沿流求源者之端庶幾
一遇知音不惟此編得以不泯余之有望於後來者
亦非淺鮮聊用鋟木以廣其傳紹興辛巳七月朔三
山張麟之子儀謹識

慶元丁巳重刊

韻鏡序作（舊以翼祖諱敬故爲韻鑑今遷祧廟復從本名）

韻鏡之作其妙矣夫余年二十始得此學字音往昔
相傳類曰洪韻釋子之所撰也有沙門神珙（恭拱二音）號
知音韻甞著切韻圖載玉篇卷末竊意是書作於此
僧世俗訛呼珙爲洪爾然又無所據自是研究今五
十載竟莫知原於誰近得故樞密楊侯（倓淳熙間）所
撰韻譜其自序云朅來當塗得歷陽所刊切韻心鑑
因以舊書手加校定刊之郡齋徐而諦之即所謂洪
韻特小有不同舊體以一紙列二十三字母爲行以
緯行於上其下間附一十三字母盡於三十六一目

無遺楊變三十六分二紙肩行而繩引至橫調則淆
亂不協不知因之則是變之非也既而又得 莆陽夫
子鄭公樵進卷 先朝中有七音序略其要語曰七音
之作起自西域流入諸夏梵僧欲以此教傳天下故
爲此書雖重百譯之遠一字不通之處而音義可傳
華僧從而定三十六爲之母輕重清濁不失其倫天
地萬物之情備於此矣雖鶴唳風聲鷄鳴狗吠雷霆
經耳蚉䖟過目皆可譯也況於人言乎又云臣初得
七音韻鑑一唱三嘆胡僧有此妙義而儒者未之聞
是知此書其用也博其來也遠不可得指名其人故

鄭先生但言梵僧傳之華僧續之而已學者惟即夫非
天籟通乎造化者不能造其閫而觀之庶有會於心自天籟以下十三字又鄭先生之語
嘉泰三年二月朔東浦張麟之序

四　調韻指微

不知象類不足與言六書八體之文不知經緯不足
與論四聲七音之義經緯者聲音之脉絡也聲音者
經緯之機杼也縱爲經橫爲緯經疏四聲緯貫七音
知四聲則能明昇降於闔闢之際知七音則能辯清
濁於毫釐之間欲通音韻必自此始　莆陽鄭先生云
天籟之本自成經緯皇頡史籀已發此旨凡儒不得

其傳故江左之儒知縱有平上去入之四聲不知橫有宮商角徵羽半徵半商之七音經緯不明所以失立韻之源於是作七音編而為略欲使學者盡得其傳然後能用宣尼之書以及人面之俗又作諧聲圖以明古人制字通七音之妙作內外十六轉圖以明胡僧立韻得經緯之全嗚呼其用心大矣今世之士慢不講究聲牙舛謬滔滔皆是此無他由不習而忽之過爾豈知前輩於此一事最深切致意者焉或曰字惟五音而曰七何耶曰音非七則不能盡聲中之韻亦猶琴始五絃非加文武二絃則不能盡音中之

聲故曰琴者樂之宗也韻者聲之本也文武二絃爲變宮變徵舌齒二音爲半徵半商此其義歟或又曰舌齒一音而曰二何耶曰五音定於脣齒喉牙舌惟舌與齒遞有往來不可主夫一故舌中有帶齒聲齒中而帶舌聲者古人立來日二母各具半徵半商乃能全其秘若來字則先舌後齒謂之舌齒日字則先齒後舌謂之齒舌所以分爲二而通五音曰七今韻鏡中分章昌張倀在舌齒兩處之類蓋如此故曰七音一呼而聚四聲不召自來學者能由此以揣摩四十三轉之精微則無窮之聲無窮之韻有不可勝用者矣又何以爲難哉

〇三十六字母〇歸納助紐字

音	清濁	字母		類	歸納助紐字	
脣音	清	幫	非	脣音重 / 脣音輕	賓邊	分番
	次清	滂	敷		繽篇	芬翻
	濁	並	奉		頻蠙	汾煩
	清濁	明	微		民眠	文樠
舌音	清	端	知	舌頭音 / 舌上音	丁顛	珍邅
	次清	透	徹		汀天	[illegible]辿
	濁	定	澄		廷田	陳廛
	清濁	泥	娘		寧年	紉[illegible]
牙音	清	見			經堅	
	次清	溪			輕牽	
	濁	群			勤虔	
	清濁	疑			銀言	

音類	清濁	字母		注	例字	
齒音	清	精	照	齒頭音	精煎	真氈
	次清	清	穿	正齒音	親千	瞋燀
	濁	從	牀		秦前	蓁潺
	清	心	審	細齒頭音	新仙	身羶
	濁	邪	禪	細正齒音	餳涎	辰禪
喉音	清	影		喉音二獨立	殷焉	
	清	曉		喉音雙飛	馨祆	
	濁	匣			礥賢	
	清濁	喻			勻緣	
舌音	清濁	來		半徵半商	隣連	
齒音	清濁	日			人然	

此圖每韻呼吸四聲字並屬之

八 歸字例

歸釋音字一如撿禮部韻且如得芳弓反先就十陽韻求芳字知屬脣音次淸第三位却歸一東韻尋下弓字便就脣音次淸第三位取之乃知爲豐字盖芳字是同音之定位弓字是同韻之對映歸字之訣大槩如是 ○又如息中反嵩息字係側聲在職字韻齒音第二淸第四位亦隨中字歸一東韻音第二淸第四位取之餘準之 祖紅反歸成騣字雖韻鑑中有洪而無紅撿反切之例上下二字或取同音不必正體 慈陵反繒慈字屬齒音第一濁第四位就蒸字韻歸成繒

字而陵字又不相映盖逐韻屬單行字母者上下聯續二位只同一音此第四圖亦陵字音也餘準此○先候反先字屬第四歸成涑字又在第一盖逐韻齒音中間二位屬照穿牀審禪字母上下二位屬精清從心邪字母候字韻列在第一行故隨本韻定音也餘準之○諸氏反莫盤反奴罪反弭盡反之類聲雖去音字歸上韻並當從禮部韻就上聲歸字 ○凡歸難字撗音即就所屬音四聲內任意取一易字橫轉便得之矣今如千竹反音鼀字也若取高字橫呼則知平聲次清是爲機字又以撽字呼下入聲則知鼀爲促音但

以二冬韻同音處觀之可見也

橫呼韻

人皆知一字紐四聲而不知有十六聲存焉盖十六聲是將平上去入各橫轉故也且如東字韻風豐馮曹是一平聲便有四聲四而四之遂成十六故古人切韻詩曰一字紐縱橫分數十六聲今韻鑑所集各已詳備但將一二韻只隨平聲五音相續橫呼至於調熟或遇他韻或側聲韻竟能選音讀之無不的中今略舉二韻爲式

○二冬韻　封峯逢（蒙）（中）傭重醲恭銎蛩顒

鍾衝傭舂鱅邕匈雍容龍茸

○一先韻、邊篇蹁眠顛天田年堅牽虔研

箋千前先涎煙祆賢延邅然

上聲去音字

凡以平側呼字至上聲多相犯如東同皆繼以董聲刀陶皆繼以禱聲之類古人制韻閒取去聲字參入上聲者正欲使清濁有所辨耳如一董韻有動字三十二晧韻有道字之類矣或者不知徒泥韻策分爲四聲至上聲多例作第二側讀之此殊不知變也若果爲然則以士爲史以上爲賞以道爲禱以父母之父爲甫可乎今逐韻上聲濁位並當呼爲去

聲觀者熟思乃知古人制韻端有深旨

五音清濁

逐韻五音各有自然清濁若遇尋字可取之記行位也脣音舌音牙音各四聲不同故第一行屬清第二行屬次清第三行屬濁第四行屬清濁齒音有正齒有細齒故五行聲內清濁聲各二將居前者為第一清第一濁居後者為第二清第二濁喉音二清舌齒音二清濁並以例準之

四聲定位附三聲

每韻直行平上去入聲有字與圍相間各四並分為

定位如一東韻蒙字之類位在第一下二側聲亦在第二崇字行位在第二下二側聲字亦在第二風字在第三下三側聲亦在第三嵩字融字在第四下三側聲亦在第四如遇尋字定音看在其位便隨所屬而呼之 ○韻中或只列三聲者是元無入聲如欲呼吸當借音可也支微魚模韻之類是三聲韻支止至質模姥暮目之類是借音

列圍

列圍之法本以備足有聲無形與無聲無形也有形有聲時或用焉

有聲無形謂如一東韻舌音第一位橫轉東通同

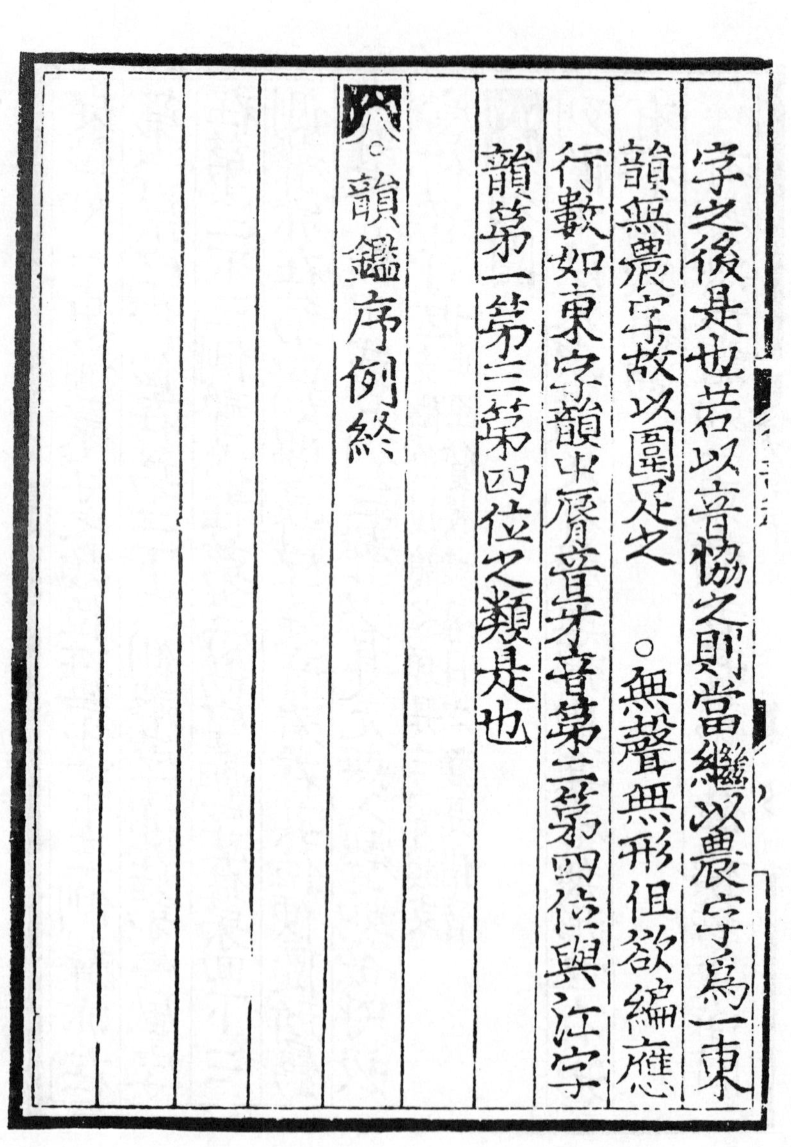

字之後是也若以音協之則當繼以農字爲一東韻無農字故以圓足之 ○無聲無形但欲編應行數如東字韻中脣音牙音第二第四位與江字韻第一第三第四位之類是也

○韻鑑序例終

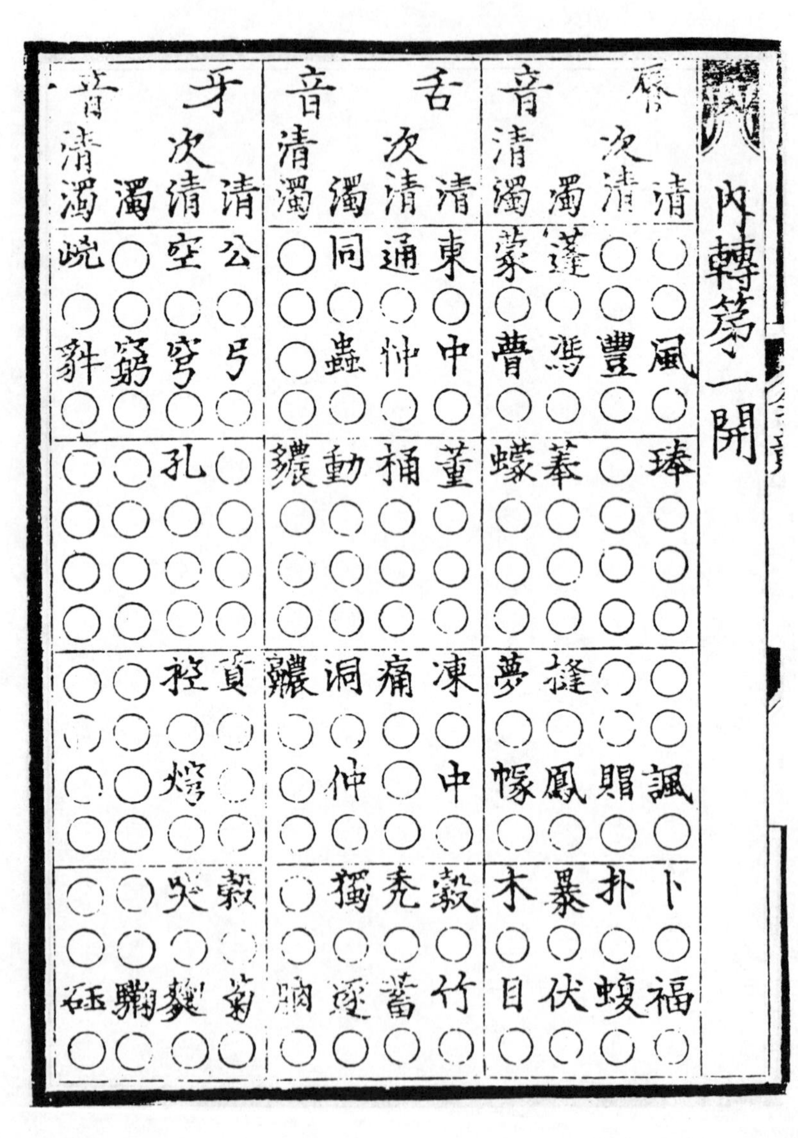

內轉第一開

脣音 清	脣音 次清	脣音 濁	脣音 清濁	舌音 清	舌音 次清	舌音 濁	舌音 清濁	牙音 清	牙音 次清	牙音 濁	牙音 清濁
○	○	蓬	蒙	東	通	同	○	公	空	○	㟅
○	○	○	○	○	○	○	○	○	○	○	○
風	豐	馮	瞢	中	忡	蟲	○	弓	穹	窮	[illegible]
○	○	○	○	○	○	○	○	○	○	○	○
琫	○	菶	蠓	董	桶	動	䑋	○	孔	○	○
○	○	○	○	○	○	○	○	○	○	○	○
○	○	○	○	○	○	○	○	○	○	○	○
○	○	○	○	○	○	○	○	○	○	○	○
○	○	槰	夢	凍	痛	洞	齈	貢	控	○	○
○	○	○	○	○	○	○	○	○	○	○	○
諷	賵	鳳	幪	中	○	仲	○	○	焪	○	○
○	○	○	○	○	○	○	○	○	○	○	○
卜	扑	暴	木	穀	禿	獨	○	穀	哭	○	○
○	○	○	○	○	○	○	○	○	○	○	○
福	蝮	伏	目	竹	蓄	逐	朒	菊	麴	驧	砡
○	○	○	○	○	○	○	○	○	○	○	○

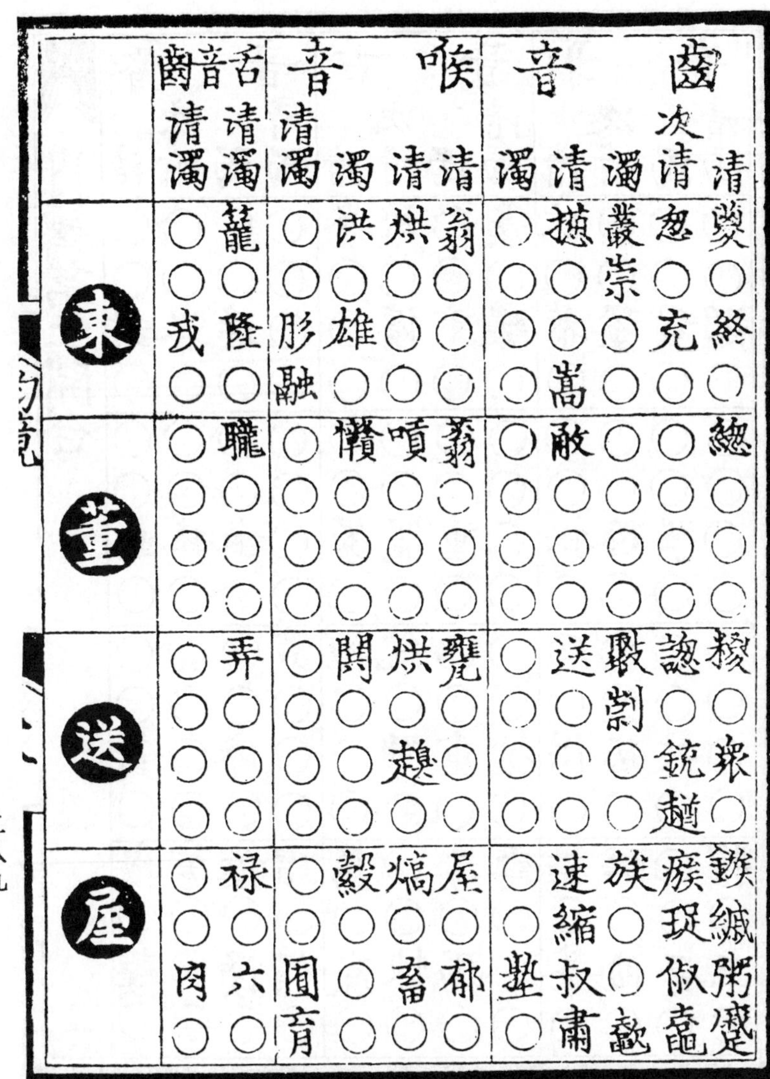

	齒音					喉音				舌音	齒音
	清	次清	濁	清	濁	清	清	濁	清濁	清濁	清濁
東	㚇	怱	叢	揔	○	翁	烘	洪	○	籠	○
	○	○	崇	○	○	○	○	○	○	○	○
	終	充	○	○	○	○	○	雄	肜	隆	戎
	○	○	○	嵩	○	○	○	○	融	○	○
董	總	○	○	敵	○	蓊	嗊	澒	○	曨	○
	○	○	○	○	○	○	○	○	○	○	○
	○	○	○	○	○	○	○	○	○	○	○
	○	○	○	○	○	○	○	○	○	○	○
送	糉	謥	[illegible]	送	○	甕	烘	閧	○	弄	○
	○	○	[illegible]	○	○	○	○	○	○	○	○
	衆	銃	○	○	○	○	趜	○	○	○	○
	○	趥	○	○	○	○	○	○	○	○	○
屋	鏃	瘯	族	速	○	屋	熇	縠	○	祿	○
	縬	珿	○	縮	○	○	○	○	○	○	○
	粥	俶	○	叔	塾	郁	畜	○	囿	六	肉
	蹙	鼀	[illegible]	肅	○	○	○	○	育	○	○

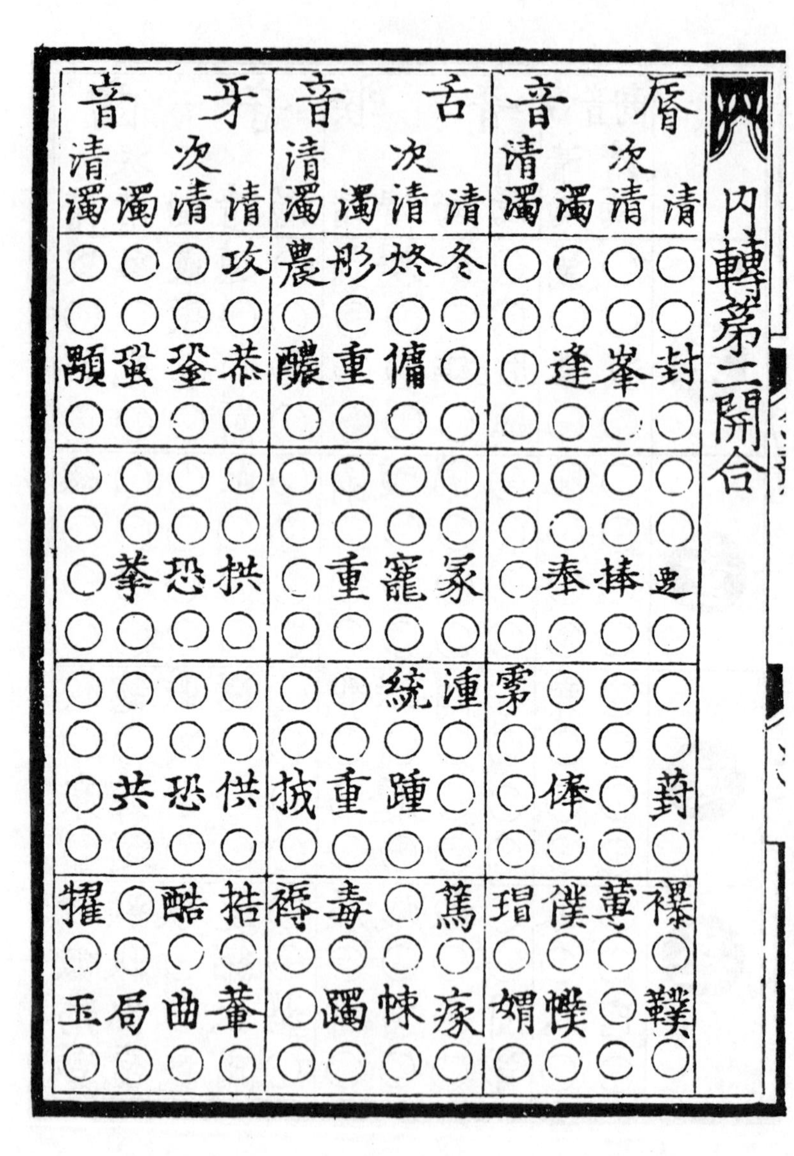

內轉第二開合

脣音 清	脣音 次清	脣音 濁	脣音 清濁	舌音 清	舌音 次清	舌音 濁	舌音 清濁	牙音 清	牙音 次清	牙音 濁	牙音 清濁
○	○	○	○	冬	炵	彤	農	攻	○	○	○
○	○	○	○	○	○	○	○	○	○	○	○
封	峯	逢	○	○	傭	重	醲	恭	銎	蛩	顒
○	○	○	○	○	○	○	○	○	○	○	○
○	○	○	○	○	○	○	○	○	○	○	○
○	○	○	○	○	○	○	○	○	○	○	○
覂	捧	奉	○	冢	寵	重	○	拱	恐	拲	○
○	○	○	○	○	○	○	○	○	○	○	○
○	○	○	雺	湩	統	○	○	○	○	○	○
○	○	○	○	○	○	○	○	○	○	○	○
葑	○	俸	○	○	踵	重	拔	供	恐	共	○
○	○	○	○	○	○	○	○	○	○	○	○
襆	蓴	僕	瑁	篤	○	毒	褥	梏	酷	○	擢
○	○	○	○	○	○	○	○	○	○	○	○
䪁	○	幞	媢	瘃	悚	躅	○	輂	曲	局	玉
○	○	○	○	○	○	○	○	○	○	○	○

	齒音 清	齒音 次清	齒音 濁	齒音 清	齒音 濁	喉音 清	喉音 清	喉音 濁	喉音 清濁	舌音齒 清濁	舌音齒 清濁
冬	宗	騘	賨	鬆	○	○	○	碚	○	隆	○
	○	○	○	○	○	○	○	○	○	○	○
鍾	鍾	衝	○	舂	鱅	邕	匈	○	容	龍	茸
	縱	樅	從	淞	松	○	○	○	庸	○	○
	○	○	○	○	○	○	○	○	○	○	○
	○	○	○	○	○	○	○	○	○	○	○
腫	腫	䡴	○	○	尰	擁	○	○	○	隴	宂
	縱	㧐	○	悚	○	○	○	○	甬	○	○
宋	綜	○	○	宋	○	○	○	碚	○	○	○
	○	○	○	○	○	○	○	○	○	○	○
用	種	○	○	○	○	○	○	○	○	贚	䩸
	縱	○	從	○	頌	○	○	○	用	○	○
沃	傶	○	○	洬	○	沃	熇	鵠	○	濼	○
	○	倲	齪	○	○	○	○	○	○	○	○
燭	燭	觸	贖	束	蜀	郁	旭	○	欲	録	辱
	足	促	○	粟	續	○	○	○	○	○	○

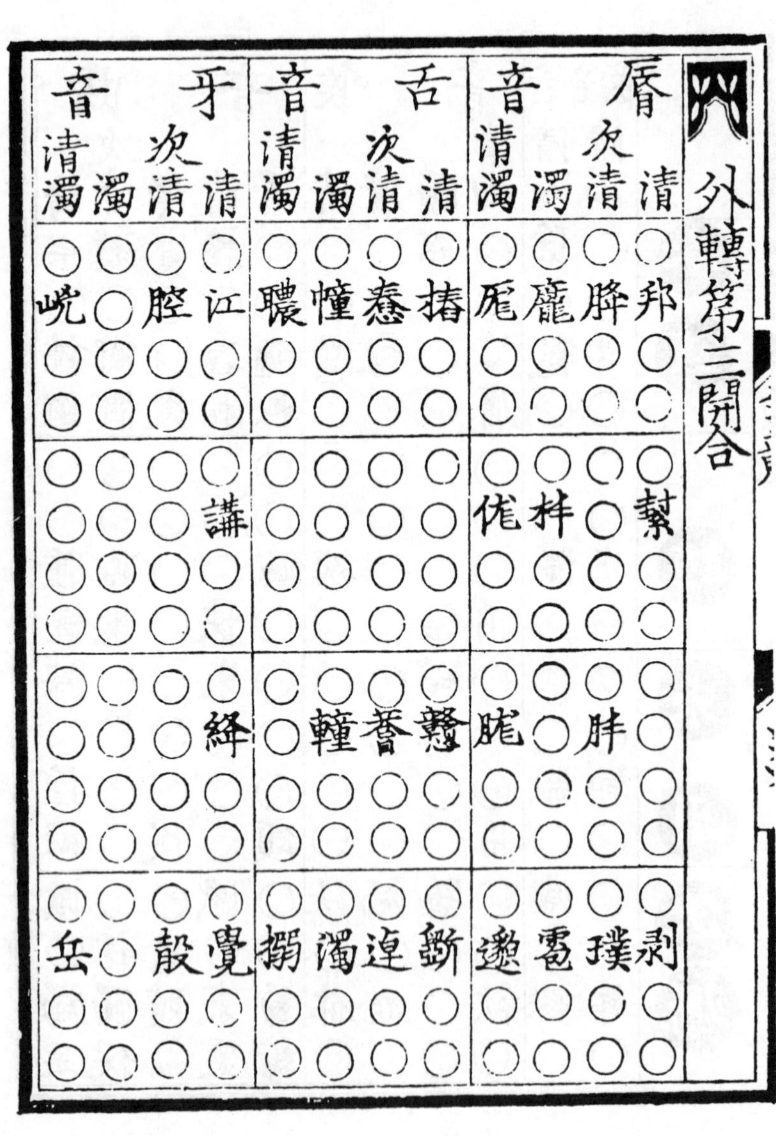

內 外轉第三開合

	脣音清	脣音次清	脣音濁	脣音清濁	舌音清	舌音次清	舌音濁	舌音清濁	牙音清	牙音次清	牙音濁	牙音清濁
平一	○	○	○	○	○	○	○	○	○	○	○	○
平二	邦	胮	龐	厖	摏	惷	幢	[illegible]	江	腔	○	[illegible]
平三	○	○	○	○	○	○	○	○	○	○	○	○
平四	○	○	○	○	○	○	○	○	○	○	○	○
上一	○	○	○	○	○	○	○	○	○	○	○	○
上二	[illegible]	○	[illegible]	[illegible]	○	○	○	○	講	○	○	○
上三	○	○	○	○	○	○	○	○	○	○	○	○
上四	○	○	○	○	○	○	○	○	○	○	○	○
去一	○	○	○	○	○	○	○	○	○	○	○	○
去二	○	胖	○	[illegible]	戇	[illegible]	[illegible]	○	絳	○	○	○
去三	○	○	○	○	○	○	○	○	○	○	○	○
去四	○	○	○	○	○	○	○	○	○	○	○	○
入一	○	○	○	○	○	○	○	○	○	○	○	○
入二	剝	璞	雹	邈	斲	逴	濁	搦	覺	㱿	○	岳
入三	○	○	○	○	○	○	○	○	○	○	○	○
入四	○	○	○	○	○	○	○	○	○	○	○	○

韻	齒音 清	齒音 次清	齒音 濁	齒音 清	齒音 濁	喉音 清	喉音 清	喉音 濁	喉音 清濁	舌音 清濁	齒 清濁
江	○	○	○	○	○	○	○	○	○	○	○
	○	牕	淙	雙	○	胦	舡	降	○	瀧	○
	○	○	○	○	○	○	○	○	○	○	○
	○	○	○	○	○	○	○	○	○	○	○
講	○	○	○	○	○	○	○	○	○	○	○
	○	○	○	○	○	慃	傋	項	○	○	○
	○	○	○	○	○	○	○	○	○	○	○
	○	○	○	○	○	○	○	○	○	○	○
絳	○	○	○	○	○	○	○	○	○	○	○
	○	糉	淙	淙	○	○	○	巷	○	○	○
	○	○	○	○	○	○	○	○	○	○	○
	○	○	○	○	○	○	○	○	○	○	○
覺	○	○	○	○	○	○	○	○	○	○	○
	捉	娖	浞	朔	○	渥	○	學	○	犖	○
	○	○	○	○	○	○	○	○	○	○	○
	○	○	○	○	○	○	○	○	○	○	○

內轉第四開合

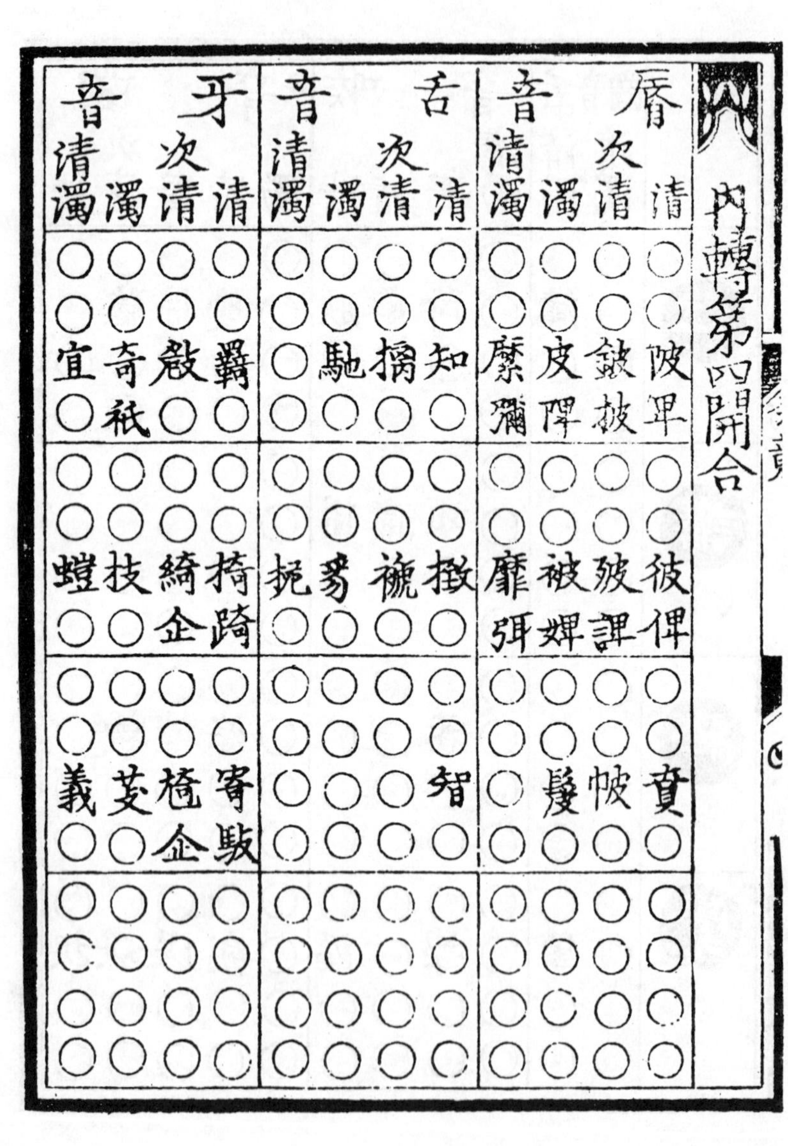

	脣音清	脣音次清	脣音濁	脣音清濁	舌音清	舌音次清	舌音濁	舌音清濁	牙音清	牙音次清	牙音濁	牙音清濁
平一	○	○	○	○	○	○	○	○	○	○	○	○
平二	○	○	○	○	○	○	○	○	○	○	○	○
平三	陂	鈹	皮	縻	知	摛	馳	○	羈	攲	奇	宜
平四	卑	披	陴	彌	○	○	○	○	○	○	祇	○
上一	○	○	○	○	○	○	○	○	○	○	○	○
上二	○	○	○	○	○	○	○	○	○	○	○	○
上三	彼	破	被	靡	撥	褫	豸	抳	掎	綺	技	螘
上四	俾	諀	婢	弭	○	○	○	○	踦	企	○	○
去一	○	○	○	○	○	○	○	○	○	○	○	○
去二	○	○	○	○	○	○	○	○	○	○	○	○
去三	賁	帔	髲	○	智	○	○	○	寄	椅	芰	義
去四	○	○	○	○	○	○	○	○	馶	企	○	○
入一	○	○	○	○	○	○	○	○	○	○	○	○
入二	○	○	○	○	○	○	○	○	○	○	○	○
入三	○	○	○	○	○	○	○	○	○	○	○	○
入四	○	○	○	○	○	○	○	○	○	○	○	○

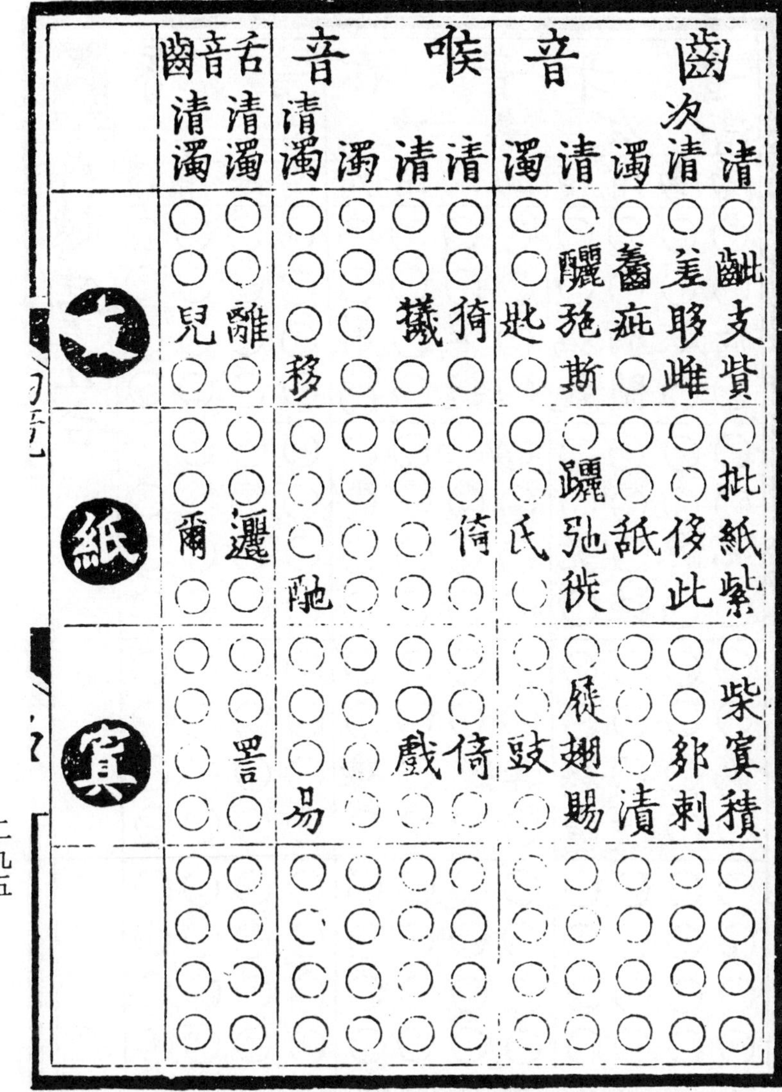

	齒音 清	齒音 次清	齒音 濁	齒音 清	齒音 濁	喉音 清	喉音 清	喉音 濁	喉音 清濁	舌音 清濁	齒音 清濁
支	○	○	○	○	○	○	○	○	○	○	○
	齜	差	齹	釃	○	○	○	○	○	○	○
	支	眵	疵	施	匙	猗	犧	○	○	離	兒
	貲	雌	○	斯	○	○	○	○	移	○	○
紙	○	○	○	○	○	○	○	○	○	○	○
	批	○	○	躧	○	○	○	○	○	○	○
	紙	侈	舐	弛	氏	倚	○	○	○	邐	爾
	紫	此	○	徙	○	○	○	○	阤	○	○
寘	○	○	○	○	○	○	○	○	○	○	○
	柴	○	○	屣	○	○	○	○	○	○	○
	寘	[illegible]	○	翅	豉	倚	戲	○	○	詈	○
	積	刺	漬	賜	○	○	○	○	易	○	○
	○	○	○	○	○	○	○	○	○	○	○
	○	○	○	○	○	○	○	○	○	○	○
	○	○	○	○	○	○	○	○	○	○	○
	○	○	○	○	○	○	○	○	○	○	○

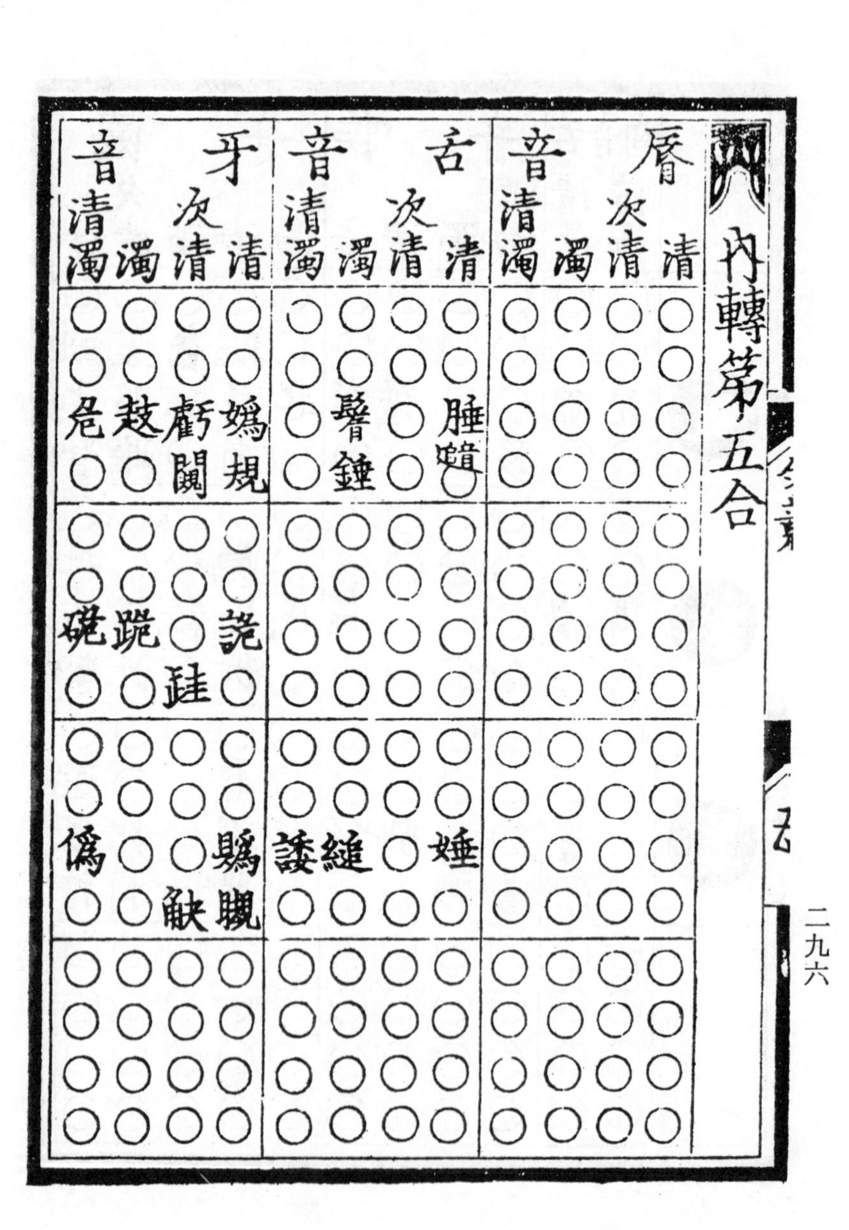

內轉第五合

脣音 清	脣音 次清	脣音 濁	脣音 清濁	舌音 清	舌音 次清	舌音 濁	舌音 清濁	牙音 清	牙音 次清	牙音 濁	牙音 清濁
○	○	○	○	○	○	○	○	○	○	○	○
○	○	○	○	○	○	○	○	○	○	○	○
○	○	○	○	腄	○	鬌	○	嬀	虧	趍	危
○	○	○	○	追 ○	○	錘	○	規	闚	○	○
○	○	○	○	○	○	○	○	○	○	○	○
○	○	○	○	○	○	○	○	○	○	○	○
○	○	○	○	○	○	○	○	詭	○	跪	硊
○	○	○	○	○	○	○	○	○	跬	○	○
○	○	○	○	○	○	○	○	○	○	○	○
○	○	○	○	○	○	○	○	○	○	○	○
○	○	○	○	娷	○	縋	諉	䞈	○	○	僞
○	○	○	○	○	○	○	○	瞡	觖	○	○
○	○	○	○	○	○	○	○	○	○	○	○
○	○	○	○	○	○	○	○	○	○	○	○
○	○	○	○	○	○	○	○	○	○	○	○
○	○	○	○	○	○	○	○	○	○	○	○

	齒音					喉音				舌音齒	
	清	又清	濁	清	濁	清	清	濁	清濁	清濁	清濁
支	○	○	○	○	○	○	○	○	○	○	○
	○	○	○	○	○	○	○	○	○	○	○
	⿰馬垂	吹	○	○	垂	逶	麾	○	爲	羸	痿
	劑	○	○	眭	隨	○	隳	○	蠵	○	○
紙	○	○	○	○	○	○	○	○	○	○	○
	○	○	○	○	○	○	○	○	○	○	○
	捶	揣	○	○	菙	委	毀	○	蔿	累	絫
	觜	○	惢	髓	清	○	○	○	蔿	○	○
寘	○	○	○	○	○	○	○	○	○	○	○
	○	○	○	○	○	○	○	○	○	○	○
	惴	吹	○	○	睡	餧	毀	○	爲	累	枘
	○	○	○	⿰禾委	○	恚	孈	○	瓗	○	○
	○	○	○	○	○	○	○	○	○	○	○
	○	○	○	○	○	○	○	○	○	○	○
	○	○	○	○	○	○	○	○	○	○	○
	○	○	○	○	○	○	○	○	○	○	○

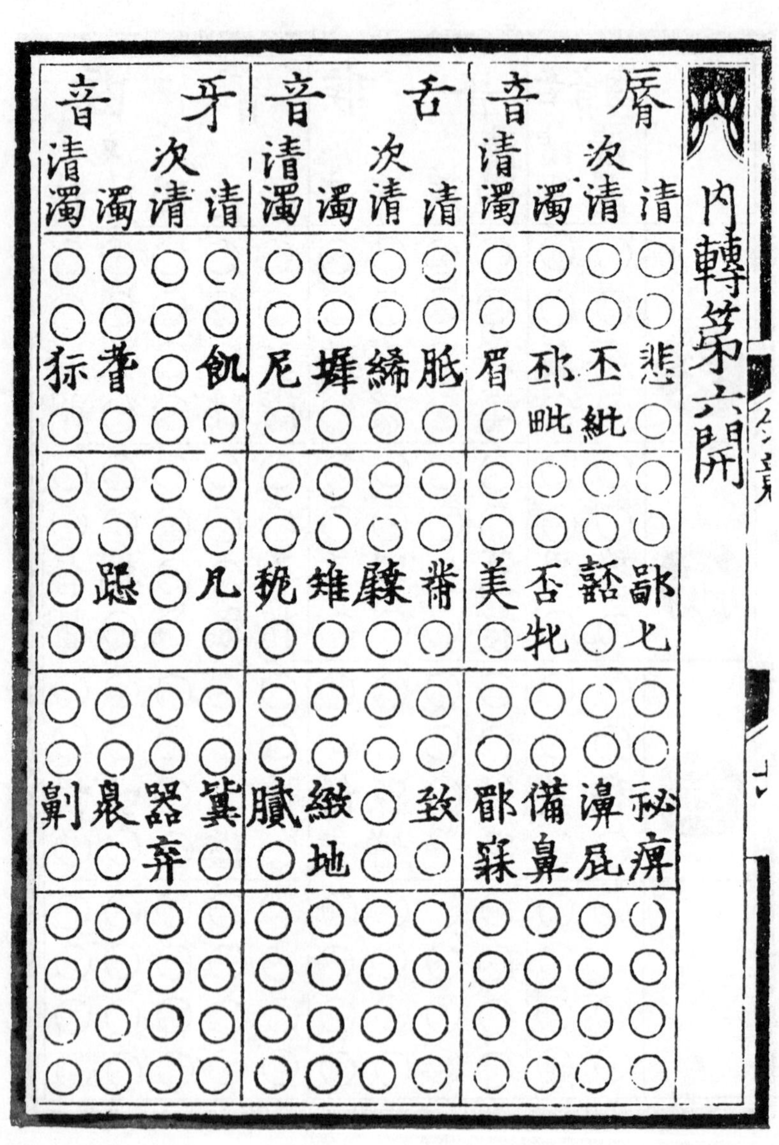

内轉第六開

脣音 清	脣音 次清	脣音 濁	脣音 清濁	舌音 清	舌音 次清	舌音 濁	舌音 清濁	牙音 清	牙音 次清	牙音 濁	牙音 清濁
○	○	○	○	○	○	○	○	○	○	○	○
○	○	○	○	○	○	○	○	○	○	○	○
悲	丕	邳	眉	胝	絺	墀	尼	飢	○	耆	狋
○	紕	毗	○	○	○	○	○	○	○	○	○
○	○	○	○	○	○	○	○	○	○	○	○
○	○	○	○	○	○	○	○	○	○	○	○
鄙	嚭	否	美	黹	𡲾	雉	秜	几	○	跽	○
匕	○	牝	○	○	○	○	○	○	○	○	○
○	○	○	○	○	○	○	○	○	○	○	○
○	○	○	○	○	○	○	○	○	○	○	○
祕	濞	備	郿	致	○	緻	膩	冀	器	臮	劓
痹	屁	鼻	寐	○	○	地	○	○	弃	○	○
○	○	○	○	○	○	○	○	○	○	○	○
○	○	○	○	○	○	○	○	○	○	○	○
○	○	○	○	○	○	○	○	○	○	○	○
○	○	○	○	○	○	○	○	○	○	○	○

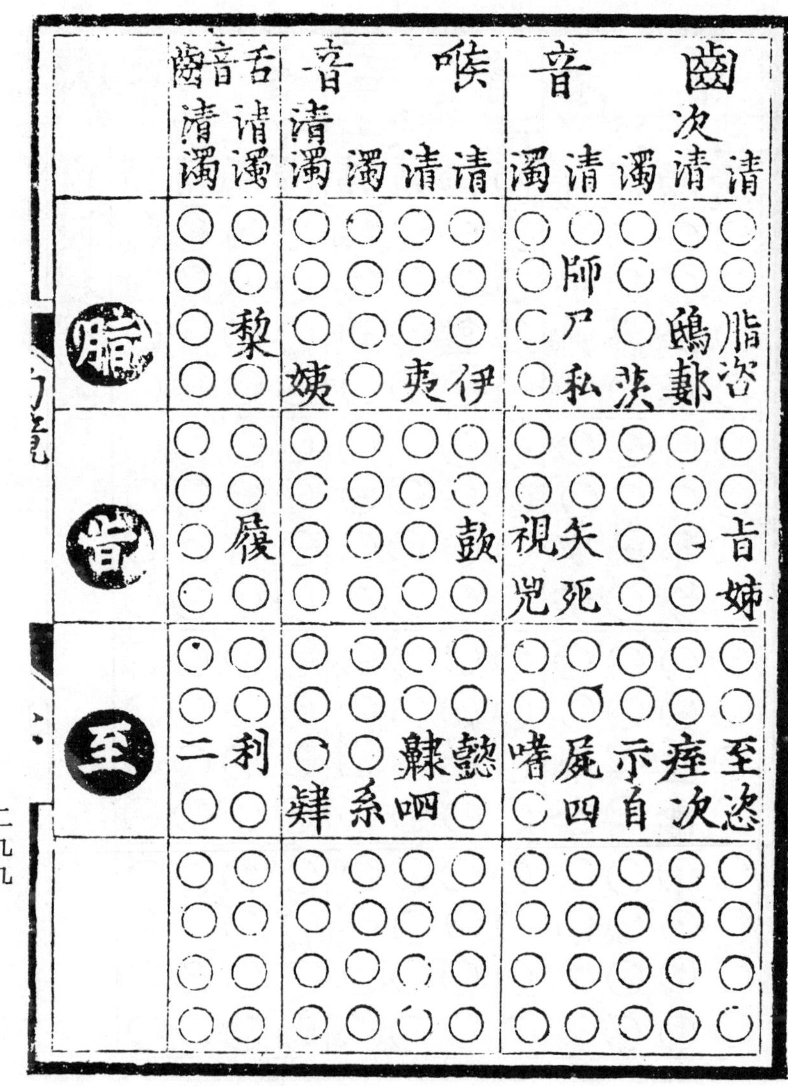

	齒音 清	齒音 次清	齒音 濁	齒音 清	齒音 濁	喉音 清	喉音 清	喉音 濁	喉音 清濁	舌音齒 清濁	舌音齒 清濁
脂	○	○	○	○	○	○	○	○	○	○	○
	○	○	○	師	○	○	○	○	○	○	○
	脂	鴟	○	尸	○	○	○	○	○	棃	○
	咨	郪	茨	私	○	伊	夷	○	姨	○	○
旨	○	○	○	○	○	○	○	○	○	○	○
	○	○	○	○	○	○	○	○	○	○	○
	旨	○	○	矢	視	歕	○	○	○	履	○
	姊	○	○	死	兕	○	○	○	○	○	○
至	○	○	○	○	○	○	○	○	○	○	○
	○	○	○	○	○	○	○	○	○	○	○
	至	痓	示	屍	嗜	懿	齂	○	○	利	二
	恣	次	自	四	○	○	呬	系	肄	○	○
	○	○	○	○	○	○	○	○	○	○	○
	○	○	○	○	○	○	○	○	○	○	○
	○	○	○	○	○	○	○	○	○	○	○
	○	○	○	○	○	○	○	○	○	○	○

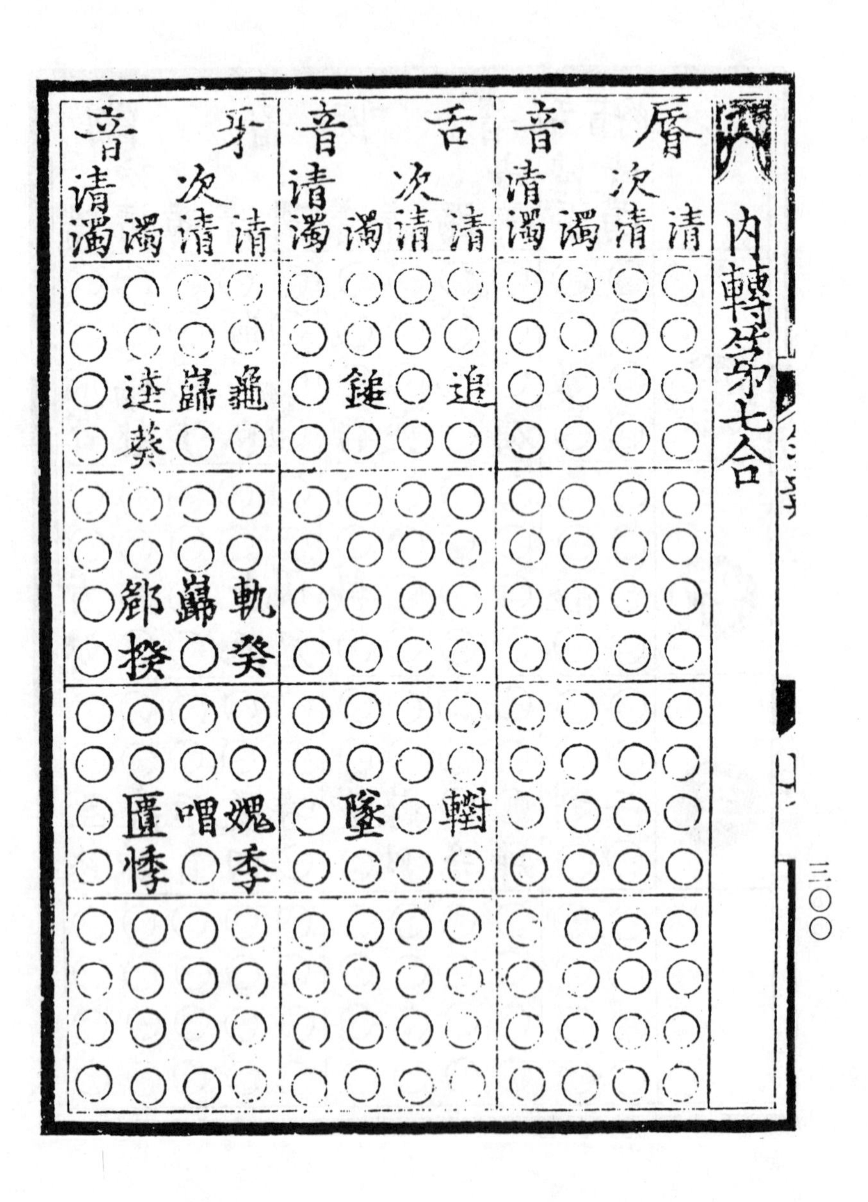

內轉第七合

脣音清	脣音次清	脣音濁	脣音清濁	舌音清	舌音次清	舌音濁	舌音清濁	牙音清	牙音次清	牙音濁	牙音清濁
○	○	○	○	○	○	○	○	○	○	○	○
○	○	○	○	○	○	○	○	○	○	○	○
○	○	○	○	追	○	鎚	○	龜	巋	逵	○
○	○	○	○	○	○	○	○	○	○	葵	○
○	○	○	○	○	○	○	○	○	○	○	○
○	○	○	○	○	○	○	○	○	○	○	○
○	○	○	○	○	○	○	○	軌	巋	郈	○
○	○	○	○	○	○	○	○	癸	○	揆	○
○	○	○	○	○	○	○	○	○	○	○	○
○	○	○	○	○	○	○	○	○	○	○	○
○	○	○	○	轛	○	墜	○	媿	喟	匱	○
○	○	○	○	○	○	○	○	季	○	悸	○
○	○	○	○	○	○	○	○	○	○	○	○
○	○	○	○	○	○	○	○	○	○	○	○
○	○	○	○	○	○	○	○	○	○	○	○
○	○	○	○	○	○	○	○	○	○	○	○

	齒音 清	次清	濁	清	濁	喉音 清	清	濁	清濁	舌音 清濁	齒 清濁
脂	○	○	○	○	○	○	○	○	○	○	○
	○	○	○	衰	○	○	○	○	○	○	○
	錐	推	○	○	誰	○	○	○	○	漯	蕤
	嗺	○	○	綏	○	○	○	○	惟	○	○
旨	○	○	○	○	○	○	○	○	○	○	○
	○	○	○	○	○	○	○	○	○	○	○
	[illegible]	○	○	水	○	○	[illegible]	○	洧	壘	惢
	濢	趡	[illegible]	○	○	○	○	○	唯	○	○
至	○	○	○	○	○	○	○	○	○	○	○
	○	○	○	○	○	○	○	○	○	○	○
	○	出	○	[illegible]	○	○	○	○	位	類	○
	醉	翠	萃	邃	遂	○	侐	○	遺	○	○
	○	○	○	○	○	○	○	○	○	○	○
	○	○	○	○	○	○	○	○	○	○	○
	○	○	○	○	○	○	○	○	○	○	○
	○	○	○	○	○	○	○	○	○	○	○

內轉第八開

脣音 清	脣音 次清	脣音 濁	脣音 清濁	舌音 清	舌音 次清	舌音 濁	舌音 清濁	牙音 清	牙音 次清	牙音 濁	牙音 清濁
○	○	○	○	○	○	○	○	○	○	○	○
○	○	○	○	○	○	○	○	○	○	○	○
○	○	○	○	○	癡	治	○	姬	欺	其	疑
○	○	○	○	○	○	○	○	○	抾	○	○
○	○	○	○	○	○	○	○	○	○	○	○
○	○	○	○	○	○	○	○	○	○	○	○
○	○	○	○	徵	恥	峙	伱	紀	起	○	擬
○	○	○	○	○	○	○	○	○	○	○	○
○	○	○	○	○	○	○	○	○	○	○	○
○	○	○	○	○	○	○	○	○	○	○	○
○	○	○	○	置	眙	值	○	記	亟	忌	𪘏
○	○	○	○	○	○	○	○	○	○	○	○
○	○	○	○	○	○	○	○	○	○	○	○
○	○	○	○	○	○	○	○	○	○	○	○
○	○	○	○	○	○	○	○	○	○	○	○
○	○	○	○	○	○	○	○	○	○	○	○

	齒音 清	齒音 次清	齒音 濁	齒音 清	齒音 濁	喉音 清	喉 清	音 濁	清 清濁	舌音 清濁	齒 清濁
之	○	○	○	○	○	○	○	○	○	○	○
	菑	○	茬	○	○	○	○	○	○	○	○
	之	蚩	○	詩	時	醫	僖	○	○	釐	而
	兹	○	慈	思	詞	○	○	○	飴	○	○
止	○	○	○	○	○	○	○	○	○	○	○
	滓	剢	士	史	俟	○	○	○	○	○	○
	止	齒	○	始	市	譩	喜	○	以	里	耳
	子	○	○	枲	似	○	○	○	○	○	○
志	○	○	○	○	○	○	○	○	○	○	○
	胾	廁	事	駛	○	○	○	○	○	○	○
	志	熾	○	試	侍	意	憙	○	○	吏	餌
	恣	蛓	字	笥	寺	○	○	○	異	○	○
	○	○	○	○	○	○	○	○	○	○	○
	○	○	○	○	○	○	○	○	○	○	○
	○	○	○	○	○	○	○	○	○	○	○
	○	○	○	○	○	○	○	○	○	○	○

內轉第九開

脣音清	脣音次清	脣音濁	脣音清濁	舌音清	舌音次清	舌音濁	舌音清濁	牙音清	牙音次清	牙音濁	牙音清濁
○	○	○	○	○	○	○	○	○	○	○	○
○	○	○	○	○	○	○	○	○	○	○	○
○	○	○	○	○	○	○	○	機	○	祈	沂
○	○	○	○	○	○	○	○	○	○	○	○
○	○	○	○	○	○	○	○	○	○	○	○
○	○	○	○	○	○	○	○	○	○	○	○
○	○	○	○	○	○	○	○	蟣	豈	○	顗
○	○	○	○	○	○	○	○	○	○	○	○
○	○	○	○	○	○	○	○	○	○	○	○
○	○	○	○	○	○	○	○	○	○	○	○
○	○	○	○	○	○	○	○	既	氣	[illegible]	毅
○	○	○	○	○	○	○	○	○	○	○	○
○	○	○	○	○	○	○	○	○	○	○	○
○	○	○	○	○	○	○	○	○	○	○	○
廢	○	○	○	○	○	○	○	計	○	○	刈
○	○	○	○	○	○	○	○	○	○	○	○

去聲寄此

	齒音					喉音				舌音	齒
	清	次清	濁	清	濁	清	清	濁	清濁	清濁	清濁
微	○	○	○	○	○	○	○	○	○	○	○
	○	○	○	○	○	○	○	○	○	○	○
	○	○	○	○	○	依	希	○	○	○	○
	○	○	○	○	○	○	○	○	○	○	○
尾	○	○	○	○	○	○	○	○	○	○	○
	○	○	○	○	○	○	○	○	○	○	○
	○	○	○	○	○	扆	豨	○	○	○	○
	○	○	○	○	○	○	○	○	○	○	○
未	○	○	○	○	○	○	○	○	○	○	○
	○	○	○	○	○	○	○	○	○	○	○
	○	○	○	○	○	○	欷	○	○	○	○
	○	○	○	○	○	○	○	○	○	○	○
廢	○	○	○	○	○	○	○	○	○	○	○
	○	○	○	○	○	○	○	○	○	○	○
	○	○	○	○	○	○	○	○	○	○	○
	○	○	○	○	○	○	○	○	○	○	○

內轉第十合

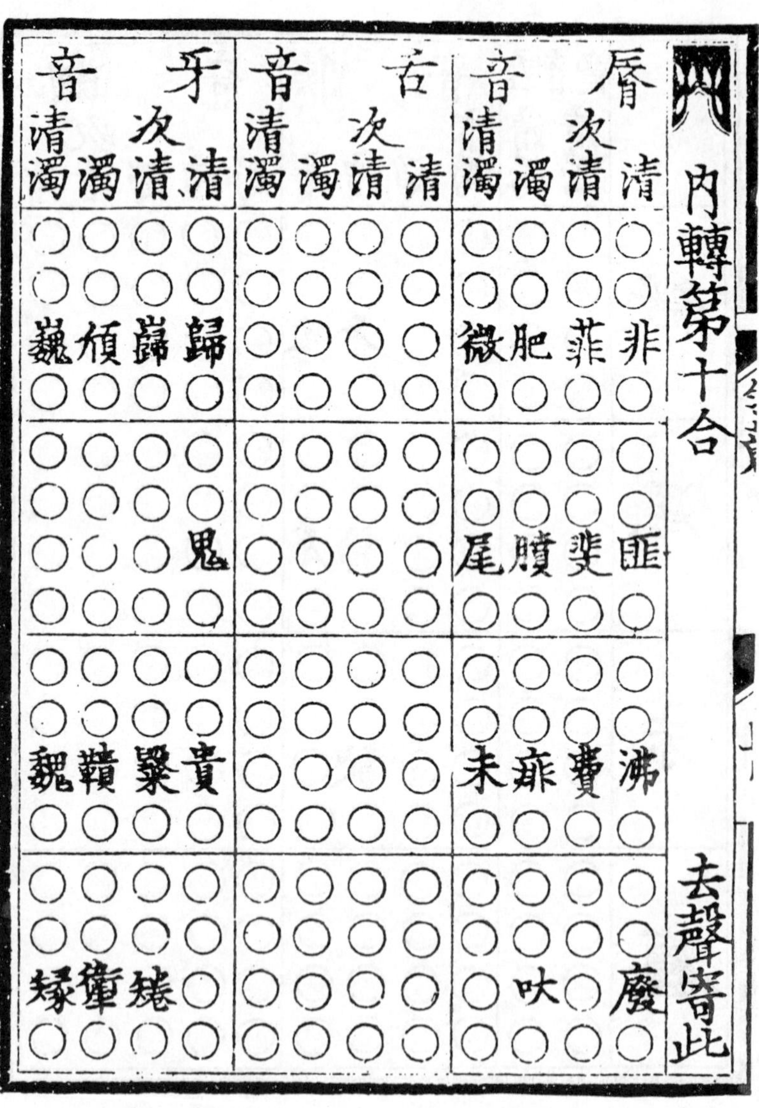

脣音清	脣音次清	脣音濁	脣音清濁	舌音清	舌音次清	舌音濁	舌音清濁	牙音清	牙音次清	牙音濁	牙音清濁
○	○	○	○	○	○	○	○	○	○	○	○
○	○	○	○	○	○	○	○	○	○	○	○
非	菲	肥	微	○	○	○	○	歸	巋	頎	巍
○	○	○	○	○	○	○	○	○	○	○	○
○	○	○	○	○	○	○	○	○	○	○	○
○	○	○	○	○	○	○	○	○	○	○	○
匪	斐	膹	尾	○	○	○	○	鬼	○	○	○
○	○	○	○	○	○	○	○	○	○	○	○
○	○	○	○	○	○	○	○	○	○	○	○
○	○	○	○	○	○	○	○	○	○	○	○
沸	費	䨽	未	○	○	○	○	貴	槼	鞼	魏
○	○	○	○	○	○	○	○	○	○	○	○
○	○	○	○	○	○	○	○	○	○	○	○
○	○	○	○	○	○	○	○	○	○	○	○
廢	○	吠	○	○	○	○	○	○	犈	[illegible]	猭
○	○	○	○	○	○	○	○	○	○	○	○

去聲寄此

	齒音 清濁	舌音 清濁	喉音 清濁	濁	清	清	齒音 濁	清	濁	次清	清
微	○	○	○	○	○	○	○	○	○	○	○
	○	○	○	○	○	○	○	○	○	○	○
	○	○	韋	○	暉	威	○	○	○	○	○
	○	○	○	○	○	○	○	○	○	○	○
尾	○	○	○	○	○	○	○	○	○	○	○
	○	○	○	○	○	○	○	○	○	○	○
	○	○	韙	○	虺	磈	○	○	○	○	○
	○	○	○	○	○	○	○	○	○	○	○
未	○	○	○	○	○	○	○	○	○	○	○
	○	○	○	○	○	○	○	○	○	○	○
	○	○	胃	○	諱	尉	○	○	○	○	○
	○	○	○	○	○	○	○	○	○	○	○
廢	○	○	○	○	○	○	○	○	○	○	○
	○	○	○	○	○	○	○	○	○	○	○
	○	○	○	○	喙	穢	○	○	○	○	○
	○	○	○	○	○	○	○	○	○	○	○

內轉第十一開

脣音 清	脣音 次清	脣音 濁	脣音 清濁	舌音 清	舌音 次清	舌音 濁	舌音 清濁	牙音 清	牙音 次清	牙音 濁	牙音 清濁
○	○	○	○	○	○	○	○	○	○	○	○
○	○	○	○	○	○	○	○	○	○	○	○
○	○	○	○	豬	攄	除	袽	居	墟	渠	魚
○	○	○	○	○	○	○	○	○	○	○	○
○	○	○	○	○	○	○	○	○	○	○	○
○	○	○	○	○	○	○	○	○	○	○	○
○	○	○	○	貯	楮	佇	女	舉	去	巨	語
○	○	○	○	○	○	○	○	○	○	○	○
○	○	○	○	○	○	○	○	○	○	○	○
○	○	○	○	○	○	○	○	○	○	○	○
○	○	○	○	著	絮	箸	女	據	去	遽	御
○	○	○	○	○	○	○	○	○	○	○	○
○	○	○	○	○	○	○	○	○	○	○	○
○	○	○	○	○	○	○	○	○	○	○	○
○	○	○	○	○	○	○	○	○	○	○	○
○	○	○	○	○	○	○	○	○	○	○	○

	齒音 清	次清	濁	清	濁	喉音 清	清	濁	清濁	舌音 清濁	齒 清濁
魚	○	○	○	○	○	○	○	○	○	○	○
	葅	初	鉏	疎	○	○	○	○	○	○	○
	諸	○	○	書	蜍	於	虛	○	余	臚	如
	苴	疽	○	胥	徐	○	○	○	○	○	○
語	○	○	○	○	○	○	○	○	○	○	○
	阻	楚	齟	所	○	○	○	○	○	○	○
	䰞	杵	紓	暑	野	扵	許	○	○	呂	汝
	苴	[illegible]	咀	諝	敘	○	○	○	與	○	○
御	○	○	○	○	○	○	○	○	○	○	○
	詛	儊	助	疏	○	○	○	○	○	○	○
	翥	處	○	恕	署	飫	嘘	○	○	慮	洳
	怚	覷	○	絮	屐	○	○	○	豫	○	○
	○	○	○	○	○	○	○	○	○	○	○
	○	○	○	○	○	○	○	○	○	○	○
	○	○	○	○	○	○	○	○	○	○	○
	○	○	○	○	○	○	○	○	○	○	○

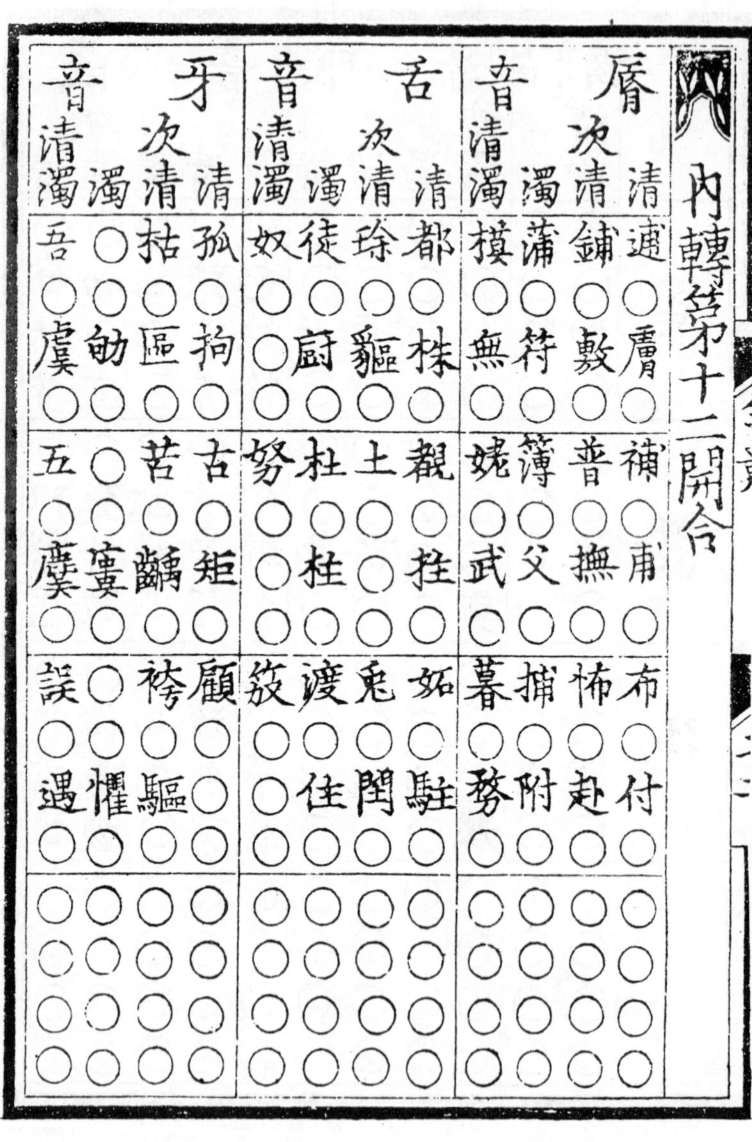

內轉第十二開合

脣音 清	脣音 次清	脣音 濁	脣音 清濁	舌音 清	舌音 次清	舌音 濁	舌音 清濁	牙音 清	牙音 次清	牙音 濁	牙音 清濁
逋	鋪	蒲	模	都	稌	徒	奴	孤	枯	○	吾
○	○	○	○	○	○	○	○	○	○	○	○
膚	敷	符	無	株	貙	廚	○	拘	區	劬	虞
○	○	○	○	○	○	○	○	○	○	○	○
補	普	簿	姥	覩	土	杜	努	古	苦	○	五
○	○	○	○	○	○	○	○	○	○	○	○
甫	撫	父	武	拄	○	柱	○	矩	齲	窶	麌
○	○	○	○	○	○	○	○	○	○	○	○
布	怖	捕	暮	妬	兎	渡	笯	顧	袴	○	誤
○	○	○	○	○	○	○	○	○	○	○	○
付	赴	附	務	駐	閏	住	○	○	驅	懼	遇
○	○	○	○	○	○	○	○	○	○	○	○
○	○	○	○	○	○	○	○	○	○	○	○
○	○	○	○	○	○	○	○	○	○	○	○
○	○	○	○	○	○	○	○	○	○	○	○
○	○	○	○	○	○	○	○	○	○	○	○

	齒音 清	齒音 次清	齒音 濁	齒音 清	齒音 濁	喉音 清	喉音 清	喉音 濁	喉音 清濁	舌音 清濁	齒音 清濁
模	租	麤	徂	蘇	○	烏	呼	胡	○	盧	○
	㑳	芻	雛	毹	○	○	○	○	○	○	○
虞	朱	樞	○	輸	殊	紆	訏	○	于	慺	儒
	諏	趨	○	須	○	○	○	○	逾	○	○
姥	祖	虘	粗	○	○	隝	虎	戶	○	魯	○
	○	○	[illegible]	數	○	○	○	○	○	○	○
麌	主	○	[illegible]	○	豎	傴	詡	○	羽	縷	乳
	○	取	聚	[illegible]	○	○	○	○	庾	○	○
暮	做	厝	祚	訴	○	汙	謼	護	○	路	○
	○	菆	○	捒	○	○	○	○	○	○	○
遇	注	○	○	戍	樹	嫗	昫	○	芋	屢	孺
	[illegible]	娶	聚	[illegible]	○	○	○	○	裕	○	○
	○	○	○	○	○	○	○	○	○	○	○
	○	○	○	○	○	○	○	○	○	○	○
	○	○	○	○	○	○	○	○	○	○	○
	○	○	○	○	○	○	○	○	○	○	○

外轉第十三開

脣音 清	脣音 次清	脣音 濁	脣音 清濁	舌音 清	舌音 次清	舌音 濁	舌音 清濁	牙音 清	牙音 次清	牙音 濁	牙音 清濁
○	姡	㾦	○	⿰黑臺	胎	臺	能	該	開	○	皚
○	○	排	埋	⿰齒來	搋	○	搱	皆	揩	○	崖
○	○	○	○	○	○	○	○	○	○	○	○
箆	批	鼙	迷	氐	梯	題	泥	雞	谿	○	倪
佸	啡	蓓	穤	等	⿰口臺	駘	乃	改	愷	○	○
○	○	擺	○	○	○	○	○	鍇	揩	○	騃
○	○	○	○	○	○	○	○	○	○	○	○
𢧵	頩	陛	米	邸	體	第	禰	○	啓	○	掜
○	怖	○	穤	戴	貸	代	耐	漑	慨	隑	礙
拜	○	○	○	○	○	○	褹	誡	烗	○	睚
○	○	○	○	⿰礻帶	跇	滯	○	猘	憩	偈	劓
閉	媲	薜	謎	帝	替	第	泥	計	契	○	詣
○	○	○	○	○	○	○	○	○	○	○	○
○	○	○	○	○	蠆	⿰貝奈	○	犗	○	○	○
○	○	○	○	○	○	○	○	○	○	○	○
○	○	○	○	○	○	○	○	○	○	○	○

去聲寄此

齒音 清	次清	濁	清	濁	喉音 清	清	濁	清濁	舌音 清濁	齒 清濁	
哉	猜	裁	鰓	○	哀	咍	孩	○	來	○	咍
齋	差	豺	崽	○	挨	俙	諧	○	唻	○	皆
○	擣	○	○	○	○	○	○	○	○	○	
齎	妻	齊	西	○	鷖	醯	兮	○	黎	臡	齊
宰	采	在	○	○	欸	海	亥	佁	釢	疓	海
○	○	○	○	○	○	○	駭	○	攋	○	駭
○	茝	○	○	灑	○	○	○	○	○	○	
濟	泚	薺	洗	○	吁	○	徯	○	禮	○	薺
載	菜	在	賽	○	愛	儗	瀣	○	賚	○	代
瘵	瘥	○	○	○	噫	譮	械	○	○	○	怪
制	掣	○	世	逝	○	緆	○	○	例	○	祭
霽	砌	嚌	細	○	翳	○	蒵	○	麗	○	霽
○	○	○	○	○	○	○	○	○	○	○	
○	啐	寨	噺	○	喝	講	㕭	○	○	○	夬
○	○	○	○	○	○	○	○	○	○	○	
○	○	○	○	○	○	○	○	○	○	○	

外轉第十四合 脽仕懷反

脣音 清	脣音 次清	脣音 濁	脣音 清濁	舌音 清	舌音 次清	舌音 濁	舌音 清濁	牙音 清	牙音 次清	牙音 濁	牙音 清濁
杯	肧	裴	枚	磓	蓷	頹	捼	傀	恢	○	鮠
○	○	○	○	○	○	隤	○	乖	匯	○	○
○	○	○	○	○	○	○	○	○	○	○	○
○	○	○	○	○	○	○	○	圭	睽	○	○
○	○	琲	浼	腿	骽	鐓	餧	○	顝	○	頠
○	○	○	○	鬌	○	○	○	○	○	○	○
○	○	○	○	○	○	○	○	○	○	○	○
○	○	○	○	○	○	○	○	○	○	○	○
背	配	佩	妹	對	退	隊	內	憒	塊	鞼	磑
拜	湃	憊	助	○	○	○	○	怪	蒯	○	聵
○	○	○	○	綴	○	○	○	劌	綣	○	○
○	○	○	○	○	○	○	○	桂	○	○	○
○	○	○	○	○	○	○	○	○	○	○	○
敗	○	敗	邁	○	○	○	○	夬	快	○	○
○	○	○	○	○	○	○	○	○	○	○	○
○	○	○	○	○	○	○	○	○	○	○	○

去聲寄此

齒音 清	齒音 次清	齒音 濁	齒音 清	齒音 濁	喉音 清	喉音 清	喉音 濁	喉音 清濁	舌音齒 清濁	舌音齒 清濁	
嶉	崔	摧	[illegible]	○	隈	灰	回	○	雷	○	灰皆
○	○	膗	○	○	○	虺	懷	○	[illegible]	○	
○	○	○	○	○	○	○	○	○	○	○	
○	○	○	○	○	烓	眭	[illegible]	○	○	○	齊
[illegible]	皠	罪	○	○	猥	賄	瘣	倄	礧	○	賄駭
○	○	○	○	○	○	○	○	○	○	○	
○	○	○	○	○	○	○	○	○	○	○	
○	○	○	○	○	○	○	○	○	○	○	
睟	倅	○	碎	○	[illegible]	誨	潰	○	[illegible]	○	隊怪祭霽
○	○	○	○	○	○	[illegible]	壞	○	○	○	
贅	毳	○	稅	○	○	[illegible]	○	衛	○	芮	
○	○	○	○	○	○	嘒	慧	○	○	○	
○	○	○	○	○	○	○	○	○	○	○	夬
○	嘬	○	○	○	[illegible]	咶	話	○	○	○	
○	○	○	○	○	○	○	○	○	○	○	
○	○	○	○	○	○	○	○	○	○	○	

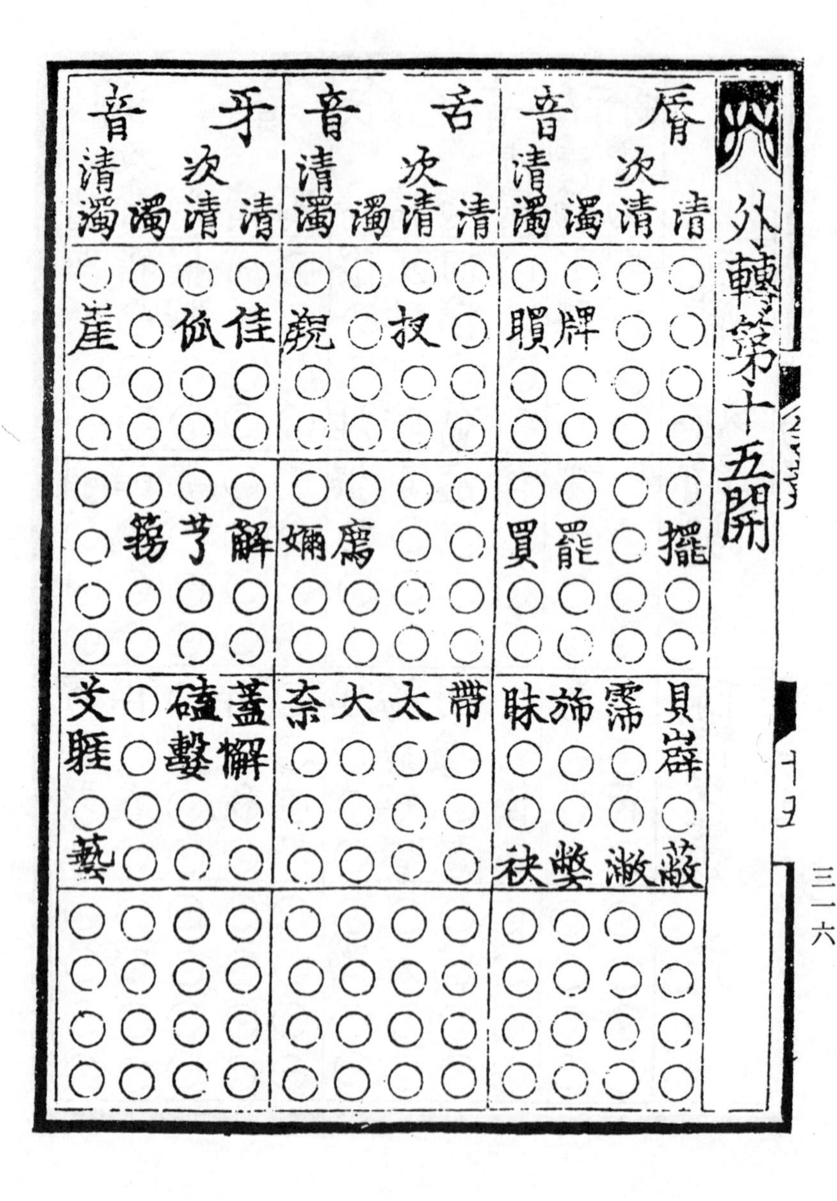

外轉第十五開

脣音 清	脣音 次清	脣音 濁	脣音 清濁	舌音 清	舌音 次清	舌音 濁	舌音 清濁	牙音 清	牙音 次清	牙音 濁	牙音 清濁
○	○	○	○	○	○	○	○	○	○	○	○
○	○	牌	䁙	○	扠	○	貎	佳	佤	○	崖
○	○	○	○	○	○	○	○	○	○	○	○
○	○	○	○	○	○	○	○	○	○	○	○
○	○	○	○	○	○	○	○	○	○	○	○
擺	○	罷	買	○	○	廌	嬭	解	芐	箉	○
○	○	○	○	○	○	○	○	○	○	○	○
○	○	○	○	○	○	○	○	○	○	○	○
貝	霈	旆	眛	帶	太	大	奈	蓋	磕	○	艾
嶭	○	○	○	○	○	○	○	懈	嫛	○	睚
○	○	○	○	○	○	○	○	○	○	○	○
蔽	潎	獘	袂	○	○	○	○	○	○	○	藝
○	○	○	○	○	○	○	○	○	○	○	○
○	○	○	○	○	○	○	○	○	○	○	○
○	○	○	○	○	○	○	○	○	○	○	○
○	○	○	○	○	○	○	○	○	○	○	○

	齒音 清	齒音 次清	齒音 濁	齒音 清	齒音 濁	喉音 清	喉音 清	喉音 濁	喉音 清濁	舌音 清濁	齒音 清濁
佳	○	○	○	○	○	○	○	○	○	○	○
	○	釵	柴	崽	○	娃	啓	膎	○	○	○
	○	○	○	○	○	○	○	○	○	○	○
	○	○	○	○	○	○	○	○	○	○	○
蟹	○	○	○	○	○	○	○	○	○	○	○
	○	○	○	○	○	矮	○	蟹	○	○	○
	○	○	○	○	○	○	○	○	○	○	○
	○	○	○	○	○	○	○	○	○	○	○
泰卦祭	○	蔡	○	○	○	藹	餀	害	○	賴	○
	債	差	瘵	曬	○	隘	謑	邂	○	○	○
	○	○	○	○	○	○	○	○	○	○	○
	○	○	○	○	○	緆	○	○	曳	○	○
	○	○	○	○	○	○	○	○	○	○	○
	○	○	○	○	○	○	○	○	○	○	○
	○	○	○	○	○	○	○	○	○	○	○
	○	○	○	○	○	○	○	○	○	○	○

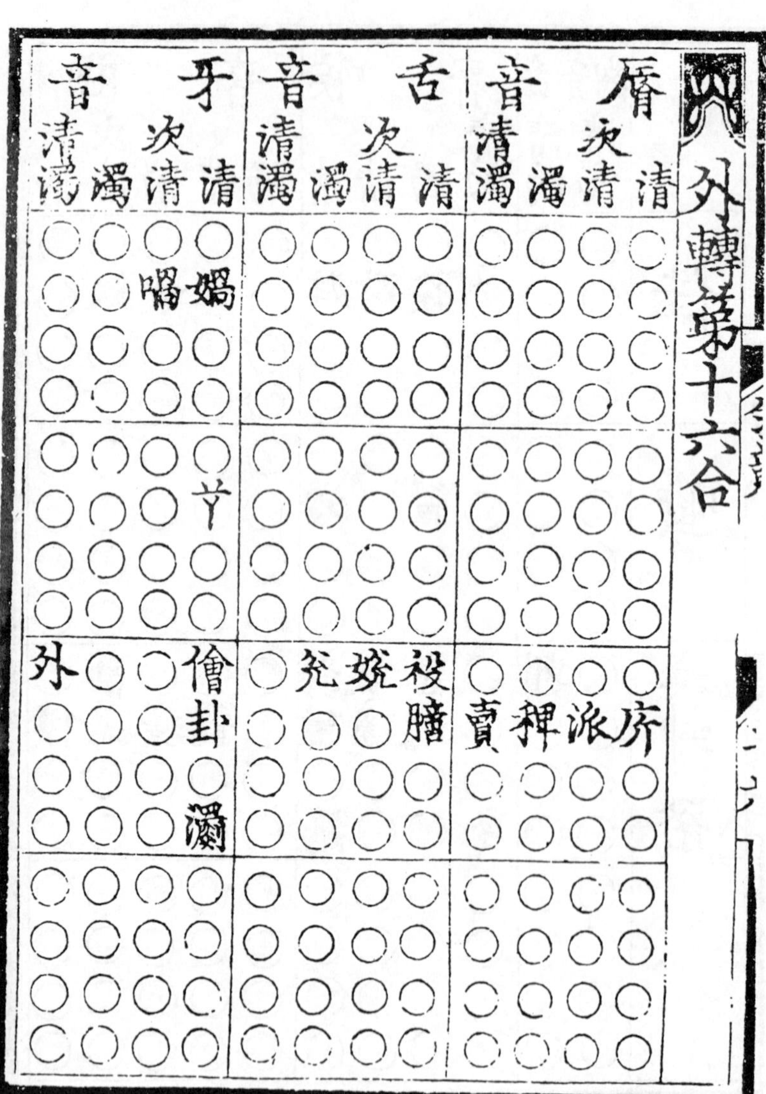

外轉第十六合

	脣音 清	脣音 次清	脣音 濁	脣音 清濁	舌音 清	舌音 次清	舌音 濁	舌音 清濁	牙音 清	牙音 次清	牙音 濁	牙音 清濁
1	○	○	○	○	○	○	○	○	○	○	○	○
2	○	○	○	○	○	○	○	○	媧	咼	○	○
3	○	○	○	○	○	○	○	○	○	○	○	○
4	○	○	○	○	○	○	○	○	○	○	○	○
5	○	○	○	○	○	○	○	○	○	○	○	○
6	○	○	○	○	○	○	○	○	丫	○	○	○
7	○	○	○	○	○	○	○	○	○	○	○	○
8	○	○	○	○	○	○	○	○	○	○	○	○
9	○	○	○	○	祋	娧	兊	○	儈	○	○	外
10	庍	派	稗	賣	膪	○	○	○	卦	○	○	○
11	○	○	○	○	○	○	○	○	○	○	○	○
12	○	○	○	○	○	○	○	○	瀱	○	○	○
13	○	○	○	○	○	○	○	○	○	○	○	○
14	○	○	○	○	○	○	○	○	○	○	○	○
15	○	○	○	○	○	○	○	○	○	○	○	○
16	○	○	○	○	○	○	○	○	○	○	○	○

	齒音 清	齒音 次清	齒音 濁	齒音 清	齒音 濁	喉音 清	喉音 清	喉音 濁	喉音 清濁	舌音 清濁	齒 清濁
佳	○	○	○	○	○	○	○	○	○	○	○
	○	○	○	○	○	蛙	竵	畫	○	○	○
	○	○	○	○	○	○	○	○	○	○	○
	○	○	○	○	○	○	○	○	○	○	○
蟹	○	○	○	○	○	○	○	○	○	○	○
	○	○	○	○	○	[illegible]	扮	夥	○	○	○
	○	○	○	○	○	○	○	○	○	○	○
	○	○	○	○	○	○	○	○	○	○	○
泰	最	襊	蕞	[illegible]	○	懀	[illegible]	會	[illegible]	酹	○
卦	○	○	○	○	○	○	○	○	○	○	○
	○	○	○	○	○	○	○	○	○	○	○
祭	蕝	膬	○	歲	彗	○	○	○	鋭	○	○
	○	○	○	○	○	○	○	○	○	○	○
	○	○	○	○	○	○	○	○	○	○	○
	○	○	○	○	○	○	○	○	○	○	○
	○	○	○	○	○	○	○	○	○	○	○

外轉第十七開

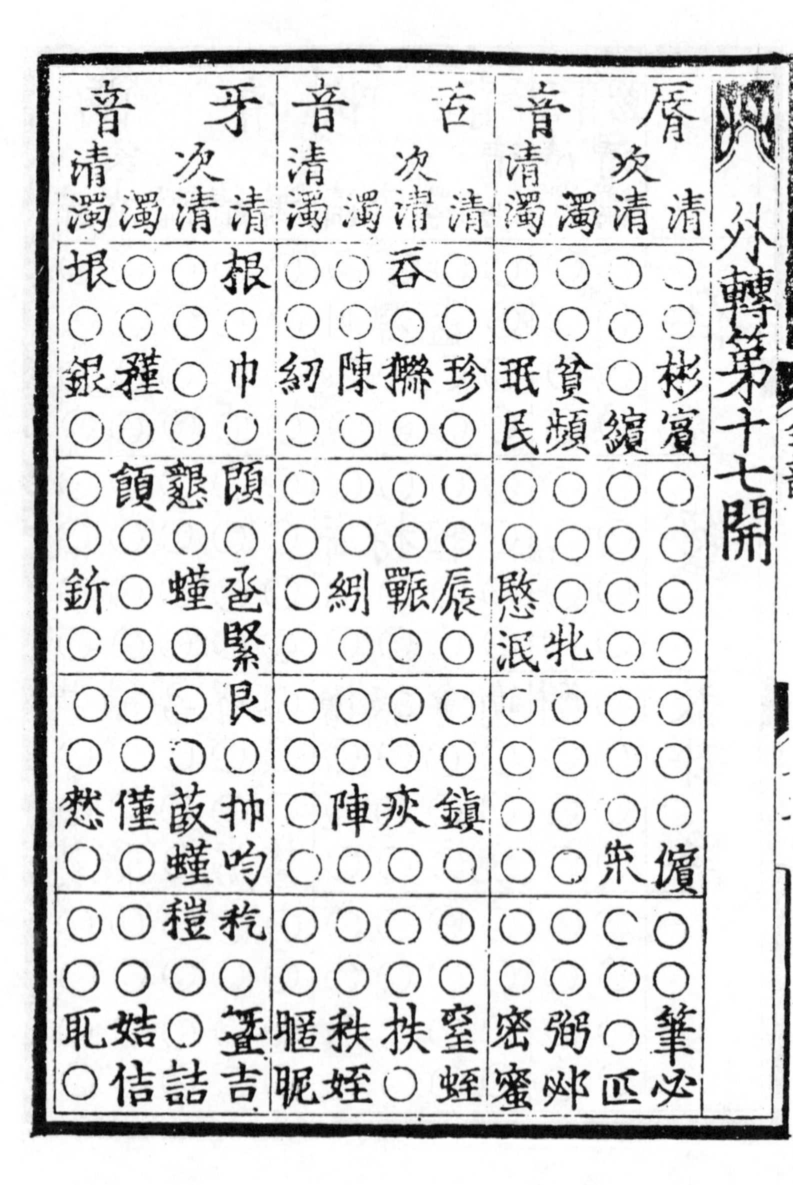

脣音清	脣音次清	脣音濁	脣音清濁	舌音清	舌音次清	舌音濁	舌音清濁	牙音清	牙音次清	牙音濁	牙音清濁
○	○	○	○	○	吞	○	○	根	○	○	垠
○	○	○	○	○	○	○	○	○	○	○	○
彬	○	貧	珉	珍	撛	陳	紉	巾	○	[illegible]	銀
賓	繽	頻	民	○	○	○	○	○	○	○	○
○	○	○	○	○	○	○	○	頣	懇	[illegible]	○
○	○	○	○	○	○	○	○	○	○	○	○
○	○	○	愍	屒	[illegible]	紖	○	巹	螼	○	釿
○	○	牝	泯	○	○	○	○	緊	○	○	○
○	○	○	○	○	○	○	○	艮	○	○	○
○	○	○	○	○	○	○	○	○	○	○	○
○	○	○	○	鎭	疢	陣	○	抻	菣	僅	憖
儐	[illegible]	○	○	○	○	○	○	呁	螼	○	○
○	○	○	○	○	○	○	○	秔	䅲	○	○
○	○	○	○	○	○	○	○	○	○	○	○
筆	○	弼	密	窒	抶	秩	暱	[illegible]	○	姞	耴
必	匹	邲	蜜	蛭	○	姪	眤	吉	詰	佶	○

齒音					喉音				舌音	齒音	
清	次清	濁	清	濁	清	清	濁	清濁	清濁	清濁	
○	○	○	○	○	恩	○	痕	○	○	○	痕臻眞
臻	○	蓁	莘	○	○	○	○	○	○	○	
眞	瞋	神	申	辰	䜭	○	○	囙	鄰	人	
津	親	秦	辛	○	因	○	礥	寅	○	○	
○	○	○	○	○	穩	○	很	○	○	○	很軫
○	齔	濜	○	○	○	[illegible]	○	○	○	○	
軫	○	○	矧	腎	○	胗	○	隕	嶙	忍	
儘	笉	盡	○	○	○	○	○	引	○	○	
○	○	○	○	○	𩟍	○	恨	○	○	○	恨震
○	櫬	○	○	○	○	○	○	○	○	○	
震	○	○	眒	愼	○	○	○	○	遴	刃	
晉	親	○	信	賮	印	衅	○	酳	○	○	
○	○	○	○	○	○	○	麧	○	○	○	没櫛質
櫛	○	齣	瑟	○	○	○	○	○	○	○	
質	叱	實	失	○	乙	肸	○	颶	栗	月	
堲	七	疾	悉	○	一	欯	○	逸	○	○	

外轉第十八合

唇音 清	唇音 次清	唇音 濁	唇音 清濁	舌音 清	舌音 次清	舌音 濁	舌音 清濁	牙音 清	牙音 次清	牙音 濁	牙音 清濁
奔	歕	盆	門	敦	暾	屯	磨	昆	坤	○	僤
○	○	○	○	○	○	○	○	○	○	○	○
○	礥	○	○	迍	椿	䣩	○	麏	囷	○	○
○	○	○	○	○	○	○	○	均	○	[illegible]	○
本	栩	獖	懣	○	畽	囤	炳	𩩲	閫	○	○
○	○	○	○	○	○	○	○	○	○	○	○
○	○	○	○	○	偆	○	○	○	稇	窘	○
○	○	○	○	○	○	○	○	○	○	○	○
奔	噴	坌	悶	頓	黗	鈍	嫩	睔	困	○	顐
○	○	○	○	○	○	○	○	○	○	○	○
○	○	○	○	○	○	○	○	○	○	○	○
○	○	○	○	○	○	○	○	呁	○	○	○
○	誶	勃	没	咄	宊	突	訥	骨	窟	○	兀
○	○	○	○	○	○	○	○	○	○	○	○
○	○	○	○	怢	黜	朮	○	○	○	屈	○
○	○	○	○	○	○	○	○	橘	○	趫	○

	齒音 清	次清	濁	清	濁	喉音 清	清	濁	清濁	舌音 清濁	齒音 清濁
魂	尊	村	存	孫	○	温	昏	魂	○	論	○
	○	○	○	○	○	○	○	○	○	○	○
諄	諄	春	脣	媋	純	贇	○	○	筠	倫	犉
	遵	逡	鷷	荀	旬	奫	○	○	勻	○	○
混	剸	忖	鱒	損	○	穩	惣	混	○	惀	○
	○	○	○	○	○	○	○	○	○	○	○
準	準	蠢	盾	賰	○	○	○	○	○	耣	[illegible]
	○	○	○	筍	揗	○	○	○	尹	○	蝡
慁	焌	寸	鐏	巽	○	揾	惛	慁	○	論	○
	○	○	○	○	○	○	○	○	○	○	○
稕	稕	○	○	舜	順	○	○	○	○	○	閏
	雋	○	○	峻	殉	○	○	○	○	○	○
沒	卒	猝	捽	窣	○	頞	忽	搰	○	䫱	○
	[illegible]	○	○	率	○	○	○	○	○	○	○
術	[illegible]	出	術	○	○	○	○	○	○	律	○
	卒	焌	崒	恤	○	○	獝	○	聿	○	○

外轉第十九開

脣音 清	脣音 次清	脣音 濁	脣音 清濁	舌音 清	舌音 次清	舌音 濁	舌音 清濁	牙音 清	牙音 次清	牙音 濁	牙音 清濁
○	○	○	○	○	○	○	○	○	○	○	○
○	○	○	○	○	○	○	○	○	○	○	○
○	○	○	○	○	○	○	○	斤	○	勤	𧇹
○	○	○	○	○	○	○	○	○	○	○	○
○	○	○	○	○	○	○	○	○	○	○	○
○	○	○	○	○	○	○	○	○	○	○	○
○	○	○	○	○	○	○	○	謹	赾	近	听
○	○	○	○	○	○	○	○	○	○	○	○
○	○	○	○	○	○	○	○	○	○	○	○
○	○	○	○	○	○	○	○	○	○	○	○
○	○	○	○	○	○	○	○	靳	○	近	垽
○	○	○	○	○	○	○	○	○	○	○	○
○	○	○	○	○	○	○	○	○	○	○	○
○	○	○	○	○	○	○	○	○	○	○	○
○	○	○	○	○	○	○	○	訖	乞	趌	疙
○	○	○	○	○	○	○	○	○	○	○	○

	舌音齒 清濁	清濁	喉音 清濁	濁	清	清	齒音 濁	清	濁	次清	清
欣	○	○	○	○	○	○	○	○	○	○	○
	○	○	○	○	○	○	○	○	○	○	○
	○	○	○	○	欣	殷	○	○	○	○	○
	○	○	○	○	○	○	○	○	○	○	○
隱	○	○	○	○	○	○	○	○	○	○	○
	○	○	○	○	○	○	○	○	○	○	○
	○	○	○	○	蟪	隱	○	○	○	○	○
	○	○	○	○	○	○	○	○	○	○	○
焮	○	○	○	○	○	○	○	○	○	○	○
	○	○	○	○	○	○	○	○	○	○	○
	○	○	○	○	焮	億	○	○	○	○	○
	○	○	○	○	○	○	○	○	○	○	○
迄	○	○	○	○	○	○	○	○	○	○	○
	○	○	○	○	○	○	○	○	○	○	○
	○	○	○	○	迄	○	○	○	○	○	○
	○	○	○	○	○	○	○	○	○	○	○

外轉第二十合

脣音清	脣音次清	脣音濁	脣音清濁	舌音清	舌音次清	舌音濁	舌音清濁	牙音清	牙音次清	牙音濁	牙音清濁
○	○	○	○	○	○	○	○	○	○	○	○
○	○	○	○	○	○	○	○	○	○	○	○
分	芬	汾	文	○	○	○	○	君	○	群	○
○	○	○	○	○	○	○	○	○	○	○	○
○	○	○	○	○	○	○	○	○	○	○	○
○	○	○	○	○	○	○	○	○	○	○	○
粉	忿	憤	吻	○	○	○	○	攟	䞑	○	齳
○	○	○	○	○	○	○	○	○	○	○	○
○	○	○	○	○	○	○	○	○	○	○	○
○	○	○	○	○	○	○	○	○	○	○	○
糞	○	分	問	○	○	○	○	攈	○	郡	○
○	○	○	○	○	○	○	○	○	○	○	○
○	○	○	○	○	○	○	○	○	○	○	○
○	○	○	○	○	○	○	○	○	○	○	○
弗	拂	佛	物	○	○	○	○	亥	屈	倔	崛
○	○	○	○	○	○	○	○	○	○	○	○

韻	齒音					喉音				舌音	齒
	清	次清	濁	清	濁	清	清	濁	清濁	清濁	清濁
文	○	○	○	○	○	○	○	○	○	○	○
	○	○	○	○	○	○	○	○	○	○	○
	○	○	○	○	○	熅	熏	○	雲	○	○
	○	○	○	○	○	○	○	○	○	○	○
吻	○	○	○	○	○	○	○	○	○	○	○
	○	○	○	○	○	○	○	○	○	○	○
	○	○	○	○	○	惲	○	○	抎	○	○
	○	○	○	○	○	○	○	○	○	○	○
問	○	○	○	○	○	○	○	○	○	○	○
	○	○	○	○	○	○	○	○	○	○	○
	○	○	○	○	○	醞	訓	○	運	○	○
	○	○	○	○	○	○	○	○	○	○	○
物	○	○	○	○	○	○	○	○	○	○	○
	○	○	○	○	○	○	○	○	○	○	○
	○	○	○	○	○	鬱	颮	○	颵	○	○
	○	○	○	○	○	○	○	○	○	○	○

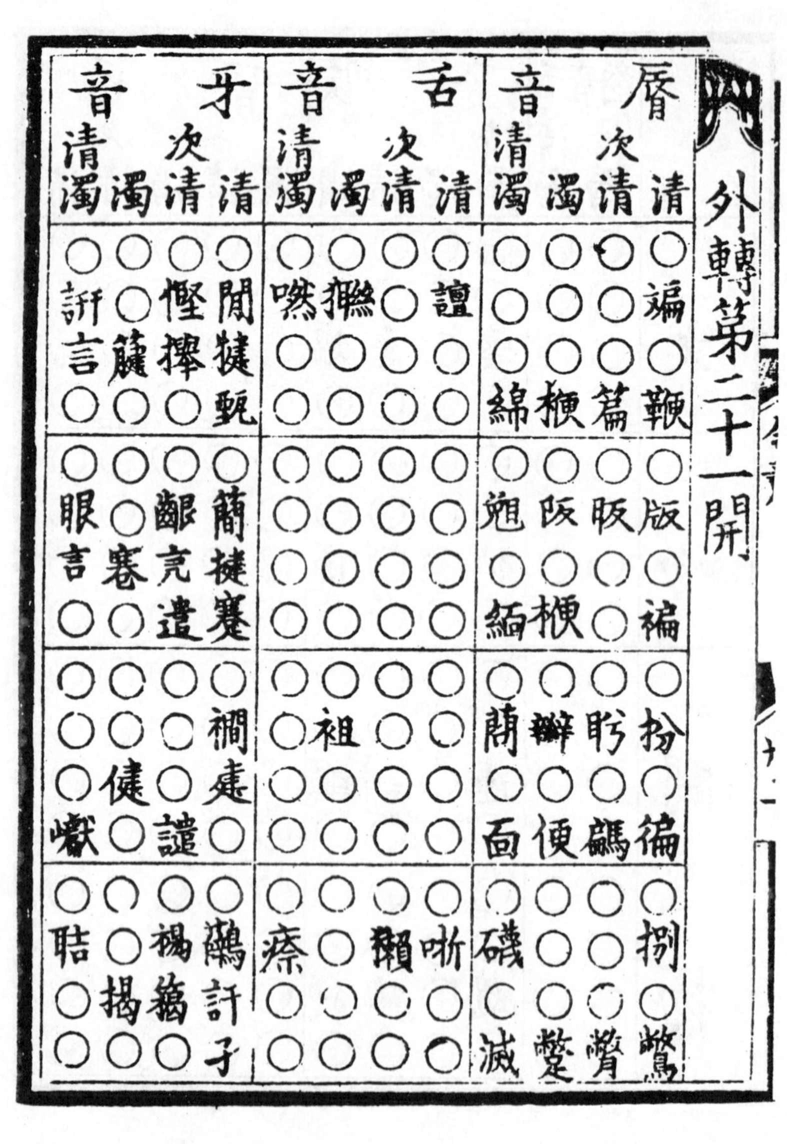

外轉第二十一開

脣音 清	脣音 次清	脣音 濁	脣音 清濁	舌音 清	舌音 次清	舌音 濁	舌音 清濁	牙音 清	牙音 次清	牙音 濁	牙音 清濁
○	○	○	○	○	○	○	○	○	○	○	○
編	○	○	○	譠	○	撚	嘫	間	慳	○	訮
○	○	○	○	○	○	○	○	犍	攑	騝	言
鞭	篇	楩	綿	○	○	○	○	甄	○	○	○
○	○	○	○	○	○	○	○	○	○	○	○
版	眅	阪	[illegible]	○	○	○	○	簡	齦	○	眼
○	○	○	○	○	○	○	○	揵	亮	寋	言
褊	○	楩	緬	○	○	○	○	蹇	遣	○	○
○	○	○	○	○	○	○	○	○	○	○	○
扮	盼	辦	蔄	○	○	袒	○	襇	○	○	○
○	○	○	○	○	○	○	○	建	○	健	○
徧	騗	便	面	○	○	○	○	○	譴	○	囐
○	○	○	○	○	○	○	○	○	○	○	○
捌	○	○	礣	哳	獺	○	瘵	鶡	楬	○	聐
○	○	○	○	○	○	○	○	訐	䅥	揭	○
鷩	瞥	蹩	滅	○	○	○	○	孑	○	○	○

韻	齒音 清	次清	濁	清	濁	喉音 清	清	濁	清濁	舌音 清濁	齒 清濁
山元仙	○	○	○	○	○	○	○	○	○	○	○
	○	貚	虥	山	○	黰	羴	閑	○	斕	○
	○	○	○	○	○	焉	軒	○	○	○	○
	煎	遷	錢	仙	涎	○	○	○	延	○	○
產阮獮	○	○	○	○	○	○	○	○	○	○	○
	醆	剗	棧	產	○	○	○	限	○	○	○
	○	○	○	○	○	堰	幰	○	○	○	○
	翦	淺	踐	獮	縒	○	○	○	演	○	○
襉願線	○	○	○	○	○	○	○	○	○	○	○
	○	○	○	○	○	○	○	莧	○	○	○
	○	○	○	○	○	堰	憲	○	○	○	○
	箭	○	賤	線	羨	○	○	○	衍	○	○
鎋月薛	○	○	○	○	○	○	○	○	○	○	○
	鏩	刹	○	殺	○	鶡	瞎	鎋	○	○	髾
	○	○	○	○	○	○	歇	○	○	○	○
	蠽	竊	○	薛	○	焆	○	○	抴	列	熱

外轉第二十二合

	脣音 清	脣音 次清	脣音 濁	脣音 清濁	舌音 清	舌音 次清	舌音 濁	舌音 清濁	牙音 清	牙音 次清	牙音 濁	牙音 清濁
1	○	○	○	○	○	○	○	○	○	○	○	○
2	○	○	○	○	○	○	窀	○	鱞	○	[illegible]	頑
3	蕃	翻	煩	樠	○	○	○	○	○	○	○	元
4	○	○	○	○	鱹 丁全反	○	○	○	○	○	○	○
5	○	○	○	○		○	○	○	○	○	○	○
6	○	○	○	○	○	○	○	○	○	○	○	○
7	反	○	飯	晩	○	○	○	○	卷	[illegible]	埢	阮
8	○	○	○	○	○	○	○	○	○	○	[illegible]	○
9	○	○	○	○	○	○	○	○	○	○	○	○
10	○	○	○	○	○	○	○	○	鱞	○	○	○
11	販	嬔	飰	万	○	○	○	○	[illegible]	券	圏	願
12	○	○	○	○	○	○	○	○	絹	○	○	○
13	○	○	○	○	○	○	○	○	○	○	○	○
14	○	○	○	○	[illegible]	頹	○	呐	刮	○	○	刖
15	髮	怖	伐	韈	○	[illegible]	○	○	厥	闕	[illegible]	月
16	○	○	○	○	○	○	○	○	○	鈌	○	○

	齒音 清	齒音 次清	齒音 濁	齒音 清	齒音 濁	喉音 清	喉音 清	喉音 濁	喉音 清濁	舌音 清濁	齒 清濁
山元仙	○	○	○	○	○	○	○	○	○	○	○
	○	悛	○	拴	○	嬽	○	湲	○	欒	○
	○	○	○	○	○	鴛	○	○	袁	○	○
	鐫	詮	全	宣	旋	娟	翾	○	沿	○	○
產阮獮	○	○	○	○	○	○	○	○	○	○	○
	○	○	○	○	○	○	○	○	○	○	○
	○	○	○	○	○	婉	晅	○	遠	○	○
	臇	○	雋	選	○	○	蠉	○	兖	○	輭
裥願線	○	○	○	○	○	○	○	○	○	○	○
	○	○	○	○	○	○	○	幻	○	○	○
	○	○	○	○	○	怨	楦	○	遠	○	○
	○	○	○	選	旋	○	○	○	掾	○	○
鎋月薛	○	○	○	○	○	○	○	○	○	○	○
	茁	纂	○	刷	○	○	○	頢	○	○	○
	○	○	○	○	○	嬮	颰	○	越	○	○
	蕝	膬	絕	雪	搜	妜	旻	○	悅	劣	○

外轉第二十三開

脣音 清	脣音 次清	脣音 濁	脣音 清濁	舌音 清	舌音 次清	舌音 濁	舌音 清濁	牙音 清	牙音 次清	牙音 濁	牙音 清濁
○	○	○	○	單	灘	壇	難	干	看	○	豻
○	○	○	○	○	○	○	○	姦	馯	○	顏
○	○	○	○	邅	脠	纏	○	甄	愆	乾	妍
邊	○	蹁	眠	顛	天	田	年	堅	牽	○	研
○	○	○	○	亶	坦	但	攤	笴	侃	○	○
○	○	○	○	○	○	○	赧	○	○	○	齗
辡	鶣	辮	免	展	搌	邅	趁	蹇	○	件	𤯔
編	○	辯	沔	典	腆	殄	撚	繭	遣	○	齞
○	○	○	○	旦	炭	憚	難	肝	侃	○	岸
○	○	○	○	○	㬻	○	○	諫	○	○	鴈
○	○	○	○	○	○	邅	輾	○	○	○	彥
徧	片	辨	麪	殿	瑱	電	晛	見	俔	○	硯
○	○	○	[illegible]	怛	闥	達	捺	葛	渴	○	嶭
八	○	拔	[illegible]	呾	○	噠	痆	戛	䯊	○	○
鼈	○	别	○	哲	徹	轍	○	揭	朅	傑	孽
鷩	瞥	蹩	𢅁	窒	鐵	姪	涅	結	揳	○	齧

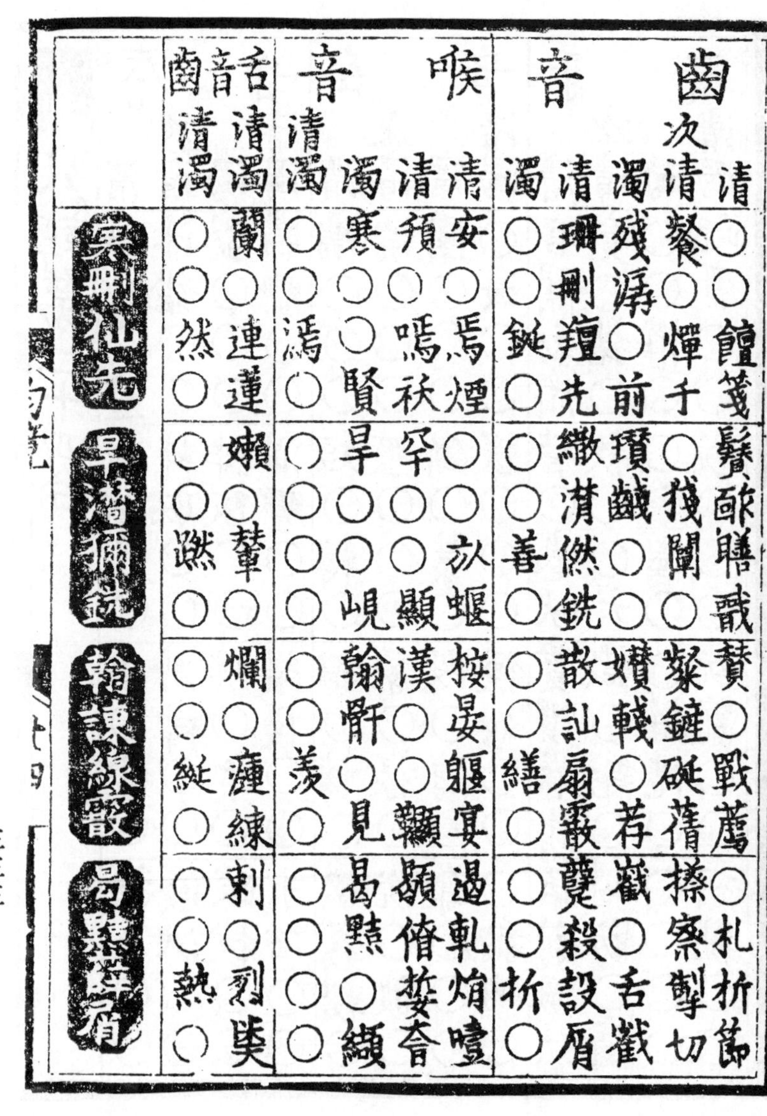

韻	舌齒音 清濁	舌齒音 清濁	喉音 清濁	喉音 濁	喉音 清	喉音 清	齒音 濁	齒音 清	齒音 濁	齒音 次清	齒音 清
寒	○	闌	○	寒	頇	安	○	珊	殘	餐	○
刪	○	○	○	○	○	○	○	删	潺	○	○
仙	然	連	漹	○	嗎	焉	鋋	羶	○	燀	饘
先	○	蓮	○	賢	祆	煙	○	先	前	千	箋
旱	○	嬾	○	旱	罕	○	○	繖	瓚	○	𩯭
潸	○	○	○	○	○	○	○	潸	[illegible]	[illegible]	醆
獮	蹨	輦	○	○	○	㫃	善	燃	○	闡	膳
銑	○	○	○	峴	顯	蝘	○	銑	○	○	戩
翰	○	爛	○	翰	漢	按	○	散	㜺	粲	贊
諫	○	○	○	骭	○	晏	○	訕	輚	鏟	○
線	綖	[illegible]	羨	○	○	躽	繕	扇	○	硟	戰
霰	○	練	○	見	韅	宴	○	霰	荐	蒨	薦
曷	○	剌	○	曷	[illegible]	遏	○	躠	巀	擦	○
黠	○	○	○	黠	傄	軋	○	殺	○	察	札
薛	熱	列	○	○	娎	焆	折	設	舌	掣	折
屑	○	戾	○	纈	[illegible]	噎	○	屑	巀	切	節

外轉第二十四合

脣音 清	脣音 次清	脣音 濁	脣音 清濁	舌音 清	舌音 次清	舌音 濁	舌音 清濁	牙音 清	牙音 次清	牙音 濁	牙音 清濁
[illegible]	潘	盤	瞞	端	湍	團	○	官	寬	○	岏
班	攀	○	蠻	○	○	○	奻	關	○	○	[illegible]
○	○	○	○	○	○	○	○	勬	棬	權	○
邊	○	○	○	○	○	○	○	涓	○	○	○
叛	坢	伴	滿	短	疃	斷	暖	管	款	○	輐
版	眅	阪	矕	○	○	○	○	○	○	○	○
○	○	○	○	轉	○	篆	○	卷	○	圈	○
○	○	○	○	○	○	○	○	畎	犬	○	○
半	判	畔	縵	鍛	彖	段	偄	貫	鏉	○	玩
○	襻	○	慢	○	○	○	奻	慣	○	[illegible]	薍
變	○	卞	○	囀	掾	傳	○	眷	[illegible]	倦	○
○	○	○	○	○	○	○	○	睊	○	○	○
撥	潑	跋	末	掇	侻	奪	○	括	闊	○	枂
八	汃	拔	[illegible]	窡	○	○	豽	劀	[illegible]	○	[illegible]
○	○	○	○	輟	袚	○	吶	蹶	○	○	○
○	○	○	○	○	○	○	○	玦	闋	○	○

齒音 清	次清	濁	清	濁	喉音 清	清	濁	清濁	舌音 清濁	齒音 清濁	
鑽	○	攢	酸	○	剜	歡	桓	○	鑾	○	桓
跧	○	狗	○	○	彎	○	還	○	○	○	刪
專	穿	船	○	遄	○	嬛	○	員	攣	堧	仙
○	○	○	○	○	淵	儇	玄	○	○	○	先
纂	○	酇	算	○	捥	渜	緩	○	卵	○	緩
○	孱	撰	○	○	綰	○	睆	○	○	○	潸
剸	舛	○	膞	○	宛	○	○	○	臠	腝	獮
○	○	○	旋	○	蜎	○	泫	○	○	○	銑
穳	竄	攢	筭	○	惋	喚	換	○	亂	○	換
○	篡	饌	孿	○	綰	○	患	○	○	○	諫
剸	釧	○	○	捷	○	○	縣	瑗	戀	㬉	線
○	○	○	○	○	餶	絢	○	○	○	○	霰
繓	撮	柮	㓢	○	斡	豁	活	○	捋	○	末
茁	○	○	刷	○	○	傄	滑	○	○	○	黠
拙	歠	○	說	○	噦	旻	○	○	劣	爇	薛
○	○	○	○	○	抉	血	穴	○	○	○	屑

外轉第二十五開

脣音 清	脣音 次清	脣音 濁	脣音 清濁	舌音 清	舌音 次清	舌音 濁	舌音 清濁	牙音 清	牙音 次清	牙音 濁	牙音 清濁
褒	橐	袍	毛	刀	饕	陶	猱	高	尻	○	敖
包	胞	庖	茅	嘲	颵	桃	鐃	交	敲	○	聱
鑣	藨	○	苗	朝	超	晁	○	驕	蹻	喬	堯
○	○	○	○	貂	挑	迢	○	驍	鄡	○	嶢
寶	犥	抱	蓩	倒	討	道	腦	暠	考	○	積
飽	○	鮑	卯	䝤	○	○	獿	絞	巧	○	齩
表	麃	藨	○	○	巐	趙	○	矯	○	髚	○
○	○	○	○	鳥	朓	窕	嬲	皎	磽	○	○
報	○	暴	帽	到	○	導	臑	誥	鎬	○	傲
豹	奅	皰	貌	罩	趠	棹	橈	教	敲	○	樂
○	○	○	廟	○	朓	召	○	驕	○	嶠	○
○	○	○	○	弔	糶	藋	尿	叫	竅	○	顤
○	○	○	○	○	○	○	○	○	○	○	○
○	○	○	○	○	○	○	○	○	○	○	○
○	○	○	○	○	○	○	○	○	○	○	○
○	○	○	○	○	○	○	○	○	○	○	○

	齒音 清	齒音 次清	齒音 濁	齒音 清	齒音 濁	喉音 清	喉音 清	喉音 濁	喉音 清濁	舌音 清濁	齒音 清濁
豪	糟	操	曹	騷	○	鏖	蒿	豪	○	勞	○
爻	[illegible]	譟	巢	梢	○	[illegible]	虓	肴	○	顟	○
宵	昭	怊	○	燒	韶	妖	囂	○	鴞	僚	饒
蕭	○	○	○	蕭	○	幺	膮	○	○	聊	○
晧	早	草	皁	嫂	○	襖	好	晧	○	老	○
巧	爪	煼	巐	[illegible]	○	拗	○	澩	○	○	○
小	沼	麵	○	少	紹	殀	○	○	○	繚	擾
篠	湫	○	○	篠	○	杳	曉	皛	○	了	○
號	竈	操	漕	喿	○	奧	秏	號	○	嫪	○
效	抓	抄	巢	稍	○	靿	孝	效	○	○	○
笑	照	○	○	少	邵	○	○	○	○	療	饒
嘯	○	○	○	嘯	○	窔	歊	○	○	顟	○
	○	○	○	○	○	○	○	○	○	○	○
	○	○	○	○	○	○	○	○	○	○	○
	○	○	○	○	○	○	○	○	○	○	○
	○	○	○	○	○	○	○	○	○	○	○

外轉第二十六合

脣音清	脣音次清	脣音濁	脣音清濁	舌音清	舌音次清	舌音濁	舌音清濁	牙音清	牙音次清	牙音濁	牙音清濁
○	○	○	○	○	○	○	○	○	○	○	○
○	○	○	○	○	○	○	○	○	○	○	○
○	○	○	○	○	○	○	○	○	○	○	○
飆	漂	瓢	蜱	○	○	○	○	○	蹻	翹	○
○	○	○	○	○	○	○	○	○	○	○	○
○	○	○	○	○	○	○	○	○	○	○	○
○	○	○	○	○	○	○	○	○	○	○	○
褾	縹	摽	眇	○	○	○	○	耴	○	○	○
○	○	○	○	○	○	○	○	○	○	○	○
○	○	○	○	○	○	○	○	○	○	○	○
○	○	○	○	○	○	○	○	○	○	○	○
○	剽	驃	妙	○	○	○	○	○	[illegible]	翹	趬
○	○	○	○	○	○	○	○	○	○	○	○
○	○	○	○	○	○	○	○	○	○	○	○
○	○	○	○	○	○	○	○	○	○	○	○
○	○	○	○	○	○	○	○	○	○	○	○

	齒音 清	齒音 次清	齒音 濁	齒音 清	齒音 濁	喉音 清	喉音 清	喉音 濁	喉音 清濁	舌音齒 清濁	舌音齒 清濁
	○	○	○	○	○	○	○	○	○	○	○
	○	○	○	○	○	○	○	○	○	○	○
	○	○	○	○	○	○	○	○	○	○	○
霄	焦	鍫	樵	宵	○	要	○	○	遙	○	○
	○	○	○	○	○	○	○	○	○	○	○
	○	○	○	○	○	○	○	○	○	○	○
	○	○	○	○	○	○	○	○	○	○	○
小	勦	悄	潐	小	○	闄	○	○	鷕	○	○
	○	○	○	○	○	○	○	○	○	○	○
	○	○	○	○	○	○	○	○	○	○	○
	○	○	○	○	○	○	○	○	○	○	○
笑	醮	陗	噍	笑	○	要	○	○	燿	○	○
	○	○	○	○	○	○	○	○	○	○	○
	○	○	○	○	○	○	○	○	○	○	○
	○	○	○	○	○	○	○	○	○	○	○
	○	○	○	○	○	○	○	○	○	○	○

內轉第二十七合

脣音 清	脣音 次清	脣音 濁	脣音 清濁	舌音 清	舌音 次清	舌音 濁	舌音 清濁	牙音 清	牙音 次清	牙音 濁	牙音 清濁
○	○	○	○	多	他	駝	那	歌	珂	○	莪
○	○	○	○	○	○	○	○	○	○	○	○
○	○	○	○	○	○	○	○	○	○	○	○
○	○	○	○	○	○	○	○	○	○	○	○
○	○	○	○	癉	○	袲	橠	哿	可	○	我
○	○	○	○	○	○	○	○	○	○	○	○
○	○	○	○	○	○	○	○	○	○	○	○
○	○	○	○	○	○	○	○	○	○	○	○
○	○	○	○	跢	拖	馱	奈	箇	坷	○	餓
○	○	○	○	○	○	○	○	○	○	○	○
○	○	○	○	○	○	○	○	○	○	○	○
○	○	○	○	○	○	○	○	○	○	○	○
○	○	○	○	○	○	○	○	○	○	○	○
○	○	○	○	○	○	○	○	○	○	○	○
○	○	○	○	○	○	○	○	○	○	○	○
○	○	○	○	○	○	○	○	○	○	○	○

	齒音 清	齒音 次清	齒音 濁	齒音 清	齒音 濁	喉音 清	喉音 清	喉音 濁	喉音 清濁	舌音 清濁	齒音 清濁
歌	○	蹉	醝	娑	○	阿	訶	何	○	羅	○
	○	○	○	○	○	○	○	○	○	○	○
	○	○	○	○	○	○	○	○	○	○	○
	○	○	○	○	○	○	○	○	○	○	○
哿	左	瑳	○	縒	○	閜	㰤	荷	○	砢	○
	○	○	○	○	○	○	○	○	○	○	○
	○	○	○	○	○	○	○	○	○	○	○
	○	○	○	○	○	○	○	○	○	○	○
箇	佐	磋	○	些	○	○	呵	賀	○	邏	○
	○	○	○	○	○	○	○	○	○	○	○
	○	○	○	○	○	○	○	○	○	○	○
	○	○	○	○	○	○	○	○	○	○	○
	○	○	○	○	○	○	○	○	○	○	○
	○	○	○	○	○	○	○	○	○	○	○
	○	○	○	○	○	○	○	○	○	○	○
	○	○	○	○	○	○	○	○	○	○	○

内轉第二十八合

𩨐去靴反

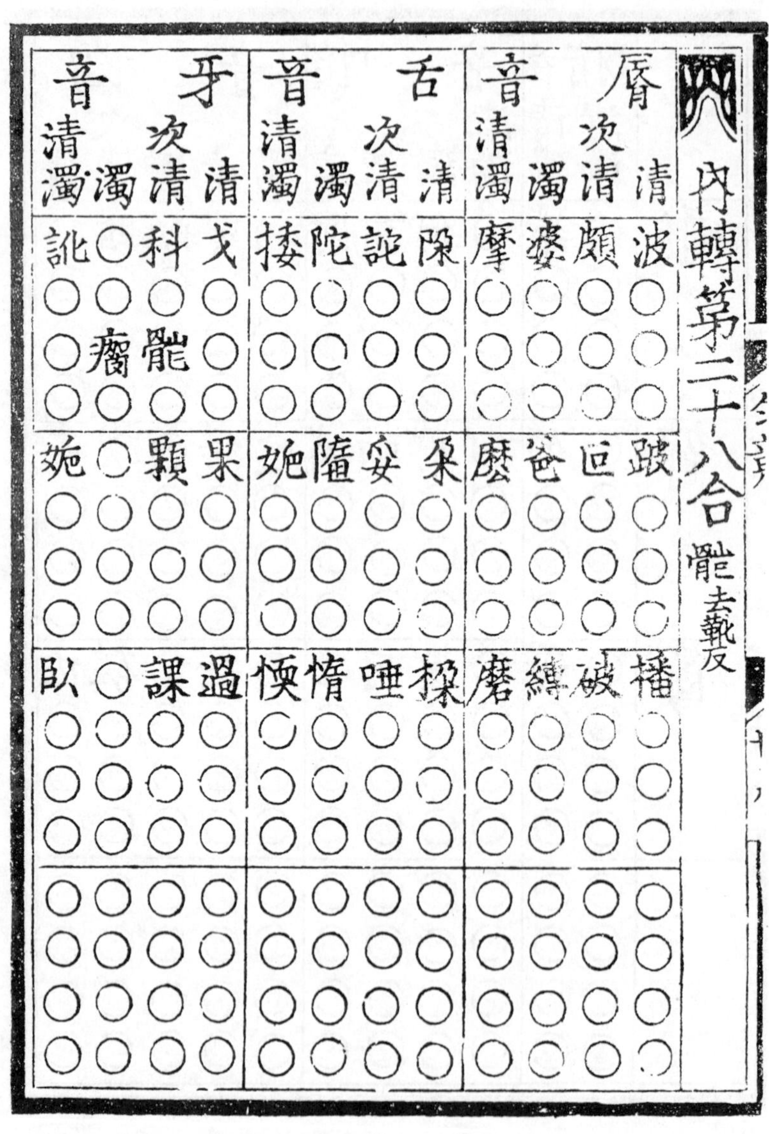

脣音				舌音				牙音			
清	次清	濁	清濁	清	次清	濁	清濁	清	次清	濁	清濁
波	頗	婆	摩	陙	詑	陀	捼	戈	科	○	訛
○	○	○	○	○	○	○	○	○	○	○	○
○	○	○	○	○	○	○	○	○	𩨐	瘸	○
○	○	○	○	○	○	○	○	○	○	○	○
跛	叵	爸	麼	朶	妥	墮	娞	果	顆	○	婐
○	○	○	○	○	○	○	○	○	○	○	○
○	○	○	○	○	○	○	○	○	○	○	○
○	○	○	○	○	○	○	○	○	○	○	○
播	破	縛	磨	桗	唾	惰	愞	過	課	○	臥
○	○	○	○	○	○	○	○	○	○	○	○
○	○	○	○	○	○	○	○	○	○	○	○
○	○	○	○	○	○	○	○	○	○	○	○
○	○	○	○	○	○	○	○	○	○	○	○
○	○	○	○	○	○	○	○	○	○	○	○
○	○	○	○	○	○	○	○	○	○	○	○
○	○	○	○	○	○	○	○	○	○	○	○

	齒音					喉音				舌音	齒音
	清	次清	濁	清	濁	清	清	濁	清濁	清濁	清濁
戈	侳	遳	矬	莎	○	倭	○	和	○	臝	○
	○	○	○	○	○	○	○	○	○	○	○
	○	○	○	○	○	肥	靴	○	○	○	○
	○	○	○	○	○	○	○	○	○	○	○
果	[illegible]	脞	坐	鎖	○	婐	火	禍	○	躶	○
	○	○	○	○	○	○	○	○	○	○	○
	○	○	○	○	○	○	○	○	○	○	○
	○	○	○	○	○	○	○	○	○	○	○
過	挫	剉	座	膹	○	涴	貨	和	○	[illegible]	○
	○	○	○	○	○	○	○	○	○	○	○
	○	○	○	○	○	○	○	○	○	○	○
	○	○	○	○	○	○	○	○	○	○	○
	○	○	○	○	○	○	○	○	○	○	○
	○	○	○	○	○	○	○	○	○	○	○
	○	○	○	○	○	○	○	○	○	○	○
	○	○	○	○	○	○	○	○	○	○	○

內轉第二十九開

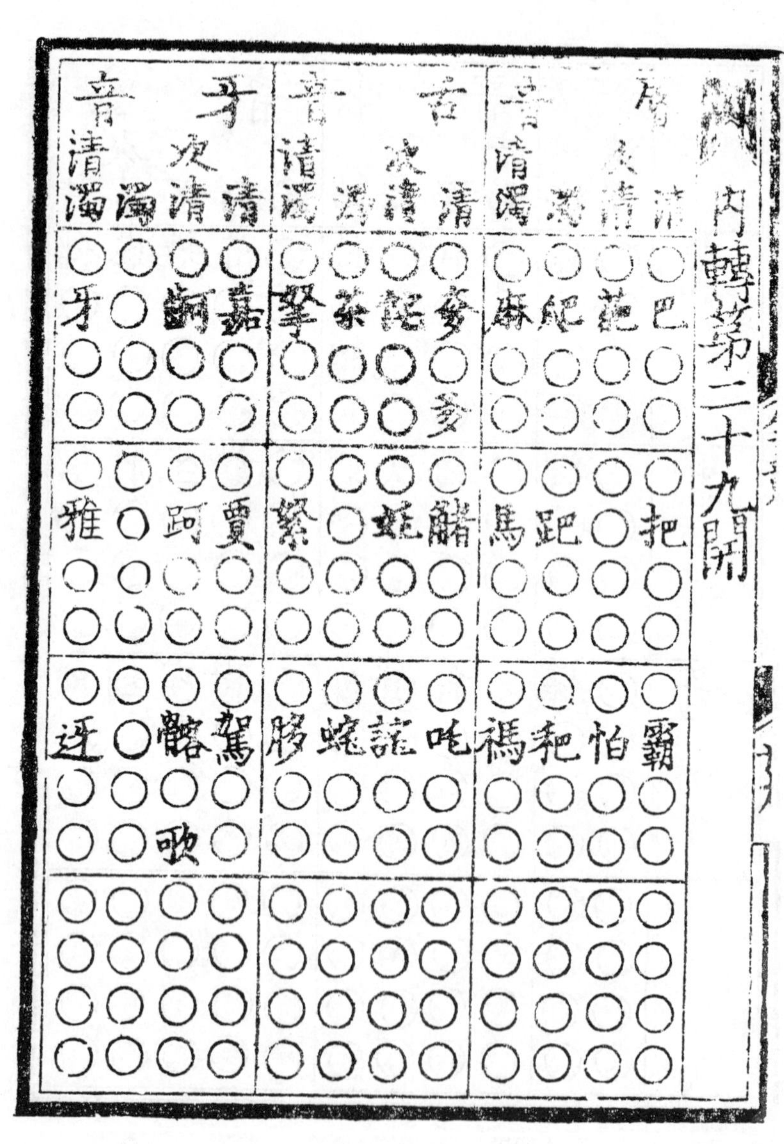

脣音清	脣音次清	脣音濁	脣音清濁	舌音清	舌音次清	舌音濁	舌音清濁	牙音清	牙音次清	牙音濁	牙音清濁
○	○	○	○	○	○	○	○	○	○	○	○
巴	葩	爬	麻	爹	侘	茶	拏	嘉	䶗	○	牙
○	○	○	○	○	○	○	○	○	○	○	○
○	○	○	○	爹	○	○	○	○	○	○	○
○	○	○	○	○	○	○	○	○	○	○	○
把	○	跁	馬	觰	姹	○	縏	賈	跒	○	雅
○	○	○	○	○	○	○	○	○	○	○	○
○	○	○	○	○	○	○	○	○	○	○	○
○	○	○	○	○	○	○	○	○	○	○	○
霸	怕	杷	禡	吒	詫	蛇	膀	駕	髂	○	迓
○	○	○	○	○	○	○	○	○	○	○	○
○	○	○	○	○	○	○	○	○	歌	○	○
○	○	○	○	○	○	○	○	○	○	○	○
○	○	○	○	○	○	○	○	○	○	○	○
○	○	○	○	○	○	○	○	○	○	○	○
○	○	○	○	○	○	○	○	○	○	○	○

	齒音 清	次清	濁	清	濁	喉音 清	清	濁	清濁	舌音 清濁	齒 清濁
麻	○	○	○	○	○	○	○	○	○	○	○
	摣	叉	槎	鯊	○	鴉	煆	遐	○	○	○
	遮	車	蛇	奢	闍	○	○	○	○	儸	若
	嗟	○	查	些	邪	○	○	○	耶	○	○
馬 藞盧下反	○	○	○	○	○	○	○	○	○	○	○
	鮓	○	搓	灑	○	啞	閜	下	○	藞	○
	者	奲	○	捨	社	○	○	○	○	○	若
	姐	且	担	寫	灺	○	○	○	野	○	○
禡	○	○	○	○	○	○	○	○	○	○	○
	詐	○	乍	嗄	○	亞	嚇	暇	○	○	○
	拓	趄	射	舍	○	○	○	○	○	○	偌
	唶	笡	褯	蝑	謝	○	○	○	夜	○	○
	○	○	○	○	○	○	○	○	○	○	○
	○	○	○	○	○	○	○	○	○	○	○
	○	○	○	○	○	○	○	○	○	○	○
	○	○	○	○	○	○	○	○	○	○	○

外轉第三十合

脣音 清	脣音 次清	脣音 濁	脣音 清濁	舌音 清	舌音 次清	舌音 濁	舌音 清濁	牙音 清	牙音 次清	牙音 濁	牙音 清濁
○	○	○	○	○	○	○	○	○	○	○	○
○	○	○	○	檛	○	○	○	瓜	誇	○	𠈌
○	○	○	○	○	○	○	○	○	○	○	○
○	○	○	○	○	○	○	○	○	○	○	○
○	○	○	○	○	○	○	○	○	○	○	○
○	○	○	○	觰	䅳	○	○	寡	髁	○	瓦
○	○	○	○	○	○	○	○	○	○	○	○
○	○	○	○	○	○	○	○	○	○	○	○
○	○	○	○	○	○	○	○	○	○	○	○
○	○	○	○	○	○	○	○	坬	跨	○	瓦
○	○	○	○	○	○	○	○	○	○	○	○
○	○	○	○	○	○	○	○	○	○	○	○
○	○	○	○	○	○	○	○	○	○	○	○
○	○	○	○	○	○	○	○	○	○	○	○
○	○	○	○	○	○	○	○	○	○	○	○
○	○	○	○	○	○	○	○	○	○	○	○

	齒音 清	齒音 次清	齒音 濁	齒音 清	齒音 濁	喉音 清	喉音 清	喉音 濁	喉音 清濁	舌音齒 清濁	舌音齒 清濁
麻	○	○	○	○	○	○	○	○	○	○	○
	髽	○	○	○	○	窊	花	華	○	○	○
	○	○	○	○	○	○	○	○	○	○	○
	○	○	○	○	○	○	○	○	○	○	○
馬	○	○	○	○	○	○	○	○	○	○	○
	䶂	䂳	葰	○	○	搲	○	踝	○	○	○
	○	○	○	○	○	○	○	○	○	○	○
	○	○	○	○	○	○	○	○	○	○	○
禡	○	○	○	○	○	○	○	○	○	○	○
	○	○	○	誜	○	攨	化	吴	○	○	○
	○	○	○	○	○	○	○	○	○	○	○
	○	○	○	○	○	○	○	○	○	○	○
	○	○	○	○	○	○	○	○	○	○	○
	○	○	○	○	○	○	○	○	○	○	○
	○	○	○	○	○	○	○	○	○	○	○
	○	○	○	○	○	○	○	○	○	○	○

內轉第三十一開

	脣音 清	脣音 次清	脣音 濁	脣音 清濁	舌音 清	舌音 次清	舌音 濁	舌音 清濁	牙音 清	牙音 次清	牙音 濁	牙音 清濁
1	幫	滂	傍	茫	當	湯	堂	囊	剛	糠	○	卬
2	○	○	○	○	○	○	○	○	○	○	○	○
3	方	芳	房	亡	張	倀	長	孃	薑	羌	強	○
4	○	○	○	○	○	○	○	○	○	○	○	○
5	榜	髈	○	莽	黨	儻	蕩	曩	䲳	慷	○	駠
6	○	○	○	○	○	○	○	○	○	○	○	○
7	昉	髣	○	罔	長	昶	丈	○	繈	○	勥	仰
8	○	○	○	○	○	○	○	○	○	○	○	○
9	螃	○	傍	漭	譡	儻	宕	儾	鋼	抗	○	枊
10	○	○	○	○	○	○	○	○	○	○	○	○
11	放	訪	防	妄	帳	暢	仗	釀	彊	唴	強	軻
12	○	○	○	○	○	○	○	○	○	○	○	○
13	博	䪬	泊	莫	○	託	鐸	諾	各	恪	○	愕
14	○	○	○	○	○	○	○	○	○	○	○	○
15	轉	霹	縛	○	芍	辵	著	逽	腳	卻	噱	虐
16	○	○	○	○	○	○	○	○	○	○	○	○

	齒音 清	齒音 次清	齒音 濁	齒音 清	齒音 濁	喉音 清	喉音 清	喉音 濁	喉音 清濁	舌音 清濁	齒音 清濁
唐	臧	倉	藏	桑	○	鴦	炕	航	○	郎	○
	莊	瘡	牀	霜	○	○	○	○	○	○	○
	章	昌	○	商	常	央	香	○	羊	良	穰
	將	鏘	牆	相	詳	○	○	○	陽	○	○
蕩	駔	蒼	○	顙	○	泱	汻	沆	○	朗	○
	○	磢	○	爽	○	○	○	○	○	○	○
養	掌	敞	○	賞	上	鞅	響	○	○	兩	壤
	獎	搶	○	想	像	○	○	○	養	○	○
宕	葬	稖	藏	喪	○	盎	○	吭	○	浪	○
	壯	刱	狀	○	○	○	○	○	○	○	○
漾	障	唱	○	餉	尚	快	向	○	○	亮	讓
	醬	蹡	匠	相	○	○	○	○	漾	○	○
鐸	作	錯	昨	索	○	惡	臛	涸	○	落	○
	斮	○	○	○	○	○	○	○	○	○	○
藥	灼	綽	○	鑠	杓	約	謔	○	○	略	弱
	爵	鵲	嚼	削	○	○	○	○	藥	○	○

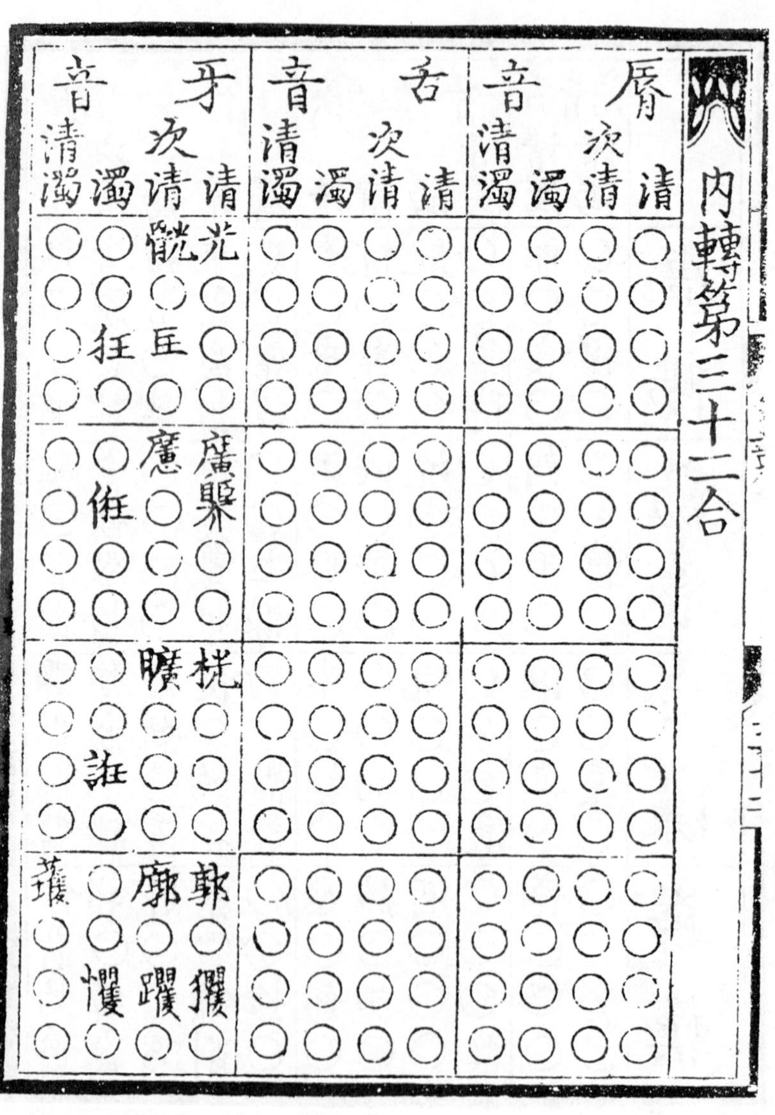

内轉第三十二合

脣音 清	脣音 次清	脣音 濁	脣音 清濁	舌音 清	舌音 次清	舌音 濁	舌音 清濁	牙音 清	牙音 次清	牙音 濁	牙音 清濁
○	○	○	○	○	○	○	○	光	觥	○	○
○	○	○	○	○	○	○	○	○	○	○	○
○	○	○	○	○	○	○	○	○	匡	狂	○
○	○	○	○	○	○	○	○	○	○	○	○
○	○	○	○	○	○	○	○	廣	懬	○	○
○	○	○	○	○	○	○	○	臩	○	俇	○
○	○	○	○	○	○	○	○	○	○	○	○
○	○	○	○	○	○	○	○	○	○	○	○
○	○	○	○	○	○	○	○	桄	曠	○	○
○	○	○	○	○	○	○	○	○	○	○	○
○	○	○	○	○	○	○	○	○	○	誑	○
○	○	○	○	○	○	○	○	○	○	○	○
○	○	○	○	○	○	○	○	郭	廓	○	擭
○	○	○	○	○	○	○	○	○	○	○	○
○	○	○	○	○	○	○	○	玃	躩	戄	○
○	○	○	○	○	○	○	○	○	○	○	○

齒音 清	齒音 次清	齒音 濁	齒音 清	齒音 濁	喉音 清	喉音 清	喉音 濁	喉音 清濁	舌音 清濁	齒 清濁	
○	○	○	○	○	汪	荒	黃	○	○	○	唐
○	○	○	○	○	○	○	○	○	○	○	
○	○	○	○	○	○	○	○	王	○	○	陽
○	○	○	○	○	○	○	○	○	○	○	
○	○	○	○	○	㳹	慌	晃	○	○	○	蕩
○	○	○	○	○	○	○	○	○	○	○	
○	○	○	○	○	枉	怳	○	往	○	○	養
○	○	○	○	○	○	○	○	○	○	○	
○	○	○	○	○	汪	荒	潢	○	○	○	宕
○	○	○	○	○	○	○	○	○	○	○	
○	○	○	○	○	○	況	○	旺	○	○	漾
○	○	○	○	○	○	○	○	○	○	○	
○	○	○	○	○	臒	霍	檴	○	○	○	鐸
○	○	○	○	○	○	○	○	○	○	○	
○	○	○	○	○	嬳	矆	○	篗	○	○	藥
○	○	○	○	○	○	○	○	○	○	○	

外轉第三十三開

脣音 清	脣音 次清	脣音 濁	脣音 清濁	舌音 清	舌音 次清	舌音 濁	舌音 清濁	牙音 清	牙音 次清	牙音 濁	牙音 清濁
○	○	○	○	○	○	○	○	○	○	○	○
閍	磅	彭	盲	䟓	瞠	棖	儜	庚	坑	○	○
兵	○	平	明	○	○	○	○	京	卿	擎	○
幷	○	○	名	○	○	○	○	○	輕	頸	迎
○	○	○	○	○	○	○	○	○	○	○	○
浜	○	鮩	猛	盯	○	瑒	擰	梗	○	○	○
丙	○	○	皿	○	○	○	○	○	○	○	○
餅	○	○	眳	○	○	○	○	頸	○	○	○
○	○	○	○	○	○	○	○	○	○	○	○
榜	烹	膨	孟	倀	牚	鋥	○	更	○	○	硬
柄	○	病	命	○	○	○	○	敬	慶	競	迎
栟	聘	偋	詺	○	○	○	○	勁	○	○	○
○	○	○	○	○	○	○	○	○	○	○	○
伯	拍	白	陌	磔	拆	宅	蹃	格	客	○	額
○	○	欂	○	黐	○	○	○	戟	隙	劇	逆
辟	僻	擗	○	○	剔	○	○	○	○	○	○

	齒音					喉音				舌音	齒音
	清	次清	濁	清	濁	清	清	濁	清濁	清濁	清濁
庚清	○	○	○	○	○	○	○	○	○	○	○
	○	鎗	傖	生	○	○	亨	行	○	○	○
	○	○	○	○	○	英	○	○	○	○	○
	精	清	情	騂	餳	嬰	○	○	盈	○	○
梗靜	○	○	○	○	○	○	○	○	○	○	○
	○	○	○	省	○	䁝	○	杏	○	冷	○
	○	○	○	○	○	影	○	○	○	○	○
	井	請	靜	省	○	癭	○	○	○	○	○
敬勁	○	○	○	○	○	○	○	○	○	○	○
	○	○	○	○	○	○	○	行	○	○	○
	○	○	○	○	○	映	○	○	○	○	○
	精	倩	淨	性	○	○	○	○	○	○	○
陌昔	○	○	○	○	○	○	○	○	○	○	○
	迮	柵	齰	索	○	啞	赫	挌	○	礐	○
	○	○	○	○	○	○	○	○	○	○	○
	積	刺	籍	昔	席	益	○	○	繹	○	○

外轉第三十四合

脣音 清	脣音 次清	脣音 濁	脣音 清濁	舌音 清	舌音 次清	舌音 濁	舌音 清濁	牙音 清	牙音 次清	牙音 濁	牙音 清濁
○	○	○	○	○	○	○	○	○	○	○	○
○	○	○	○	○	○	○	○	觥	○	○	○
○	○	○	○	○	○	○	○	○	○	○	○
○	○	○	○	○	○	○	○	○	傾	瓊	○
○	○	○	○	○	○	○	○	○	○	○	○
○	○	○	○	○	○	○	○	礦	臩	○	○
○	○	○	○	○	○	○	○	璟	憬	○	○
○	○	○	○	○	○	○	○	○	頃	○	○
○	○	○	○	○	○	○	○	○	○	○	○
○	○	○	○	○	○	○	○	○	○	○	○
○	○	○	○	○	○	○	○	○	○	○	○
○	○	○	○	○	○	○	○	○	○	○	○
○	○	○	○	○	○	○	○	○	○	○	○
○	○	○	○	○	○	○	○	[illegible]	○	○	○
○	○	○	○	○	○	○	○	○	○	○	○
○	○	○	○	○	○	○	○	鶪	[illegible]	○	○

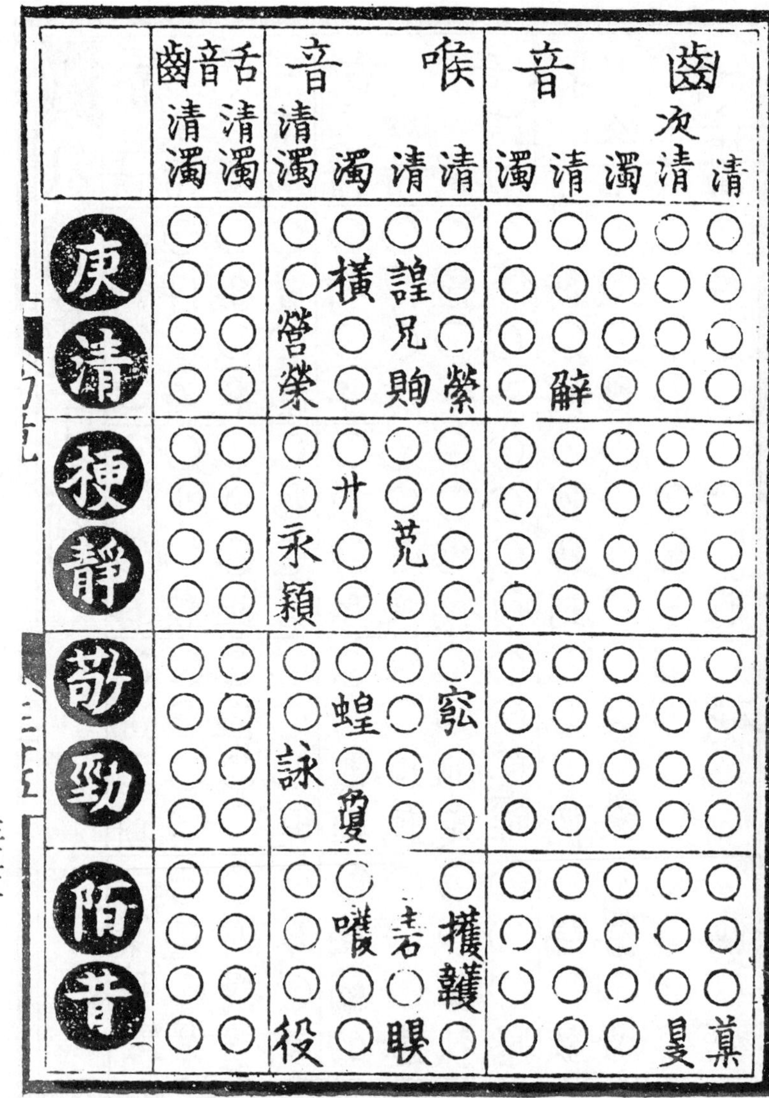

	齒音 清	次清	濁	清	濁	喉音 清	清	濁	清濁	舌音 清濁	齒 清濁
庚清	○	○	○	○	○	○	○	○	○	○	○
	○	○	○	○	○	○	諻	横	○	○	○
	○	○	○	○	○	○	兄	○	營	○	○
	○	○	○	觪	○	縈	眴	○	榮	○	○
梗靜	○	○	○	○	○	○	○	○	○	○	○
	○	○	○	○	○	○	○	廾	○	○	○
	○	○	○	○	○	○	苀	○	永	○	○
	○	○	○	○	○	○	○	○	穎	○	○
敬勁	○	○	○	○	○	○	○	○	○	○	○
	○	○	○	○	○	宖	○	蝗	○	○	○
	○	○	○	○	○	○	○	○	詠	○	○
	○	○	○	○	○	○	○	敻	○	○	○
陌昔	○	○	○	○	○	○		○	○	○	○
	○	○	○	○	○	擭	砉	嚄	○	○	○
	○	○	○	○	○	韄	○	○	○	○	○
	蒖	旻	○	○	○	○	瞁	○	役	○	○

外轉第三十五開

脣音 清	脣音 次清	脣音 濁	脣音 清濁	舌音 清	舌音 次清	舌音 濁	舌音 清濁	牙音 清	牙音 次清	牙音 濁	牙音 清濁
○	○	○	○	○	○	○	○	○	○	○	○
絣	伻	棚	甍	朾	撐	橙	儜	耕	鏗	○	娙
○	○	○	○	○	○	○	○	○	○	○	○
○	竮	瓶	冥	丁	汀	庭	寍	經	輕	○	○
○	○	○	○	○	○	○	○	○	○	○	○
○	皏	倂	黽	○	○	○	○	耿	○	○	○
○	○	○	○	○	逞	○	○	頸	○	痙	○
鞞	頩	並	茗	頂	侹	挺	[illegible]	剄	○	○	脛
○	○	○	○	○	○	○	○	○	○	○	○
迸	○	倂	○	○	○	○	○	○	○	○	硬
○	○	○	○	○	遉	鄭	○	○	○	○	○
跰	○	○	䴌	矴	聽	定	寗	徑	罄	○	○
○	○	○	○	○	○	○	○	○	○	○	○
檗	擅	繴	麥	摘	○	○	○	隔	䃘	○	鷊
碧	○	擗	○	[illegible]	○	擲	○	○	○	○	○
璧	辟	甓	覓	的	逖	狄	惄	激	燩	○	鷁

	齒 清	音 次清	濁	清	濁	喉 清	清	音 濁	清濁	舌音 清濁	齒 清濁
耕	○	○	○	○	○	○	○	○	○	○	○
清	爭	琤	崢	○	○	甖	○	莖	○	○	○
青	征	○	○	聲	成	○	○	○	○	跉	○
	菁	青	○	星	○	○	馨	刑	○	靈	○
耿	○	○	○	○	○	○	○	○	○	○	○
靜	○	○	○	○	○	○	○	幸	○	○	○
迥	整	○	○	○	○	○	○	○	○	領	○
	○	○	汫	醒	○	巊	○	婞	○	苓	○
諍	○	○	○	○	○	○	○	○	○	○	○
勁	諍	○	○	○	○	䙬	○	○	○	○	○
徑	政	○	○	聖	盛	○	○	○	○	令	○
	○	靘	○	醒	○	○	○	脛	○	零	○
麥	○	○	○	○	○	○	○	○	○	○	○
昔	責	策	賾	栜	○	戹	○	覈	○	○	○
錫	隻	尺	射	釋	石	○	○	○	○	[illegible]	○
	績	戚	寂	錫	○	○	赥	檄	○	靂	○

外轉第三十六合

脣音 清	脣音 次清	脣音 濁	脣音 清濁	舌音 清	舌音 次清	舌音 濁	舌音 清濁	牙音 清	牙音 次清	牙音 濁	牙音 清濁
○	○	○	○	○	○	○	○	○	○	○	○
繃	○	○	○	○	○	○	○	○	○	○	○
○	○	○	○	○	○	○	○	○	○	○	○
○	○	○	○	○	○	○	○	扃	○	○	○
○	○	○	○	○	○	○	○	○	○	○	○
○	○	○	○	○	○	○	○	○	○	○	○
○	○	○	○	○	○	○	○	○	○	○	○
○	○	○	○	○	○	○	○	熲	褧	○	○
○	○	○	○	○	○	○	○	○	○	○	○
○	○	○	○	○	○	○	○	○	○	○	○
○	○	○	○	○	○	○	○	○	○	○	○
○	○	○	○	○	○	○	○	○	○	○	○
○	○	○	○	○	○	○	○	○	○	○	○
○	○	○	○	○	○	○	○	蟈	礖	[illegible]	○
○	○	○	○	○	○	○	○	○	○	○	○
○	○	○	○	○	歡	○	○	郥	闃	○	○

	齒音 清	齒音 次清	齒音 濁	齒音 清	齒音 濁	喉音 清	喉音 清	喉音 濁	喉音 清濁	舌音 清濁	齒 清濁
耕	○	○	○	○	○	○	○	○	○	○	○
青	○	○	○	○	○	泓	轟	宏	○	○	○
	○	○	○	○	○	○	○	○	○	○	○
	○	○	○	○	○	○	○	熒	○	○	○
耿	○	○	○	○	○	○	○	○	○	○	○
迥	○	○	○	○	○	○	○	○	○	○	○
	○	○	○	○	○	○	○	○	○	○	○
	○	○	○	○	○	濙	詗	迥	○	○	○
諍	○	○	○	○	○	○	○	○	○	○	○
徑	○	○	○	○	○	宖	轟	○	○	○	○
	○	○	○	○	○	○	○	○	○	○	○
	○	○	○	○	○	鎣	詗	○	○	○	○
麥	○	○	○	○	○	○	○	○	○	○	○
錫	[illegible]	○	赫	摵	○	○	劃	獲	○	礰	○
	○	○	○	○	○	○	○	○	○	○	○
	○	○	○	○	○	○	殈	○	○	○	○

三十七

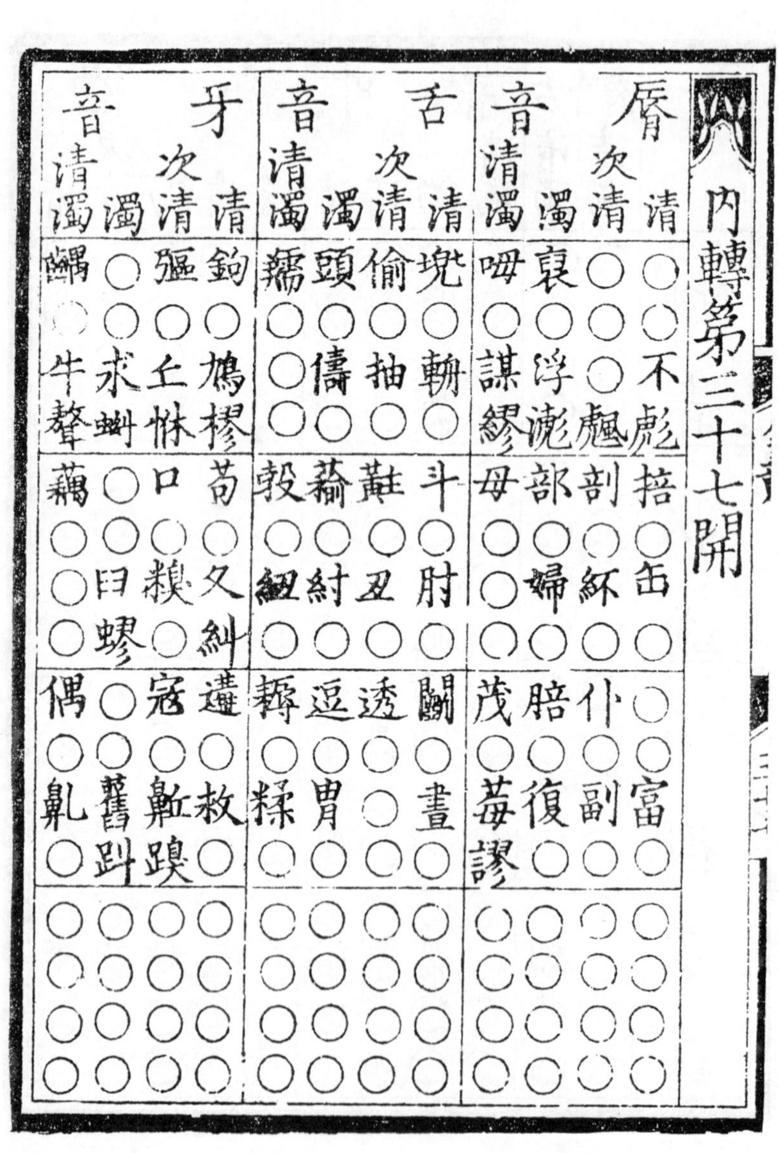

內轉第三十七開

脣音 清	脣音 次清	脣音 濁	脣音 清濁	舌音 清	舌音 次清	舌音 濁	舌音 清濁	牙音 清	牙音 次清	牙音 濁	牙音 清濁
○	○	裒	呣	兜	偷	頭	羺	鉤	彄	○	齵
○	○	○	○	○	○	○	○	○	○	○	○
不	○	浮	謀	輈	抽	儔	○	鳩	丘	求	牛
彪	飍	滮	繆	○	○	○	○	樛	恘	虯	聱
掊	剖	部	母	斗	黈	[illegible]	穀	苟	口	○	藕
○	○	○	○	○	○	○	○	○	○	○	○
缶	紑	婦	○	肘	丑	紂	紐	久	糗	臼	○
○	○	○	○	○	○	○	○	糾	○	蟉	○
○	仆	胎	茂	鬬	透	逗	耨	遘	寇	○	偶
○	○	○	○	○	○	○	○	○	○	○	○
富	副	復	莓	晝	○	胄	糅	救	[illegible]	舊	鼽
○	○	○	謬	○	○	○	○	○	[illegible]	[illegible]	○
○	○	○	○	○	○	○	○	○	○	○	○
○	○	○	○	○	○	○	○	○	○	○	○
○	○	○	○	○	○	○	○	○	○	○	○
○	○	○	○	○	○	○	○	○	○	○	○

	齒音 清	次清	濁	清	濁	喉音 清	清	濁	清濁	舌音 清濁	齒音 清濁
侯	鋷	誰	鄹	涑	○	謳	齁	侯	○	樓	○
	鄒	搊	愁	搜	○	○	○	○	○	○	○
尤	周	犨	○	收	讎	優	休	○	尤	劉	柔
幽	啾	秋	遒	脩	囚	幽	飍	○	由	鏐	○
厚	走	趣	鯫	叟	○	歐	吼	厚	○	塿	○
	掫	䩦	[illegible]	溲	○	○	○	○	○	○	○
有	帚	醜	[illegible]	首	受	颵	朽	○	有	柳	蹂
黝	酒	○	湫	滫	○	黝	○	○	酉	○	○
候	奏	輳	[illegible]	瘶	○	漚	詬	候	○	陋	○
	皺	簉	驟	瘦	○	○	○	○	○	○	○
宥	咒	臭	○	狩	授	○	齅	○	宥	溜	輮
幼	僦	趥	就	秀	岫	幼	○	○	狖	○	○
	○	○	○	○	○	○	○	○	○	○	○
	○	○	○	○	○	○	○	○	○	○	○
	○	○	○	○	○	○	○	○	○	○	○
	○	○	○	○	○	○	○	○	○	○	○

內轉第三十八合

脣音清	脣音次清	脣音濁	脣音清濁	舌音清	舌音次清	舌音濁	舌音清濁	牙音清	牙音次清	牙音濁	牙音清濁
○	○	○	○	○	○	○	○	○	○	○	○
○	○	○	○	○	○	○	○	○	○	○	○
○	○	○	○	碪	琛	沈	誑	金	欽	琴	吟
○	○	○	○	○	譖	○	○	○	○	○	○
○	○	○	○	○	○	○	○	○	○	○	○
○	○	○	○	○	○	○	○	○	○	○	○
稟	品	○	○	戡	踸	朕	拰	錦	坅	噤	僸
○	○	○	○	○	○	○	○	○	顉	○	○
○	○	○	○	○	○	○	○	○	○	○	○
○	○	○	○	○	○	○	○	○	○	○	○
○	○	○	○	揕	闖	鴆	賃	禁	○	紟	吟
○	○	○	○	○	○	○	○	○	○	○	○
○	○	○	○	○	○	○	○	○	○	○	○
○	○	○	○	○	○	○	○	○	○	○	○
鵖	○	鴄	○	縶	湁	蟄	孨	急	泣	及	岌
○	○	○	○	○	○	○	○	○	○	○	○

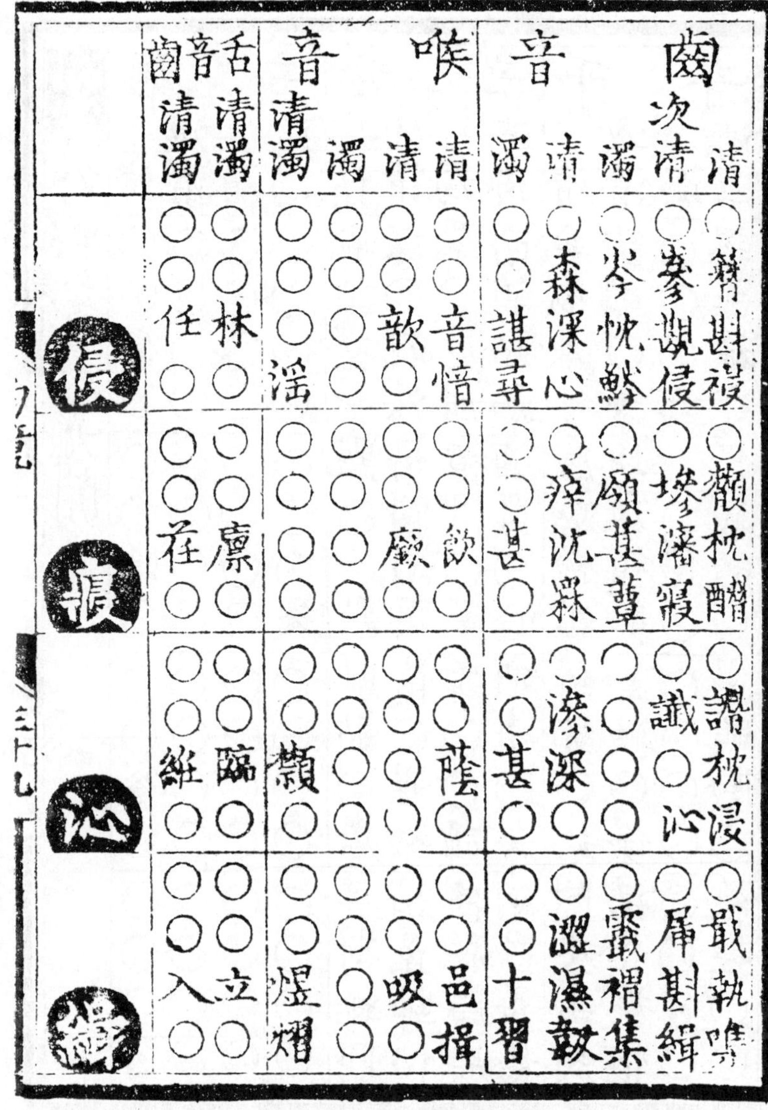

韻	齒音 清	齒音 次清	齒音 濁	齒音 清	齒音 濁	喉音 清	喉音 清	喉音 濁	喉音 清濁	舌音 清濁	齒音 清濁
侵	○	○	○	○	○	○	○	○	○	○	○
	簪	嵾	岑	森	○	○	○	○	○	○	○
	斟	覢	愖	深	諶	音	歆	○	○	林	任
	祲	侵	鮗	心	尋	愔	○	○	淫	○	○
寑	○	○	○	○	○	○	○	○	○	○	○
	䫬	墋	頋	㾕	○	○	○	○	○	○	○
	枕	瀋	葚	沈	甚	飲	廞	○	○	廩	荏
	醋	寑	蕈	罧	○	○	○	○	○	○	○
沁	○	○	○	○	○	○	○	○	○	○	○
	譖	讖	○	滲	○	○	○	○	○	○	○
	枕	○	○	深	甚	蔭	○	○	顈	臨	紝
	浸	沁	○	○	○	○	○	○	○	○	○
緝	○	○	○	○	○	○	○	○	○	○	○
	戢	㞕	霵	澀	○	○	○	○	○	○	○
	執	斟	褶	濕	十	邑	吸	○	熤	立	入
	喋	緝	集	歙	習	揖	○	○	熠	○	○

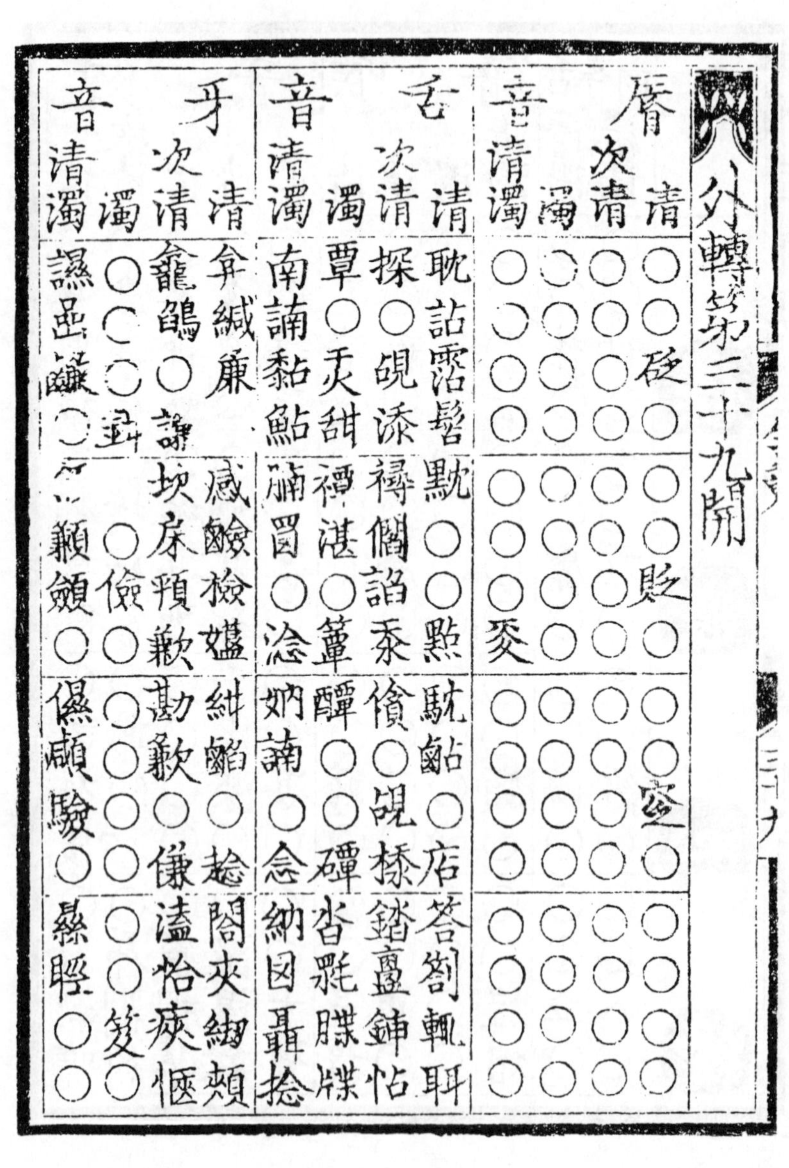

外轉第三十九開

	脣音 清	脣音 次清	脣音 濁	脣音 清濁	舌音 清	舌音 次清	舌音 濁	舌音 清濁	牙音 清	牙音 次清	牙音 濁	牙音 清濁
1	○	○	○	○	耽	探	覃	南	弇	龕	○	[illegible]
2	○	○	○	○	詀	○	○	諵	緘	鵮	○	嵒
3	砭	○	○	○	霑	覘	[illegible]	黏	廉	○	○	嚴
4	○	○	○	○	髻	添	甜	鮎		謙	鉗	○
5	○	○	○	○	黕	襑	禫	腩	感	坎		[illegible]
6	○	○	○	○	○	[illegible]	湛	罱	鹼	床	○	顩
7	貶	○	○	○	○	諂	○	○	檢	預	儉	顩
8	○	○	○	琰	點	忝	簟	淰	孂	歉	○	○
9	○	○	○	○	馾	倓	醰	妠	紺	勘	○	儑
10	○	○	○	○	鮎	○	○	諵	鮨	歉	○	顑
11	窆	○	○	○	○	覘	○	○	○	○	○	驗
12	○	○	○	○	店	掭	磹	念	趝	傔	○	○
13	○	○	○	○	答	錔	沓	納	閤	溘	○	[illegible]
14	○	○	○	○	劄	[illegible]	[illegible]	囡	夾	恰	○	[illegible]
15	○	○	○	○	輒	鍤	牒	聶	[illegible]	疲	笈	○
16	○	○	○	○	聑	怗	牒	捻	頰	愜	○	○

	齒音清	次清	濁	清	濁	喉音清	清	濁	清濁	舌音清濁	齒清濁
覃	簪	參	蠶	毿	○	諳	峆	含	○	婪	○
咸	○	○	讒	攕	○	猪	欦	咸	○	○	○
鹽	詹	襜	○	苫	棎	淹	姭	○	炎	廉	髯
添	尖	○	○	[illegible]	○	○	馦	嫌	○	鬑	○
感	寁	慘	歜	糝	○	晻	顑	頷	○	壈	○
豏	斬	膱	瀺	摻	○	黯	喊	豏	○	臉	○
琰	颭	○	○	陝	剡	奄	險	鼸	○	斂	冉
忝	○	憯	○	○	○	○	○	○	○	稴	苒
勘	篸	謲	暫	俕	○	暗	顑	憾	○	顲	○
陷	蘸	○	○	○	○	[illegible]	闞	陷	○	○	○
豔	占	韂	○	閃	贍	㤿	○	○	○	殮	染
㮇	僭	○	潛	韱	○	酓	○	○	○	稴	○
合	帀	趍	雜	趿	○	姶	欱	合	○	拉	○
洽	眨	揷	箑	霎	○	[illegible]	[illegible]	洽	○	○	○
葉	讋	謵	○	攝	涉	敀	僷	○	曄	獵	讘
帖	浹	妾	蕺	燮	○	○	㛍	協	○	[illegible]	○

內

外轉第四十合

𨑹 自冃反

脣音清	脣音次清	脣音濁	脣音清濁	舌音清	舌音次清	舌音濁	舌音清濁	牙音清	牙音次清	牙音濁	牙音清濁
○	○	○	姌	擔	舑	談	○	甘	坩	○	○
○	○	𨑹	○	○	○	○	○	監	嵌	○	巖
○	○	○	○	○	○	○	○	○	鈙	黔	嚴
○	○	○	○	○	○	○	○	○	○	○	○
○	○	○	𡞫	膽	菼	噉	○	敢	㦘	○	○
○	○	○	○	○	○	○	○	○	顩	○	○
○	○	○	○	○	○	○	○	○	○	○	儼
○	○	○	○	○	○	○	○	○	○	○	○
○	○	○	○	擔	賧	憺	○	䱦	闞	○	○
○	○	𨑹	○	○	○	○	○	鑑	○	○	○
○	○	○	○	○	○	○	○	○	鈙	○	釅
○	○	○	○	○	○	○	○	○	○	○	驗
○	○	○	○	𢾎	榻	踏	納	䫆	榼	○	儑
○	○	○	○	○	○	渫	○	甲	○	○	○
○	○	○	○	○	○	㙮	○	劫	怯	跲	業
○	○	○	○	○	○	○	○	○	○	○	○

韻	齒音 清	齒音 次清	齒音 濁	齒音 清	齒音 濁	喉音 清	喉音 清	喉音 濁	喉音 清濁	舌音 清濁	齒音 清濁
談	○	○	慙	三	○	黯	蚶	酣	○	藍	○
銜	○	攙	巉	衫	○	○	○	銜	○	○	○
嚴	○	○	○	○	[illegible]	醃	嬐	○	○	○	○
鹽	笺	籤	潛	銛	燖	懕	○	○	鹽	○	○
敢	䭕	黲	槧	○	○	埯	喊	○	○	覽	○
檻	○	醶	○	摲	○	黤	㺝	檻	○	○	○
儼	○	○	○	潣	○	埯	○	○	○	○	○
琰	○	憸	漸	○	○	黶	○	○	琰	○	○
闞	○	○	暫	三	○	○	賧	憨	○	濫	○
鑑	覱	懺	鑱	釤	○	黬	[illegible]	[illegible]	○	○	○
釅	○	○	○	○	○	○	[illegible]	○	○	獫	○
豔	嚵	壍	潛	○	○	厭	○	○	豔	殮	染
盍	○	囃	[illegible]	[illegible]	○	鰪	欱	盍	○	臘	○
狎	○	○	○	翜	○	鴨	呷	狎	○	○	○
業	○	○	○	[illegible]	○	腌	脅	○	殜	○	○
葉	接	妾	捷	○	○	[illegible]	○	挾	葉	○	○

外轉第四十一合

唇音清	唇音次清	唇音濁	唇音清濁	舌音清	舌音次清	舌音濁	舌音清濁	牙音清	牙音次清	牙音濁	牙音清濁
○	○	○	○	○	○	○	○	○	○	○	○
○	○	○	○	○	○	○	○	○	○	○	○
𧦧	芝	凡	瑷	○	○	○	○	○	○	○	○
○	○	○	○	○	○	○	○	○	○	○	○
○	○	○	○	○	○	○	○	○	○	○	○
○	○	○	○	○	○	○	○	○	○	○	○
腇	鈲	范	錽	○	僴	○	○	拑	凵	○	顩
○	○	○	○	○	○	○	○	○	○	○	○
○	○	○	○	○	○	○	○	○	○	○	○
○	○	○	○	○	○	○	○	○	○	○	○
○	汎	梵	菱	○	○	○	○	劒	欠	○	○
○	○	○	○	○	○	○	○	○	○	○	○
○	○	○	○	○	○	○	○	○	○	○	○
○	○	○	○	○	○	○	○	○	○	○	○
法	鍅	乏	○	猫	○	○	猦	○	猲	○	○
○	○	○	○	○	○	○	○	○	○	○	○

猦女法反　猲起法反

	齒音					喉音				舌音	齒音
	清	次清	濁	清	濁	清	清	濁	清濁	清濁	清濁
凡	○	○	○	○	○	○	○	○	○	○	○
	○	○	○	○	○	○	○	○	○	○	○
	○	○	○	○	○	○	○	○	○	○	○
	○	○	○	○	○	○	○	○	○	○	○
范	○	○	○	○	○	○	○	○	○	○	○
	○	○	○	○	○	○	○	○	○	○	○
	○	○	○	○	○	○	○	○	○	○	○
	○	○	○	○	○	○	○	○	○	○	○
梵	○	○	○	○	○	○	○	○	○	○	○
	○	○	○	○	○	○	○	○	○	○	○
	○	○	○	○	○	○	○	○	○	○	○
	○	○	○	○	○	○	○	○	○	○	○
乏	○	○	○	○	○	○	○	○	○	○	○
	○	○	○	○	○	○	○	○	○	○	○
	○	○	○	○	○	○	○	○	○	○	○
	○	○	○	○	○	○	○	○	○	○	○

內轉第四十二開

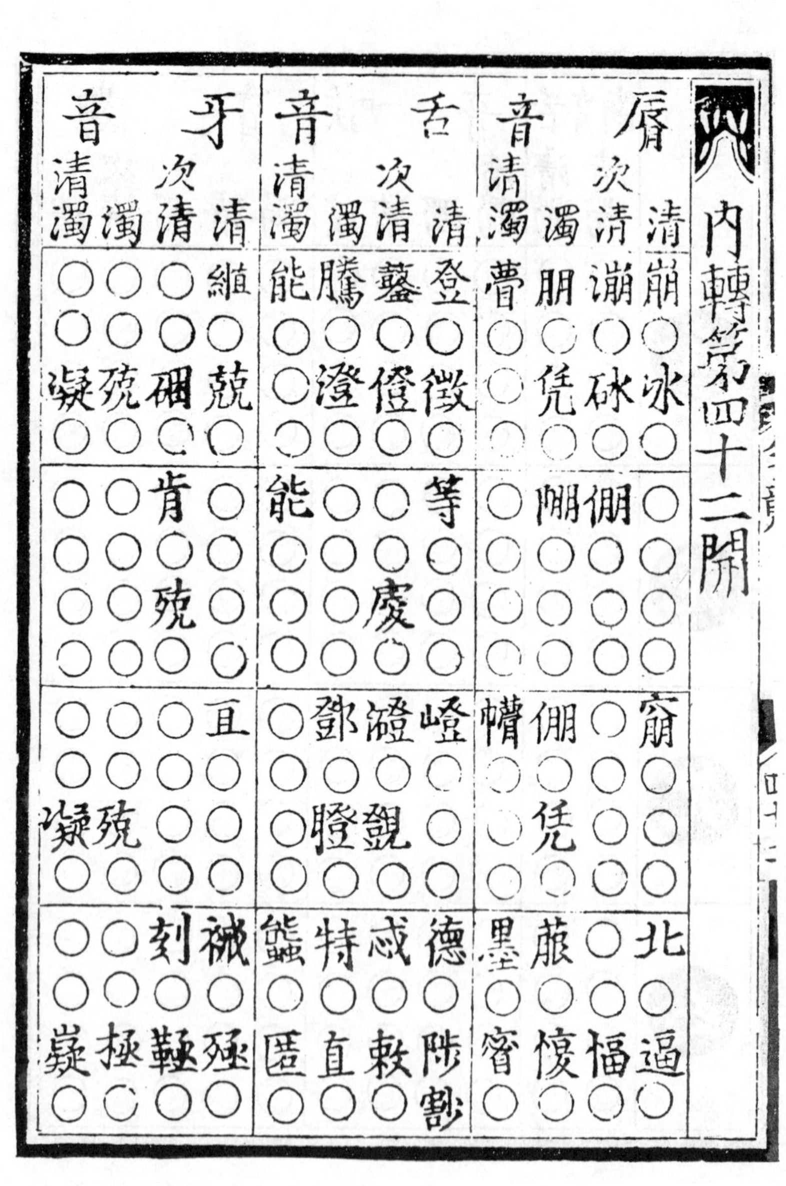

	脣音 清	脣音 次清	脣音 濁	脣音 清濁	舌音 清	舌音 次清	舌音 濁	舌音 清濁	牙音 清	牙音 次清	牙音 濁	牙音 清濁
平	崩	漰	朋	瞢	登	鼟	騰	能	緪	○	○	○
	○	○	○	○	○	○	○	○	○	○	○	○
	冰	砯	凭	○	徵	僜	澄	○	兢	硱	殑	凝
	○	○	○	○	○	○	○	○	○	○	○	○
上	○	倗	[illegible]	○	等	○	○	能	○	肯	○	○
	○	○	○	○	○	○	○	○	○	○	○	○
	○	○	○	○	○	庱	○	○	○	殑	○	○
	○	○	○	○	○	○	○	○	○	○	○	○
去	[illegible]	○	倗	懵	嶝	磴	鄧	○	亘	○	○	○
	○	○	○	○	○	○	○	○	○	○	○	○
	○	○	凭	○	○	覴	瞪	○	○	○	殑	凝
	○	○	○	○	○	○	○	○	○	○	○	○
入	北	○	菔	墨	德	忒	特	螚	祴	刻	○	○
	○	○	○	○	○	○	○	○	○	○	○	○
	逼	堛	愎	窨	陟	敕	直	匿	殛	[illegible]	極	嶷
	○	○	○	○	[illegible]	○	○	○	○	○	○	○

	齒 清	次清	濁	音 清	濁	喉 清	清	濁	音 清濁	舌音齒 清濁	清濁
登	增	○	層	僧	○	○	○	恒	○	楞	○
	○	○	○	○	○	○	○	○	○	○	○
蒸	蒸	稱	繩	升	承	膺	興	○	蠅	陵	仍
	○	○	繒	○	○	○	○	○	○	○	○
等	噌	○	○	○	○	○	○	○	○	倰	○
	○	○	○	○	○	○	○	○	○	○	○
拯	拯	○	○	殊	○	○	○	○	○	○	○
	○	○	○	○	○	○	○	○	○	○	○
嶝	增	蹭	贈	鬙	○	○	○	○	○	○	○
	○	○	○	○	○	○	○	○	○	○	○
證	證	稱	乘	勝	剩	應	興	○	孕	餕	認
	甑	彰	○	○	○	○	○	○	○	○	○
德	則	墄	賊	塞	○	餩	黑	劾	○	勒	○
	稄	測	崱	色	○	○	○	○	○	○	○
職	職	翼	食	識	寔	憶	赩	○	○	力	○
	即	○	堲	息	○	○	○	○	弋	○	○

內

內轉第四十三合

脣音清	脣音次清	脣音濁	脣音清濁	舌音清	舌音次清	舌音濁	舌音清濁	牙音清	牙音次清	牙音濁	牙音清濁
○	○	○	○	○	○	○	○	肱	○	○	○
○	○	○	○	○	○	○	○	○	○	○	○
○	○	○	○	○	○	○	○	○	○	○	○
○	○	○	○	○	○	○	○	○	○	○	○
○	○	○	○	○	○	○	○	○	○	○	○
○	○	○	○	○	○	○	○	○	○	○	○
○	○	○	○	○	○	○	○	○	○	○	○
○	○	○	○	○	○	○	○	○	○	○	○
○	○	○	○	○	○	○	○	○	○	○	○
○	○	○	○	○	○	○	○	○	○	○	○
○	○	○	○	○	○	○	○	○	○	○	○
○	○	○	○	○	○	○	○	○	○	○	○
○	○	○	○	○	○	○	○	國	○	○	○
○	○	○	○	○	○	○	○	○	○	○	○
○	○	○	○	○	○	○	○	○	○	○	○
○	○	○	○	○	○	○	○	○	○	○	○

	齒音 清	次清	濁	清	濁	喉音 清	清	濁	清濁	舌音齒 清濁	清濁
登	○	○	○	○	○	泓	薨	弘	○	○	○
	○	○	○	○	○	○	○	○	○	○	○
	○	○	○	○	○	○	○	○	○	○	○
	○	○	○	○	○	○	○	○	○	○	○
	○	○	○	○	○	○	○	○	○	○	○
	○	○	○	○	○	○	○	○	○	○	○
	○	○	○	○	○	○	○	○	○	○	○
	○	○	○	○	○	○	○	○	○	○	○
	○	○	○	○	○	○	○	○	○	○	○
	○	○	○	○	○	○	○	○	○	○	○
	○	○	○	○	○	○	○	○	○	○	○
	○	○	○	○	○	○	○	○	○	○	○
德	○	○	○	○	○	○	○	或	○	○	○
	○	○	○	○	○	○	○	○	○	○	○
職	○	○	○	○	○	○	洫	○	域	○	○
	○	○	○	○	○	○	○	○	○	○	○

指微韻鑑卷終

韻鏡之書行於本邦久而未有刊者故轉寫焉
之訛烏而焉焉而馬覽者多困彼此不一泉
南宗仲論師偶訂諸本善不善者且從且改
因命工鏤板期其歸一以便於覽者且曰非
敢擴之天下聊備家訓而已於戲今日家書
乃天下書也學者思諸
享祿戊子孟冬初一日
正三位行侍從臣清原朝臣宣賢

頃間求得宋慶元丁巳張氏所刊之的本[illegible]
重校正焉永祿第七歲舍甲子王春壬子

韻鏡一卷 享祿戊子覆宋本

首有紹興辛巳三山張麟之子儀識語其略云反切之要莫妙於此不出四十三轉而天下無遺音因撰字母括要圖復解數例以為沿流求源者之端又有嘉泰三年麟之序云韻鏡之作其妙矣余年二十始得此字字音往昔相傳類曰洪韻釋子之所撰也有沙門神珙號知音韻嘗著切韻圖載玉篇卷末竊意是書著於僧世俗諱呼珙為洪爾次調韻指微次三十六字母歸納助紐字以歸字例次橫呼韻五音清濁四聲定位列圍末題韻鑑序例終次本

文自內轉第一至第四十三識語後有慶元丁巳重刊木記

卷末有享祿戊子清原朝臣宣賢跋謂泉南宗仲論鏤

梓始末聞又有永祿刊本未見按享祿戊子明世宗嘉靖七年

附錄五

經史正音切韻指南

經史正音切韻指南序

夫讀書必執韻執韻須知切乃為學之急務吾儒之不可闕者古有四聲等子為傳流之正宗然而中間分析尚有未明不能曲盡其旨又且溺於經堅仁然之法而失其真者多矣安西劉君士明通儒也特造書府來訪於余出示其所編前賢千載不傳之秘欲鋟諸梓以廣其傳名曰經史正音切韻指南余嘉其能求古之道以正今之失俾四方學者得其全書易求誨於先覺云後至元丙子歲仲冬吉日

雲谷熊澤民序

聲韻之學其來尚矣凡窮經博史以聲求字必得韻而後知韻必得法而後明法必得傳而後

通誠諸韻之總括訂字之權衡也辨五土之音均同一致孰不以韻為則焉但能歸韻母之橫竪審清濁之重輕即知切脚皆有名派聲音妙用本乎自然若以浮淺小法一槩求切而不究其源者予亦未敢輕議其非但恐施於誦讀之間則習為蔑裂矣略如時忍切腎字時掌切上字同是濁音皆當呼如去聲却將上字呼如清音賞字其蹇切件字其兩切強字亦如去聲又以強字呼如清音礂丘仰切字然則亦以時忍切如哂字其蹇切如遣字可乎倘因礙致思而欲叩其詳者止是清濁之分也又如符羈切如肥字本是皮字都江切如當字本是樁字士魚切如殊字本是鋤字詳里切如洗字本是似字

此乃門法之分也如是誤者豈勝道耶其雜稱
齋癸稱貴蒯稱非字之類乃方言之不可憑者
則不得已而姑從其俗至讀聖賢之書首貴乎
知音其可不稽其本哉其或稽者非口授難明
幸得傳者歸正隨謬者成風以致天下之書不
能同其音也故僕於暇日因其舊制次成十六
通攝作檢韻之法析繁補隙詳分門類并私述
玄關六段總括諸門盡其蘊奧名之曰經史正
音切韻指南與韓氏五音集韻互為體用諸韻
字音皆由此韻而出也末兼附字音動靜顯與
朋友共之庶為斯文之一助云爾至元二年歲
在丙子良月關中劉鑑士明自序

旹大明弘治九年仲冬吉日金臺釋子思宜重刊

新編經史正音切韻指南

分五音

見溪羣疑是牙音　知徹澄孃舌上音

端透定泥舌頭音　非敷奉微輕脣音

幫滂並明重脣音　照穿床審禪正齒音

精清從心邪齒頭音

曉匣影喻是喉音　來日半舌半齒音

辨清濁

端見純清與此知　精隨照影及幫非

次清十字審心曉　穿透滂敷清徹溪

全濁羣邪澄並匣　從禪定奉與床齊

半清半濁微孃喻　疑日明來共八泥

明等第

端精二位兩頭居　知照中間次第呼
来曉見幫居四等　日非三等外全無

交互音

知照非敷遞互通　泥孃穿徹用時同
澄床疑喻相連屬　六母交叅一處窮

撿篇韻法

篇中類出韻中字　韻内分開篇内音
見字求聲篇内撿　知聲取字韻中尋

撿篇卷數捷法

一序二見溪三内是群疑端透泥定四澄孃徹
五知幫滂六内取明並七為基非敷微八奉精
清從九歸心邪十内有照穿床十一審禪行十
二曉匣影十三喻母俱十四来日十五宜

通攝內一　侷門

見	溪	群	疑	端 知	透 徹	定 澄	泥 孃	幫 非	滂 敷	並 奉	明 微
公	空	碩	𡸟	東	通	同	齈	○	仹	蓬	蒙
𩏑	孔	○	湡	董	侗	動	齈	琫	○	菶	蠓
貢	控	○	○	凍	痛	洞	齈	○	○	槰	幪
穀	哭	○	擢	豰	禿	獨	耨	卜	扑	暴	木
○	○	○	○	○	○	○	○	○	○	○	○
○	○	○	○	○	○	○	○	○	○	○	○
○	○	○	○	○	○	○	○	○	○	○	○
○	○	○	○	○	○	○	○	○	○	○	○
恭	銎	蛩	顒	中	蹱	重	醲	封	峯	逢	[illegible]
拱	恐	梁	○	冢	寵	重	○	覂	捧	奉	○
供	恐	共	○	湩	蹱	重	○	諷	葑	俸	朦
輂	曲	局	玉	瘃	棟	躅	傉	匚	蝮	幞	媢
○	○	○	○	○	○	○	○	○	○	○	○
○	○	○	○	○	○	○	○	○	○	○	○
○	○	○	○	○	○	○	○	○	○	○	○
○	○	○	○	○	○	○	○	○	○	○	○

精	清	從	心	邪	曉	匣	影	喻	來	日	
照	穿	牀	審	禪							韻
葼	怱	叢	檧	〇	烘	洪	翁	〇	籠	〇	東
總	〇	徖	敵	〇	嗊	澒	蓊	〇	曨	〇	董
糉	謥	𩣡	送	〇	烘	哄	甕	〇	弄	〇	送
鏃	瘯	族	速	〇	嗀	穀	屋	〇	祿	〇	屋
〇	〇	崇	〇	〇	〇	〇	〇	〇	〇	〇	
〇	〇	〇	〇	〇	〇	〇	〇	〇	〇	〇	
〇	〇	剶	〇	〇	〇	〇	〇	〇	〇	〇	
縬	珿	鷟	縮	〇	〇	〇	〇	〇	〇	〇	
鍾	衝	〇	舂	鱅	胷	雄	邕	〇	龍	茸	鍾
腫	𨾴	〇	〇	尰	洶	〇	擁	〇	隴	宂	腫
種	揰	〇	〇	〇	𧼮	〇	雍	遒	躘	[illegible]	用
燭	娖	贖	束	蜀	旭	〇	郁	囿	錄	辱	燭
縱	樅	從	蜙	松	〇	〇	〇	容	〇	〇	
縱	憁	〇	悚	〇	〇	〇	〇	勇	〇	〇	
縱	〇	從	〇	頌	〇	〇	〇	用	〇	〇	
足	促	齪	粟	續	〇	〇	〇	欲	〇	〇	

冬〇宋沃

此攝指掌作獨韻獨韻者所用之字不出本圖之内

江攝外一

見幫曉喻屬開知照來日屬合

聲母	平	上	去	入	呼
見	江	講	絳	覺	開口呼
溪	腔	控	[illegible]	殼	開口呼
群	○	○	○	[illegible]	開口呼
疑	[illegible]	○	○	嶽	開口呼
端知	椿	○	戇	斵	合口呼
透徹	惷	○	[illegible]	逴	合口呼
定澄	幢	○	[illegible]	濁	合口呼
泥孃	[illegible]	擃	鬞	搦	合口呼
幫非	邦	[illegible]	○	剝	開口呼
滂敷	胮	[illegible]	胖	璞	開口呼
並奉	龐	棒	○	雹	開口呼
明微	厖	[illegible]	[illegible]	邈	開口呼

字母	平	上	去	入	呼
精照	○	○	○	捉	合口呼
清穿	囱	傯	㩳	娖	合口呼
從床	淙	○	漴	浞	合口呼
心審	雙	聳	淙	朔	合口呼
邪禪	○	○	○	○	合口呼
曉	肛	傋	惷	吒	開口呼
匣	栙	項	巷	學	開口呼
影	胦	慃	○	渥	開口呼
喻	○	○	○	○	
來	瀧	○	○	犖	合口呼
日	○	○	○	○	
韻	江	講	絳	覺	

此攝指掌一 亦作獨韻

上攝內二 開口呼 通門 入声字見於臻攝

見	溪	群	疑	端知	透徹	定澄	泥孃	幫非	滂敷	並奉	明微
○	○	○	○	○	○	○	○	○	○	○	○
○	○	○	○	○	○	○	○	○	○	○	○
○	○	○	○	○	○	○	○	○	○	○	○
○	○	○	○	○	○	○	○	○	○	○	○
○	○	○	○	○	○	○	○	陂	○	○	縻
○	○	○	○	○	○	○	○	彼	破	被	美
○	○	○	○	○	○	○	○	○			○
○	○	○	○	○	○	○	○	○			○
飢	欹	奇	狋	知	絺	馳	尼	陂	鈹	皮	縻
几	起	技	擬	徵	褫	豸	柅	彼	破	被	美
冀	器	芰	[illegible]	智	屎	緻	膩	賁	帔	備	麋
暨	○	姞	耴	窒	抶	秩	暱	筆	拂	弼	密
○	○	祇	覞	○	○	○	○	[illegible]	紕	魮	彌
枳	企	○	○	○	體	弟	○	匕	諀	婢	渳
繫	棄	○	○	帝	○	地	○	庳	譬	鼻	寐
吉	詰	佶	鶂	窒	○	耋	昵	必	匹	邲	蜜

合口呼

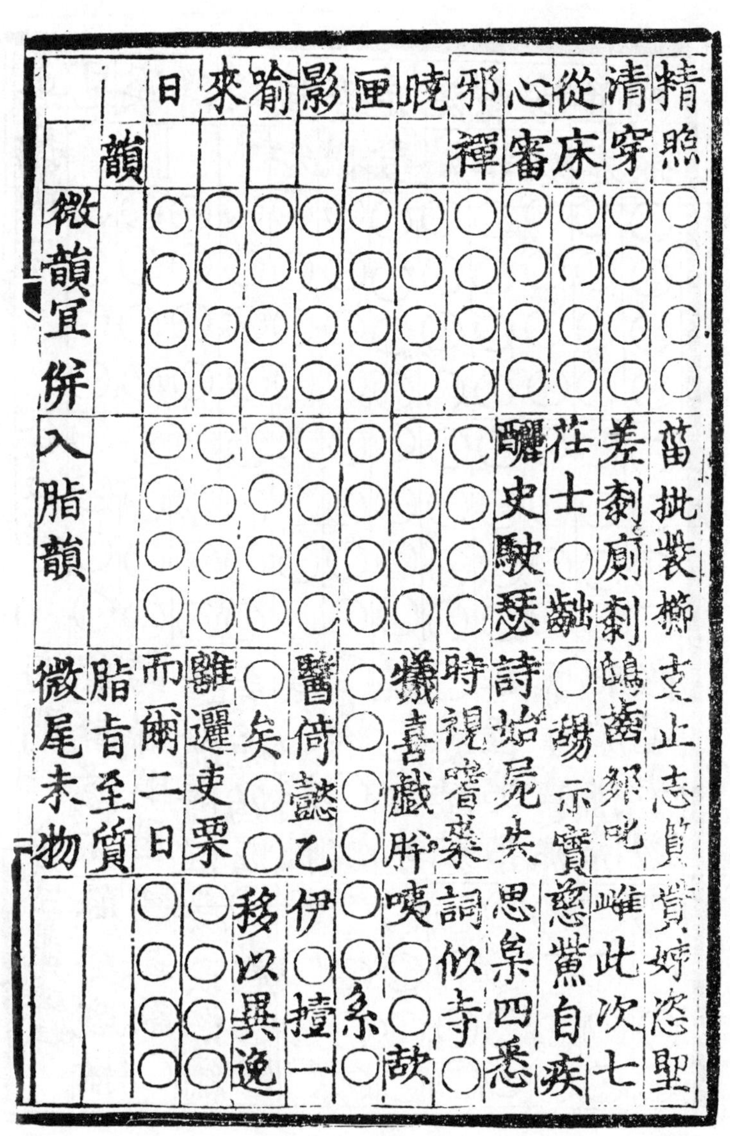

精照	清穿	從床	心審	邪禪	曉	匣	影	喻	來	日	韻	
○	○	○	○	○	○	○	○	○	○	○		微韻宜併入脂韻
○	○	○	○	○	○	○	○	○	○	○		
○	○	○	○	○	○	○	○	○	○	○		
○	○	○	○	○	○	○	○	○	○	○		
菑	差	茌	釃	○	○	○	○	○	○	○		
批	刺	士	史	○	○	○	○	○	○	○		
裝	廁	○	駛	○	○	○	○	○	○	○		
櫛	刺	齜	瑟	○	○	○	○	○	○	○		
支	鴟	○	詩	時	犧	○	醫	○	離	而	脂	微
止	齒	舓	始	視	喜	○	倚	矣	邐	爾	旨	尾
志	[illegible]	示	屍	嗜	戲	○	懿	○	吏	二	至	未
質	叱	實	失	[illegible]	肸	○	乙	○	栗	日	質	物
貲	雌	慈	思	詞	咦	○	伊	移	○	○		
姊	此	[illegible]	枲	似	○	○	○	以	○	○		
恣	次	自	四	寺	○	系	撎	異	○	○		
堲	七	疾	悉	○	欯	○	一	逸	○	○		

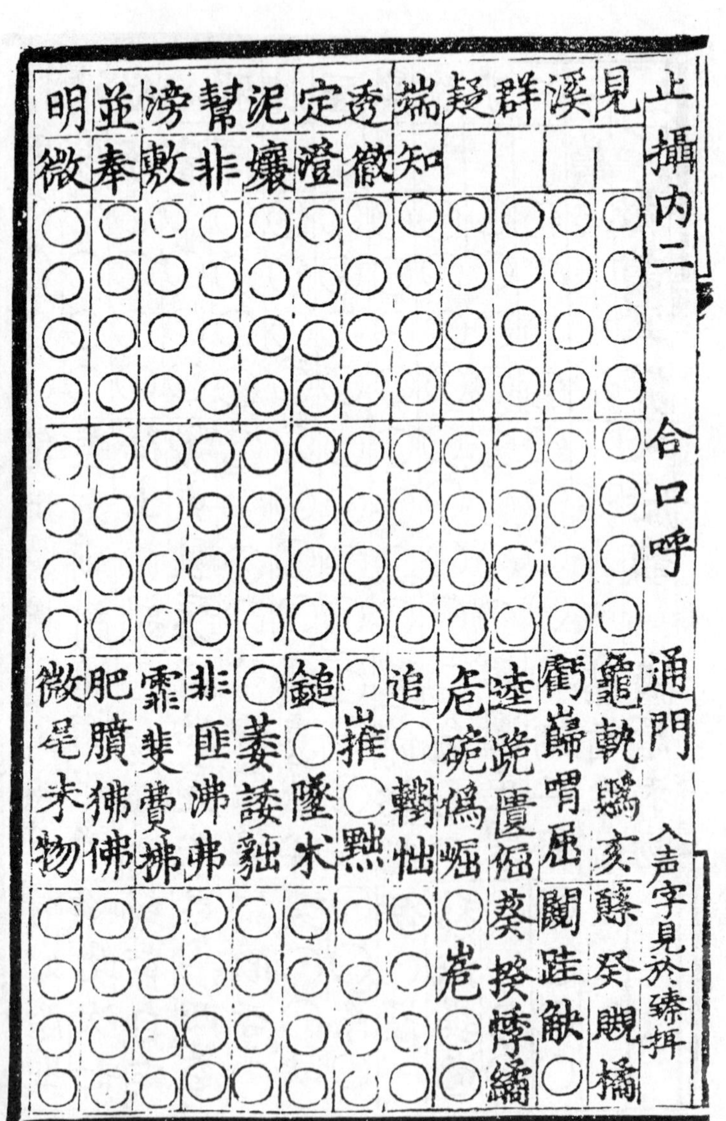

止攝內二　合口呼　通門　入声字見於臻攝

見	溪	群	疑	端知	透徹	定澄	泥孃	幫非	滂敷	並奉	明微
○	○	○	○	○	○	○	○	○	○	○	○
○	○	○	○	○	○	○	○	○	○	○	○
○	○	○	○	○	○	○	○	○	○	○	○
○	○	○	○	○	○	○	○	○	○	○	○
○	○	○	○	○	○	○	○	○	○	○	○
○	○	○	○	○	○	○	○	○	○	○	○
○	○	○	○	○	○	○	○	○	○	○	○
○	○	○	○	○	○	○	○	○	○	○	○
龜	虧	逵	危	追	○	鎚	○	非	霏	肥	微
軌	巋	跪	硊	○	嶊	○	萎	匪	斐	膹	尾
[illegible]	喟	匱	僞	轛	○	墜	諉	沸	費	狒	未
亥	屈	倔	[illegible]	[illegible]	黜	朮	貀	弗	拂	佛	物
[illegible]	闚	葵	○	○	○	○	○	○	○	○	○
癸	跬	揆	峞	○	○	○	○	○	○	○	○
睍	觖	悸	○	○	○	○	○	○	○	○	○
橘	○	繘	○	○	○	○	○	○	○	○	○

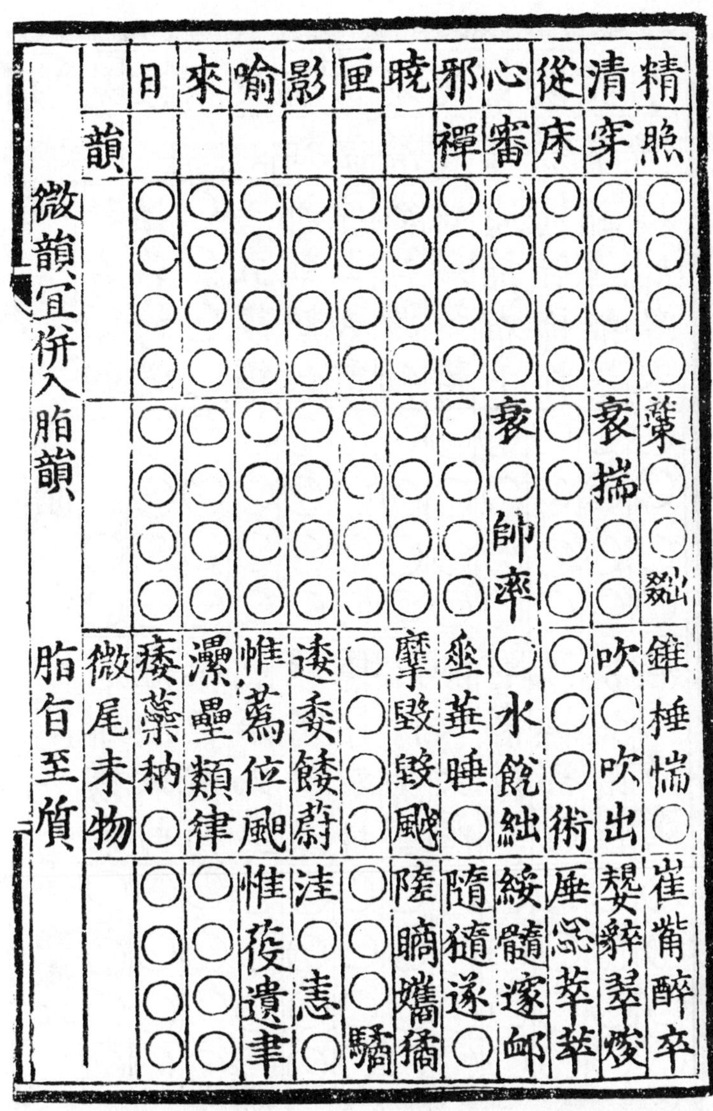

精	清	從	心	邪	曉	匣	影	喻	來	日	
照	穿	床	審	禪							韻
○	○	○	○	○	○	○	○	○	○	○	
○	○	○	○	○	○	○	○	○	○	○	
○	○	○	○	○	○	○	○	○	○	○	
○	○	○	○	○	○	○	○	○	○	○	
蘂	衰	○	衰	○	○	○	○	○	○	○	
○	揣	○	○	○	○	○	○	○	○	○	
○	○	○	帥	○	○	○	○	○	○	○	
[illegible]	○	○	率	○	○	○	○	○	○	○	
錐	吹	○	○	垂	麾	○	逶	惟	灅	痿	微
捶	○	○	水	菙	毀	○	委	蔿	壘	蘂	尾
惴	吹	○	[illegible]	睡	毁	○	餧	位	類	枘	未
○	出	術	絀	○	[illegible]	○	蔚	[illegible]	律	○	物
崔	[illegible]	厜	綏	隨	隓	○	洼	惟	○	○	
觜	綷	[illegible]	髓	[illegible]	瞲	○	○	[illegible]	○	○	
醉	翠	萃	邃	遂	孈	○	恚	遺	○	○	
卒	焌	萃	卹	○	獝	驈	○	聿	○	○	

微韻宜併入脂韻

脂旨至質

遇攝內三　獨韻　侷門

見	溪	群	疑	端知	透徹	定澄	泥孃	幫非	滂敷	並奉	明微
孤	枯	○	吾	都	稌	徒	奴	逋	𨍏	酺	模
古	苦	○	五	覩	土	杜	怒	補	普	簿	姥
顧	絝	○	誤	妒	菟	渡	笯	布	怖	捕	暮
穀	哭	○	玃	穀	禿	獨	耨	卜	扑	暴	木
○	○	○	○	○	○	○	○	○	○	○	○
○	○	○	○	○	○	○	○	○	○	○	○
○	○	○	○	○	○	○	○	○	○	○	○
○	○	○	○	○	○	○	○	○	○	○	○
居	虛	渠	魚	豬	攄	除	袽	跗	敷	扶	無
舉	去	巨	語	貯	楮	佇	女	甫	撫	父	武
據	欵	遽	御	著	絮	箸	女	付	赴	附	務
輂	曲	局	玉	瘃	棟	躅	傉	匸	○	僕	媢
○	○	○	○	○	○	○	○	○	○	○	○
○	○	○	○	○	○	○	○	○	○	○	○
○	○	○	○	○	○	○	○	○	○	○	○
○	○	○	○	○	○	○	○	○	○	○	○

入声字在通攝

精	照	租	祖	作	鏃	菹	阻	詛	○	諸	[illegible]	[illegible]	燭	且	苴	怚	足
清	穿	麤	蒼	厝	瘯	初	楚	楚	○	樞	杵	處	娖	疽	[illegible]	覷	促
從	床	徂	粗	祚	族	鉏	齟	助	鷟	○	紓	○	贖	○	咀	聚	○
心	審	蘇	○	訴	速	疏	所	疏	數	書	暑	恕	束	胥	諝	絮	粟
邪	禪	○	○	○	○	○	○	○	○	蜍	野	署	蜀	徐	敘	屐	續
曉		呼	虎	謼	嗀	○	○	○	○	虛	許	噓	旭	○	○	○	○
匣		胡	戶	護	縠	○	○	○	○	○	○	○	○	○	○	○	○
影		烏	隖	汙	屋	○	○	○	○	於	淤	飫	○	○	○	○	○
喻		侉	○	○	○	○	○	○	○	于	羽	芋	○	余	與	豫	欲
來		盧	魯	路	祿	○	○	○	○	臚	呂	慮	錄	○	○	○	○
日		○	○	○	○	○	○	○	○	如	汝	洳	辱	○	○	○	○
	韻	模	姥	暮	屋					魚	語	御	燭				

虞麌遇

蟹攝外二　開口呼　廣門

見	溪	群	疑	端	透	定	泥	幫	滂	並	明
				知	徹	澄	孃	非	敷	奉	微
該	開	○	皚	䲦	胎	臺	能	○	婄	㾦	○
改	愷	○	騃	等	嗜	駘	乃	㤳	俖	倍	穤
蓋	磕	隑	艾	帶	泰	大	奈	貝	霈	旆	脄
葛	渴	○	嶭	怛	闥	達	捺	○	○	○	鶓
皆	揩	○	崖	桯	搋	㛼	摨	碩	嵟	排	䁅
鍇	楷	[illegible]	騃	釟	○	徥	嬭	擺	帊	罷	買
誡	烗	[illegible]	睚	媞	蠆	○	䙾	薜	○	○	賣
[illegible]	[illegible]	○	聐	哳	獺	噠	痆	捌	汃	拔	傛
○	○	○	○	○	○	○	○	○	○	○	○
○	○	○	○	○	○	○	○	○	○	○	○
猘	憩	偈	劓	癠	跇	滯	㛿	○	○	○	○
暨	○	姞	耴	窒	抶	秩	暱	筆	拂	弼	密
雞	谿	○	倪	低	梯	嗁	泥	豍	砒	鼙	迷
鷄	啓	○	堄	邸	體	弟	禰	鞞	頩	陛	米
計	契	○	詣	帝	替	第	泥	閉	媲	薜	謎
吉	詰	佶	齯	窒	○	耋	昵	必	匹	邲	蜜

精照	清穿	從床	心審	邪禪	曉	匣	影	喻	來	日	韻
𢦏	猜	裁	鰓	○	咍	孩	哀	頤	來	○	咍
宰	采	在	諰	○	海	亥	欸	腴	釓	○	海
載	菜	載	賽	○	餀	害	藹	○	賴	○	泰
鬢	擦	巀	簺	○	顪	曷	遏	○	剌	○	曷
齋	釵	豺	崽	○	豨	諧	娃	○	唻	○	皆
抧	[illegible]	○	灑	○	○	骸	挨	○	攋	○	駭
瘵	差	緫	[illegible]	○	譮	邂	隘	○	○	○	怪
札	刹	鑡	殺	○	瞎	黠	軋	○	○	○	鎋
○	擣	○	○	○	○	○	○	○	○	茹	齊
○	菑	○	○	○	○	○	○	○	○	疓	薺
制	掣	掣	世	逝	歇	○	絹	○	例	○	祭
質	叱	實	失	[illegible]	肸	○	乙	○	栗	日	質
齎	妻	齊	西	○	醯	奚	鷖	○	黎	○	齊
濟	泚	薺	洗	○	○	傒	吁	○	禮	○	薺
霽	砌	嚌	細	○	[illegible]	蒵	翳	賢	麗	○	霽
堲	七	疾	悉	○	欯	○	一	逸	○	○	質

代韻宜併入泰韻

祭韻宜併入霽韻

韻攝外二　合口呼　廣門

見	溪	群	疑	端	透	定	泥	幫	滂	並	明
				知	徹	澄	孃	非	敷	奉	微
傀	恢	○	鮠	磓	推	隤	捼	桮	肧	裴	枚
鐀	題	○	頠	腿	骽	錞	餧	悖	琣	琲	浼
憒	塊	饋	磑	對	退	隊	內	背	配	佩	妹
括	闊	○	枂	掇	侻	奪	○	撥	鏺	跋	末
媧	匯	○	詭	○	○	遺	○	○	○	○	○
丫	胯	○	○	僞	○	搥	○	○	○	○	○
卦	蒯	髽	聵	膪	顡	鰶	取	庍	湃	備	昒
劀	[illegible]	○	刖	鵽	頹	○	妠	○	○	○	○
○	○	○	○	○	○	○	○	○	○	○	○
○	○	○	○	○	○	○	○	○	○	○	○
劌	[illegible]	衛	彖	綴	惙	鎬	○	廢	肺	吠	○
亥	屈	倔	崛	㤕	黜	朮	豽	弗	拂	佛	物
圭	聧	○	巋	○	○	○	○	○	○	眭	○
○	○	○	○	○	○	○	○	○	○	○	○
桂	袿	○	○	○	○	○	○	○	刷	○	○
橘	○	繘	○	○	○	○	○	○	○	○	○

韻	精 照	清 穿	從 床	心 審	邪 禪	曉	匣	影	喻	來	日
灰	嗺	崔	摧	膗	○	灰	回	隈	○	靁	○
賄	摧	皠	辠	崔	○	賄	瘣	猥	阭	磥	○
隊	睟	倅	啐	碎	○	誨	潰	槐	𢕟	頪	○
末	繓	撮	柮	𠞊	○	豁	活	斡	○	捋	○
皆	○	磪	膗	蓑	○	虺	懷	蛙	○	𦞂	○
駭	○	撮	○	○	○	扮	夥	崴	○	○	○
怪	○	啐	擺	啐	○	𧮙	壞	䵳	○	○	○
鎋	茁	篡	○	刷	○	聒	頢	婠	○	○	○
齊	○	○	○	○	移	○	○	○	○	○	○
	○	○	○	○	○	○	○	○	○	○	○
廢	贅	毳	○	稅	啜	喙	○	穢	衛	○	芮
術	○	出	術	絀	○	颰	○	蔚	颹	律	○
齊	○	○	○	○	○	睳	攜	烓	○	○	○
薺	○	○	○	○	○	○	○	○	○	○	○
霽	蕝	毳	○	歲	篲	嘒	慧	○	銳	○	○
術	卒	焌	崒	卹	○	獝	驈	○	聿	○	○

泰韻合口字宜併入隊韻

廢韻宜併入霽韻

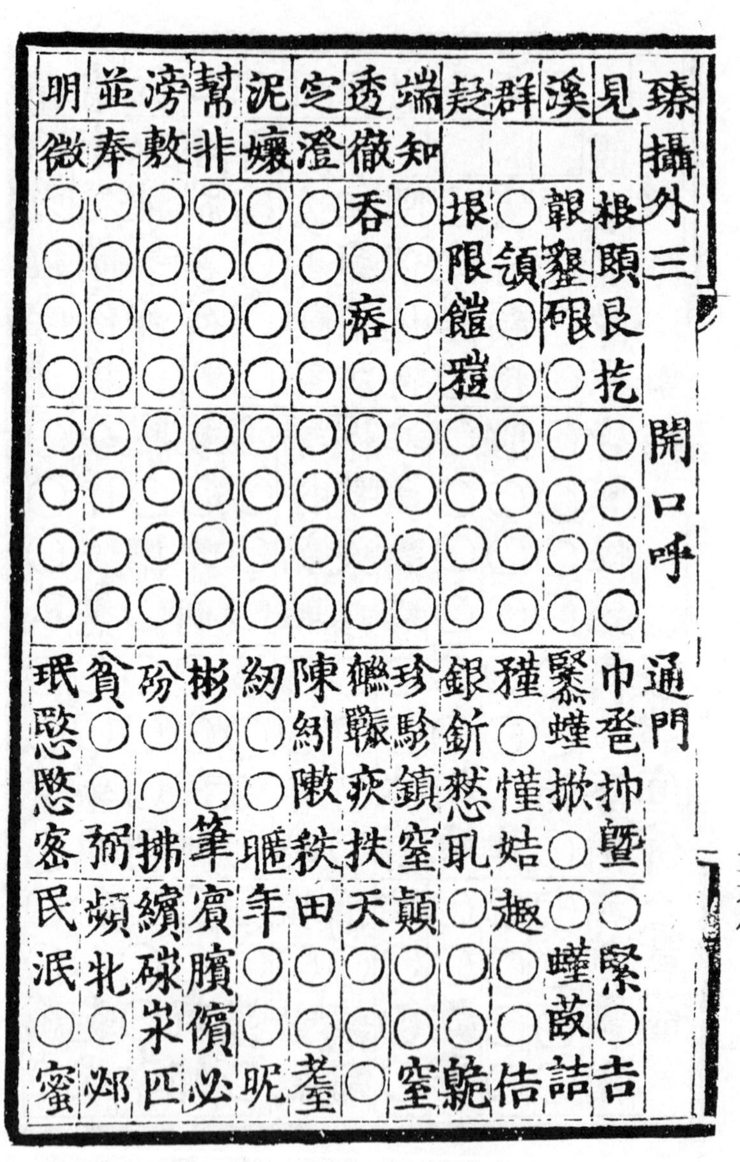

臻攝外三　開口呼　通門

見	溪	群	疑	端 知	透 徹	定 澄	泥 孃	幫 非	滂 敷	並 奉	明 微
根	齦	○	垠	○	吞	○	○	○	○	○	○
頣	墾	領	限	○	○	○	○	○	○	○	○
艮	硍	○	鎧	○	㾆	○	○	○	○	○	○
扢	○	○	[illegible]	○	○	○	○	○	○	○	○
○	○	○	○	○	○	○	○	○	○	○	○
○	○	○	○	○	○	○	○	○	○	○	○
○	○	○	○	○	○	○	○	○	○	○	○
○	○	○	○	○	○	○	○	○	○	○	○
巾	緊	[illegible]	銀	珍	[illegible]	陳	紉	彬	砏	貧	珉
巹	螼	○	釿	駗	辴	紖	○	○	○	○	愍
抻	掀	慬	慭	鎮	疢	敶	○	○	○	○	愍
暨	○	姞	耴	窒	抶	秩	[illegible]	筆	拂	弼	密
○	○	趣	○	顛	天	田	年	賓	繽	頻	民
緊	螼	○	○	○	○	○	○	臏	[illegible]	牝	泯
○	菣	○	○	○	○	○	○	儐	宷	○	○
吉	詰	佶	齕	窒	○	耋	昵	必	匹	邲	蜜

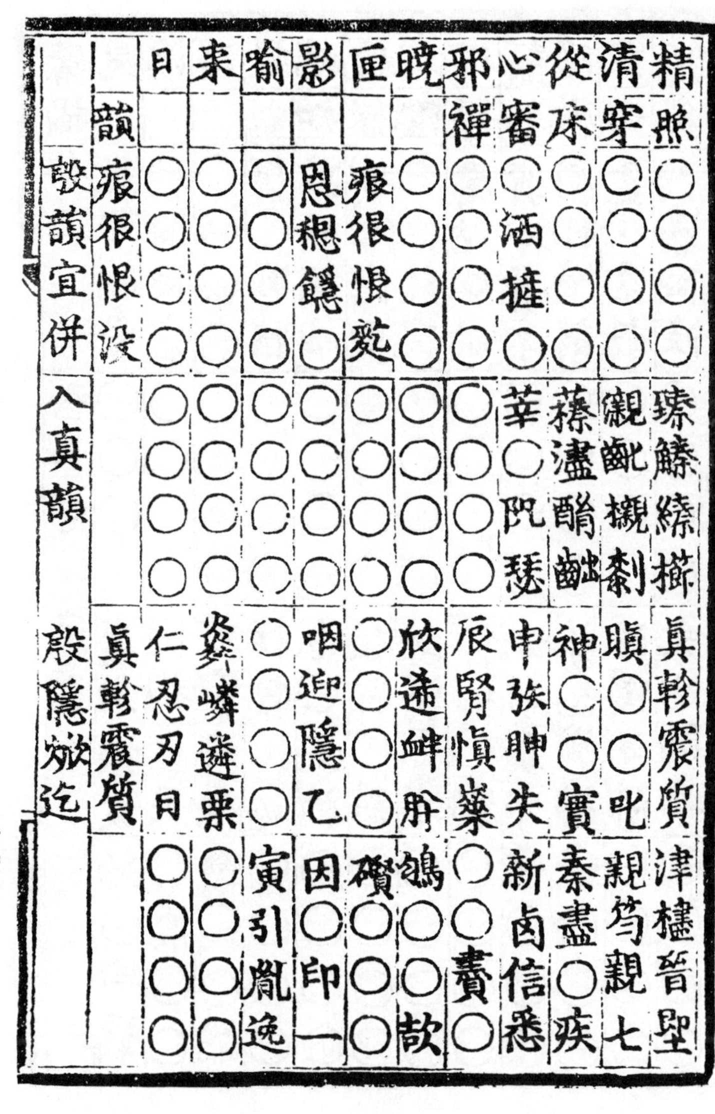

字母	一	二	三	四
精照	○○○○	臻鱶縥擳	眞軫震質	津儘晉堲
清穿	○○○○	瀙齔櫬刹	瞋○○叱	親笉親七
從床	○○○○	蓁濜酳齜	神○○實	秦盡○疾
心審	○洒攡○	莘○阠瑟	申矤胂失	新囟信悉
邪禪	○○○○	○○○○	辰腎愼蘗	○○賮○
曉	○○○○	○○○○	欣遙衅肸	鵠○○欯
匣	痕很恨覡	○○○○	○○○○	礥○○○
影	恩穩饐○	○○○○	咽迎隱乙	因○印一
喻	○○○○	○○○○	○○○○	寅引胤逸
來	○○○○	○○○○	粦嶙遴栗	○○○○
日	○○○○	○○○○	仁忍刃日	○○○○
韻	痕很恨沒		真軫震質	

殷韻宜併入真韻

殷隱焮迄

臻攝外三　合口呼　通門

聲母	1	2	3	4	5	6	7	8	9	10	11	12	13	14	15	16
見	昆	鯀	睔	骨	○	○	○	○	麏	庫	攈	亥	均	○	昀	橘
溪	坤	閫	困	窟	○	○	○	○	困	稇	壼	屈	○	麇	○	○
群	○	○	○	○	○	○	○	○	羣	窘	郡	倔	[illegible]	○	○	繘
疑	僤	○	顐	䯨	○	○	○	○	輑	輑	○	崛	○	○	○	○
端知	敦	[illegible]	頓	咄	○	○	○	○	屯	○	鈍	炪	○	○	○	○
透徹	暾	畽	黗	宊	○	○	○	○	椿	稓	○	黜	○	○	○	○
定澄	屯	囤	鈍	突	○	○	○	○	酏	蟳	○	术	○	○	○	○
泥孃	黁	㶧	嫰	訥	○	○	○	○	○	○	○	貀	○	○	○	○
幫非	奔	本	奔	不	○	○	○	○	分	粉	糞	弗	○	○	○	○
滂敷	濆	棚	噴	誖	○	○	○	○	芬	忿	湓	拂	○	○	○	○
並奉	盆	獖	坌	勃	○	○	○	○	汾	憤	分	佛	○	○	○	○
明微	門	懣	悶	沒	○	○	○	○	文	吻	問	物	○	○	○	○

精	清	從	心	邪	曉	匣	影	喻	來	日	
照	穿	牀	審	禪							韻
尊	村	存	孫	○	昏	魂	昷	○	論	○	魂
剸	忖	鱒	損	○	總	混	穩	○	怨	○	混
焌	寸	鐏	巽	○	惛	慁	揾	○	論	○	慁
卒	捽	捽	窣	○	忽	搰	頞	○	敕	○	沒
竣	帾	○	○	○	○	○	○	○	○	○	
○	○	○	○	○	○	○	○	○	○	○	
○	○	○	○	○	○	○	○	○	○	○	
茁	○	○	率	○	○	○	○	○	○	○	
諄	春	脣	○	純	熏	○	贇	筠	淪	犉	諄
準	蠢	盾	賰	○	○	○	惲	殞	輪	蝡	準
稕	○	順	舜	○	訓	○	醞	運	論	閏	稕
○	出	術	絀	○	颰	○	蔚	颶	律	○	術
遵	逡	鷷	荀	旬	○	○	蝹	匀	○	○	
○	蹲	[illegible]	筍	揗	○	○	○	尹	○	○	
儁	○	○	俊	殉	○	○	○	○	○	○	
卒	焌	崒	卹	○	橘	驈	○	聿	○	○	

文韻宜併入諄韻

文吻問物

山攝外四 開口呼 廣門

母																
見	干	笴	旰	葛	間	簡	諫	鴶	攑	蹇	建	孑	甄	繭	見	結
溪	看	侃	侃	渴	慳	齦	○	藒	愆	繾	[illegible]	朅	牽	遣	譴	挈
群	○	○	○	○	○	○	○	○	乾	件	健	傑	○	○	○	○
疑	豻	○	岸	嶭	顏	眼	鴈	聐	言	齴	彥	孽	妍	齞	硯	齧
端 知	單	亶	旦	怛	𧮲	○	○	哳	邅	展	驏	哲	顛	典	殿	窒
透 徹	灘	坦	炭	闥	○	㞞	㞞	獺	脠	搌	○	屮	天	腆	瑱	鐵
定 澄	壇	但	憚	達	[illegible]	○	袒	[illegible]	纏	邅	邅	轍	田	殄	電	姪
泥 孃	難	攤	攤	捺	然	赧	㬮	痆	○	趁	輾	○	年	撚	晛	涅
幫 非	○	○	○	○	○	○	扮	捌	○	辡	變	莂	鞭	○	編	鷩
滂 敷	○	○	○	○	○	肹	○	汃	○	鴘	○	○	篇	萹	鶣	撆
並 奉	○	○	○	○	瓣	版	辦	拔	○	辯	卞	別	便	楩	便	蹩
明 微	○	○	○	藒	○	○	慢	傛	[illegible]	免	○	○	眠	○	麪	蔑

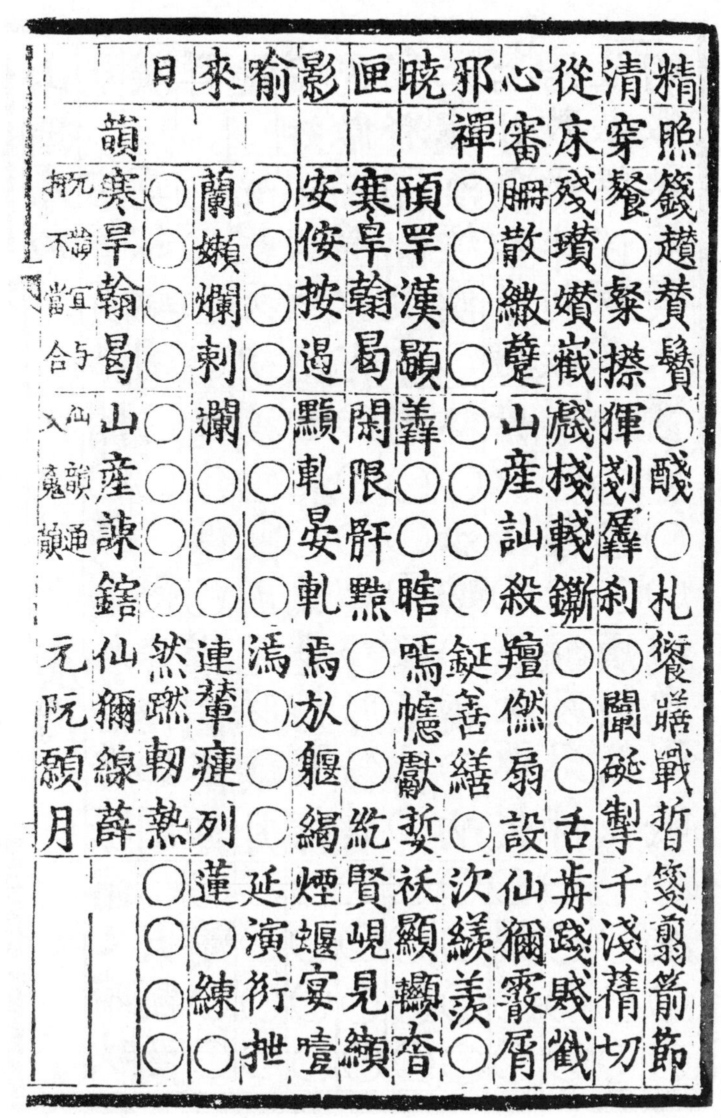

聲	一	二	三	四
精照	籛趲賛[illegible]	○醆○札	饘[illegible]戰晢	箋翦箭節
清穿	餐○粲攃	貚剗羼刹	○闡硟掣	千淺蒨切
從床	殘瓚嬻巀	虥棧輚鐁	○○○舌	歬踐賤截
心審	[illegible]散繖躠	山産訕殺	羶[illegible]扇設	仙獮霰屑
邪禪	○○○○	○○○○	鋋善繕○	次[illegible]羨○
曉	頇罕漢[illegible]	䶂○○瞎	嗎幰獻[illegible]	祆顯[illegible][illegible]
匣	寒旱翰曷	閑限骭黠	○○○紇	賢峴見纈
影	安侒按遏	黰軋晏軋	焉㫃躽謁	煙蝘宴噎
喻	○○○○	○○○○	漹○○○	延演衍抴
來	蘭嬾爛剌	斕○○○	連輦𤸎列	蓮○練○
日	○○○○	○○○○	然蹨軔熱	○○○○
韻	寒旱翰曷	山産諫鎋	仙獮線薛	元阮願月

元韻宜与仙韻通押不當合入寒韻

山攝外四 合口呼 廣門

母																
見	官	管	貫	括	關	○	慣	劀	勬	卷	眷	蹶	涓	く	睊	玦
溪	寬	款	鏉	闊	○	○	○	勖	弮	䅃	𢍏	闕	○	犬	䮯	闋
群	○	○	○	○	𧾩	○	𧾩	○	權	圈	倦	[illegible]	○	蜎	○	○
疑	岏	輐	玩	枂	頑	○	薍	刖	元	阮	願	月	○	○	○	○
端知	端	短	鍛	掇	○	[illegible]	○	鵽	[illegible]	轉	轉	輟	○	○	○	○
透徹	湍	疃	彖	侻	○	○	○	頒	猭	腞	猭	[illegible]	○	○	○	○
定澄	團	斷	段	奪	窀	○	○	○	椽	篆	傳	○	○	○	○	○
泥孃	渜	煗	偄	○	奻	○	奻	妠	○	䎡	○	吶	○	○	○	○
幫非	䈲	粄	半	撥	班	版	扮	○	蕃	反	販	髮	○	褊	○	○
滂敷	潘	坢	判	鏺	攀	○	襻	○	飜	疲	嬔	怖	○	○	○	○
並奉	槃	伴	叛	跋	○	○	○	○	煩	飯	飯	伐	○	○	○	○
明微	瞞	滿	縵	末	蠻	矕	○	○	樠	晚	万	韈	○	緬	○	○

精 照	清 穿	從 床	心 審	邪 禪	曉	匣	影	喻	來	日	 韻	
鑽	鋑	攢	酸	○	歡	桓	剜	○	鑾	○	桓	元韻宜與先韻通押不當合入魂韻
纂	⿱毳心	○	算	鄹	湲	緩	捥	○	卵	○	緩	
穳	竄	欑	筭	○	喚	換	惋	○	亂	○	換	
繓	撮	柮	⿰雪刂	○	豁	活	斡	○	捋	○	末	
跧	○	狗	栓	○	豩	湲	彎	○	欒	○	山	
蟤	慛	撰	○	○	○	睆	綰	○	○	○	產	
孨	篡	饌	篡	○	○	患	綰	○	○	○	諫	
茁	篹	○	刷	○	䀰	頢	婠	○	○	○	鎋	
專	穿	船	○	遄	暄	○	嬽	員	孿	堧	元	仙
剸	舛	○	○	膞	咺	○	宛	遠	臠	輭	阮	獮
剸	釧	○	縳	摶	楦	○	怨	瑗	戀	⿰口耎	願	線
拙	歠	○	說	啜	旻	○	噦	越	劣	爇	月	薛
鐫	詮	全	宣	旋	鋗	玄	淵	沿	○	○		
臇	○	雋	選	蔙	蠉	泫	蜎	兖	○	○		
恮	縓	泉	選	漩	絢	縣	⿰飠肙	掾	○	○		
蕝	⿸广毳	絕	雪	[illegible]	血	穴	抉	悅	○	○		

效攝外五	見	溪	群	疑	端 知	透 徹	定 澄	泥 孃	幫 非	滂 敷	並 奉	明 微
	高	尻	○	敖	刀	饕	陶	猱	褒	橐	袍	毛
	暠	考	○	䫸	倒	討	道	惱	寶	皫	抱	務
	誥	鎬	櫂	傲	到	韜	導	腝	報	犥	暴	帽
	各	恪	○	咢	沰	託	鐸	諾	博	顃	泊	莫
獨韻	交	敲	○	聱	嘲	颩	桃	鐃	包	胞	庖	茅
	絞	巧	○	齩	𧳜	䫿	○	獿	飽	砲	鮑	卯
	教	敲	○	樂	罩	趠	棹	橈	豹	奅	靤	皃
	覺	㱿	嶨	嶽	○	○	○	○	剝	璞	雹	邈
廣門	驕	趫	喬	○	朝	超	鼂	○	鑣	○	瀌	苗
	矯	槁	驕	○	○	巐	肇	○	表	麃	藨	○
	驕	趬	嶠	䖀	○	趫	召	○	裱	○	○	廟
	腳	卻	噱	虐	芍	㲋	著	逽	○	○	○	○
	驍	蹻	翹	尭	貂	祧	迢	嬈	飆	奥	瓢	蜱
	皎	磽	猺	䫜	鳥	朓	窕	嬲	褾	縹	摽	眇
	叫	竅	翹	顤	弔	糶	藋	尿	標	剽	驃	妙
	○	○	○	○	○	○	○	○	○	○	○	○

精	清	從	心	邪	曉	匣	影	喻	來	日	
照	穿	牀	審	禪							韻
糟	操	曹	騷	○	蒿	豪	爊	○	勞	○	豪
早	草	皁	嫂	○	好	晧	襖	○	老	○	皓
竈	操	漕	喿	○	耗	号	奥	○	嫪	○	号
作	錯	昨	索	○	臛	涸	惡	○	落	○	鐸
[illegible]	謲	巢	梢	○	虓	肴	[illegible]	猇	顟	○	肴
爪	煼	轈	數	○	嗃	澩	拗	○	䝟	○	巧
抓	抄	巢	稍	○	孝	效	靿	○	○	○	効
○	○	○	○	○	毛	學	握	○	○	○	覺
昭	怊	○	燒	韶	囂	○	妖	鴞	燎	饒	宵
沼	麨	○	少	紹	○	○	夭	○	繚	擾	小
照	覞	○	少	邵	○	○	○	○	尞	饒	笑
灼	綽	○	爍	妁	謔	○	約	○	略	若	藥
焦	鍫	樵	宵	○	膮	○	要	遙	聊	○	
湫	悄	潐	小	○	[illegible]	皛	杳	鷕	了	○	
醮	陗	噍	笑	○	[illegible]	顥	要	燿	[illegible]	○	
爵	鵲	皭	削	○	○	○	○	藥	○	○	

平上去入

果攝内四　假攝外六狹門

果攝入聲字在宕攝　假攝入聲字在山攝

字母	一	二	三	四	一	二	三	四	一	二	三	四	一	二	三	四
見	歌	哿	箇	各	嘉	檟	駕	鴶	迦	○	○	孑	○	○	○	○
溪	珂	可	坷	恪	齣	跒	髂	鞂	佉	○	○	朅	○	○	欯	鍥
群	翗	○	○	○	○	○	○	○	伽	○	○	傑	○	○	○	○
疑	莪	我	餓	咢	牙	雅	迓	聐	○	○	○	○	○	○	○	○
端知	多	嚲	跢	沰	奓	縿	吒	哳	○	○	○	○	爹	哆	○	窒
透徹	佗	袉	拖	託	侘	姹	詫	獺	○	○	○	○	○	○	○	○
定澄	駝	爹	馱	鐸	茶	蹅	蛇	噠	○	○	○	○	○	○	○	○
泥孃	那	橠	奈	諾	拏	絮	胳	痆	○	○	○	○	臡	○	○	涅
幫非	○	○	○	○	巴	把	霸	捌	○	○	○	○	○	○	○	○
滂敷	○	○	○	○	葩	土	帊	汃	○	○	○	○	○	○	○	○
並奉	○	○	○	○	爬	跁	吠	拔	○	○	○	○	○	○	○	○
明微	○	○	○	○	麻	馬	禡	傌	○	○	○	○	咩	乜	○	蔑

精	照	䶩	左	佐	作	樝	鮓	詐	扎	遮	者	柘	晢	嗟	姐	借	節
清	穿	蹉	瑳	○	錯	叉	叏	瘥	刹	車	奲	赿	掣	磋	且	笡	切
從	床	醝	䑜	○	昨	楂	槎	乍	鐁	蛇	○	射	舌	查	姐	褯	截
心	審	娑	縒	些	索	鯊	灑	嗄	殺	奢	捨	舍	設	些	寫	蝑	屑
邪	禪	○	○	○	○	○	○	○	○	闍	社	堧	○	邪	灺	謝	○
曉		訶	歌	呵	臛	煆	閜	嚇	瞎	○	○	○	○	苛	○	○	○
匣		何	荷	賀	涸	遐	下	暇	黠	○	○	○	○	○	○	○	○
影		阿	閜	椏	惡	鴉	啞	亞	軋	○	○	○	○	○	○	○	○
喻		○	○	○	○	○	○	○	○	○	○	○	○	耶	野	夜	拽
來		羅	攞	邏	○	○	藞	○	○	儸	跍	○	○	○	○	○	○
日		○	○	○	○	○	○	○	○	若	若	偌	○	○	○	○	○
	韻	歌	哿	箇	鐸	麻	馬	禡	鎋								

内外混等

果攝內四　假攝外六　合口呼

見	溪	群	疑	端知	透徹	定澄	泥孃	幫非	滂敷	並奉	明微
戈	科	○	訛	陊	詑	牠	捼	波	頗	婆	摩
果	顆	○	婐	朶	妥	墮	婐	跛	叵	爸	麼
過	課	○	卧	挆	唾	惰	愞	播	破	[illegible]	磨
郭	廓	○	瓁	○	○	○	○	○	○	○	○
瓜	誇	○	[illegible]	撾	○	○	○	○	○	○	○
寡	髁	○	瓦	[illegible]	[illegible]	[illegible]	○	○	○	○	○
坬	跨	○	瓦	○	○	○	○	○	○	○	○
刮	[illegible]	○	刖	鵽	[illegible]	○	妠	○	○	○	○
○	𩨐	瘸	○	○	○	○	○	○	○	○	○
○	○	○	○	○	○	○	○	○	○	○	○
○	○	○	○	○	○	○	○	○	○	○	○
○	闕	[illegible]	○	○	○	○	○	○	○	○	○
○	○	○	○	○	○	○	○	○	○	○	○
○	○	○	○	○	○	○	○	○	○	○	○
○	○	○	○	○	○	○	○	○	○	○	○
○	○	○	○	○	○	○	○	○	○	○	○

韻	日	來	喻	影	匣	曉	邪	心	從	清	精
韻							禪	審	床	穿	照
戈	○	鸁	訏	倭	和	○	○	莎	矬	遳	侳
果	○	裸	○	婐	禍	火	○	鎖	坐	脞	○
過	○	臝	○	涴	和	貨	○	膹	座	剉	挫
鐸	○	硦	○	臒	獲	霍	○	○	○	○	噪
麻	○	覶	○	窊	華	華	○	○	○	○	挫
馬	○	○	○	搲	踝	○	○	葰	○	𡍮	粗
禡	○	○	○	搲	摦	化	○	誜	○	○	○
鎋	○	○	○	婠	頢	𦧇	○	刷	○	篡	茁
	稜	臆	○	肥	○	韡	○	○	○	○	○
	○	○	○	○	○	○	○	○	○	○	○
	○	○	○	○	○	○	○	○	○	○	○
	𧸖	劣	○	虢	○	旻	○	○	○	○	○
	○	○	○	○	○	○	○	○	○	○	○
	○	○	○	○	○	○	○	○	○	○	○
	○	○	○	○	○	○	○	○	○	○	○
	○	○	○	○	○	○	○	○	○	○	○

合口呼

宕攝內五 開口呼 侷門

聲母	一等平	一等上	一等去	一等入	二等平	二等上	二等去	二等入	三等平	三等上	三等去	三等入	四等平	四等上	四等去	四等入
見	岡	䟘	鋼	各	○	○	○	○	薑	繮	彊	腳	○	○	○	○
溪	康	㰠	抗	恪	○	○	○	○	羌	𥕢	唴	卻	○	○	○	○
群	○	○	○	○	○	○	○	○	強	勥	弶	噱	○	○	○	○
疑	卬	駠	枊	咢	○	○	○	○	卬	仰	軮	虐	○	○	○	○
端 知	當	黨	讜	沰	○	○	○	○	張	長	帳	芍	○	○	○	○
透 徹	湯	曭	儻	託	○	○	○	○	募	昶	悵	逴	○	○	○	○
定 澄	唐	蕩	宕	鐸	○	○	○	○	長	丈	仗	著	○	○	○	○
泥 孃	囊	曩	儾	諾	○	○	○	○	孃	○	釀	逽	○	襄	○	○
幫 非	○	榜	○	博	○	○	○	○	方	昉	放	轉	○	○	○	○
滂 敷	滂	髈	○	顛	○	○	○	○	芳	髣	訪	霬	○	○	○	○
並 奉	○	○	傍	泊	○	○	○	○	房	○	防	縛	○	驪	○	○
明 微	茫	莽	漭	莫	○	○	○	○	亡	网	妄	○	○	○	○	○

精照	臧	駔	葬	作	莊	[illegible]	壯	斮	章	掌	障	灼	將	獎	醬	爵
清穿	倉	蒼	槍	錯	創	磢	剏	◯	昌	敞	唱	綽	槍	搶	蹌	鵲
從牀	藏	奘	藏	昨	牀	◯	狀	斮	◯	◯	◯	◯	牆	蔣	匠	嚼
心審	桑	顙	喪	索	霜	爽	霜	◯	商	賞	餉	爍	襄	想	相	削
邪禪	◯	◯	◯	◯	◯	◯	◯	◯	常	上	尚	妁	詳	像	◯	◯
曉	炕	汻	◯	臛	◯	◯	◯	◯	香	響	向	謔	◯	◯	◯	◯
匣	航	沆	吭	涸	◯	◯	◯	◯	◯	◯	◯	◯	◯	◯	◯	◯
影	鴦	坱	盎	惡	◯	◯	◯	◯	央	鞅	怏	約	◯	◯	◯	◯
喻	◯	◯	◯	◯	◯	◯	◯	◯	◯	◯	◯	◯	陽	養	漾	藥
來	郎	朗	浪	落	◯	◯	◯	◯	良	兩	亮	略	◯	◯	◯	◯
日	◯	◯	◯	◯	◯	◯	◯	◯	穰	壤	讓	若	◯	◯	◯	◯
韻	唐	蕩	宕	鐸					陽	養	樣	藥				

宕攝內五　合口呼　侷門

字母																
見	光	廣	桄	郭	○	○	○	○	㤮	獷	誑	彏	○	○	○	○
溪	觥	懬	曠	廓	○	○	○	○	匡	恇	眶	躩	○	○	○	○
群	○	○	○	○	○	○	○	○	狂	𢓜	狂	戄	○	○	○	○
疑	○	○	○	瓁	○	○	○	○	○	○	○	○	○	○	○	○
端知	○	○	○	○	○	○	○	○	○	○	○	○	○	○	○	○
透徹	○	○	○	○	○	○	○	○	○	○	○	○	○	○	○	○
定澄	○	○	○	○	○	○	○	○	○	○	○	○	○	○	○	○
泥孃	○	○	○	○	○	○	○	○	○	○	○	○	○	○	○	○
幫非	幫	○	螃	○	○	○	○	○	○	○	○	○	○	○	○	○
滂敷	○	○	肨	○	○	○	○	○	○	○	○	○	○	○	○	○
並奉	傍	○	○	○	○	○	○	○	○	○	○	○	○	○	○	○
明微	○	○	○	○	○	○	○	○	○	○	○	○	○	○	○	○

精照	清穿	從床	心審	邪禪	曉	匣	影	喻	來	日	韻
○	○	○	○	○	荒	黃	汪	○	○	○	唐
○	○	○	○	○	慌	晃	汪	○	○	○	蕩
○	○	○	○	○	荒	攩	汪	○	○	○	宕
嚛	○	○	○	○	霍	穫	臒	○	硦	○	鐸
○	○	○	○	○	○	○	○	○	○	○	
○	○	○	○	○	○	○	○	○	○	○	
○	○	○	○	○	○	○	○	○	○	○	
○	○	○	○	○	○	○	○	○	○	○	
○	○	○	○	○	○	○	○	王	○	○	陽
○	○	○	○	○	怳	○	忹	往	○	○	養
○	○	○	○	○	況	○	○	迋	○	○	樣
○	○	○	○	○	矍	○	嬳	籰	○	○	藥
○	○	○	○	○	○	○	○	○	○	○	
○	○	○	○	○	○	○	○	○	○	○	
○	○	○	○	○	○	○	○	○	○	○	
○	○	○	○	○	○	○	○	○	○	○	

曾攝內六　開口呼　侷門

見	溪	群	疑	端 知	透 徹	定 澄	泥 孃	幫 非	滂 敷	並 奉	明 微
揯	[illegible]	○	○	登	鼟	騰	能	崩	漰	朋	瞢
[illegible]	肯	○	○	等	[illegible]	蹬	能	○	倗	[illegible]	瞢
亘	堩	○	○	嶝	澄	鄧	鼐	[illegible]	[illegible]	倗	懵
裓	刻	○	○	德	忒	特	[illegible]	北	覆	[illegible]	墨
○	○	○	○	○	○	○	○	○	○	○	○
○	○	○	○	○	○	○	○	○	○	○	○
○	○	○	○	○	○	○	○	○	○	○	○
○	○	○	○	○	○	○	○	○	○	○	○
兢	硱	殑	凝	徵	僜	澂	○	冫	砅	凭	儚
○	○	殑	○	○	庱	澄	○	○	○	凴	○
○	[illegible]	殑	凝	○	覴	瞪	[illegible]	冰	湆	砅	○
殛	[illegible]	極	嶷	陟	敕	直	匿	○	○	○	○
○	○	○	○	○	○	○	○	○	○	○	○
○	○	○	○	○	○	○	○	○	○	○	○
○	○	○	○	○	○	○	○	○	○	○	○
○	○	○	○	○	○	○	○	○	○	○	○

	精照	清穿	從牀	心審	邪禪	曉	匣	影	喻	來	日	韻
一等平	增	[illegible]	層	僧	○	○	恒	鞥	○	棱	○	登
一等上	噌	○	○	○	○	○	亘	○	○	○	○	等
一等去	增	蹭	贈	[illegible]	○	○	○	○	○	倰	○	嶝
一等入	則	墄	賊	塞	○	黑	劾	餩	○	勒	○	德
二等平	○	○	磳	殑	○	○	○	○	○	○	○	
二等上	○	○	○	殑	○	○	○	○	○	○	○	
二等去	○	○	○	○	○	○	○	○	○	○	○	
二等入	側	測	崱	色	○	○	○	○	○	○	○	
三等平	蒸	稱	繩	升	承	興	○	膺	熊	陵	仍	蒸
三等上	拯	齒	○	○	○	○	○	○	○	○	耳	拯
三等去	證	稱	乘	勝	丞	興	○	應	○	餕	認	證
三等入	職	瀷	食	識	寔	赩	淢	憶	○	力	日	職
四等平	髓	○	繒	繶	○	○	○	○	蠅	○	○	
四等上	○	○	○	○	○	○	○	○	○	○	○	
四等去	甑	[illegible]	○	○	○	○	○	○	孕	○	○	
四等入	即	○	堲	息	○	○	○	○	弋	○	○	

曾攝内六　合口呼　侷門

見	溪	群	疑	端知	透徹	定澄	泥孃	幫非	滂敷	並奉	明微
肱	鞃	○	○	○	○	○	○	○	○	○	○
○	○	○	○	○	○	○	○	○	○	○	○
○	○	○	○	○	○	○	○	○	○	○	○
國	○	○	○	○	○	○	○	○	○	○	○
○	○	○	○	○	○	○	○	○	○	○	○
○	○	○	○	○	○	○	○	○	○	○	○
○	○	○	○	○	○	○	○	○	○	○	○
○	○	○	○	○	○	○	○	○	○	○	○
○	○	○	○	○	○	○	○	○	○	○	○
○	○	○	○	○	○	○	○	○	○	○	○
○	○	○	○	○	○	○	○	○	○	○	○
○	○	○	○	○	○	○	○	逼	堛	愊	窨
○	○	○	○	○	○	○	○	○	○	○	○
○	○	○	○	○	○	○	○	○	○	○	○
○	○	○	○	○	○	○	○	○	○	○	○
○	○	○	○	○	○	○	○	○	○	○	○

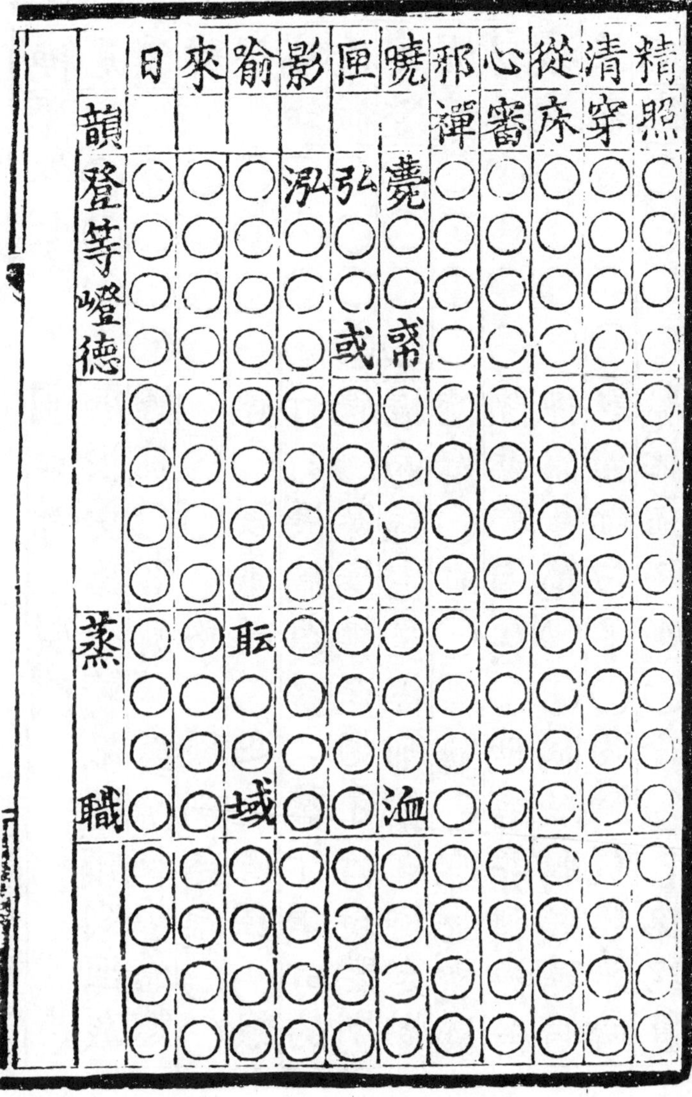

韻	精照	清穿	從床	心審	邪禪	曉	匣	影	喻	來	日
登	○	○	○	○	○	薨	弘	泓	○	○	○
等	○	○	○	○	○	○	○	○	○	○	○
嶝	○	○	○	○	○	○	○	○	○	○	○
德	○	○	○	○	○	𧄍	或	○	○	○	○
	○	○	○	○	○	○	○	○	○	○	○
	○	○	○	○	○	○	○	○	○	○	○
	○	○	○	○	○	○	○	○	○	○	○
	○	○	○	○	○	○	○	○	○	○	○
蒸	○	○	○	○	○	○	○	○	耺	○	○
	○	○	○	○	○	○	○	○	○	○	○
	○	○	○	○	○	○	○	○	○	○	○
職	○	○	○	○	○	洫	○	○	域	○	○
	○	○	○	○	○	○	○	○	○	○	○
	○	○	○	○	○	○	○	○	○	○	○
	○	○	○	○	○	○	○	○	○	○	○
	○	○	○	○	○	○	○	○	○	○	○

梗攝外七　開口呼　廣門

聲母																
見	○	○	○	○	庚	梗	更	格	驚	警	敬	戟	頸	剄	徑	激
溪	○	○	○	○	鏗	伉	○	客	卿	○	慶	隙	輕	謦	罄	燩
群	○	○	○	○	○	○	○	○	檠	○	競	劇	頸	痙	○	○
疑	○	○	○	○	娙	○	鞕	虉	迎	○	迎	逆	娙	脛	○	鷁
端知	○	○	○	○	朾	盯	倀	摘	貞	最	○	𥟖	丁	頂	矴	的
透徹	○	○	○	○	瞠	○	牚	𤸪	檉	逞	遉	彳	汀	珽	聽	剔
定澄	○	○	○	○	棖	瑒	鋥	宅	呈	程	鄭	擲	庭	挺	定	悌
泥孃	○	○	○	○	儜	檸	○	疒	○	○	䆆	○	寧	顁	寗	鑈
幫非	○	○	○	○	閍	浜	迸	伯	兵	○	柄	碧	并	鞞	摒	礕
滂敷	○	○	○	○	怦	骿	亨	擗	○	○	病	[illegible]	聘	頩	聘	僻
並奉	○	○	○	○	彭	鮩	併	白	平	○	病	欂	瓶	竝	屏	擗
明微	○	○	○	○	甍	猛	孟	陌	明	○	命	○	名	眳	詺	覓

青韻宜併入清韻

精	照	○	○	○	○	争	浄	諍	責	征	整	政	隻	精	井	精	積
清	穿	○	○	○	○	琤	瀞	瀞	策	○	○	○	天	清	請	倩	皵
從	床	○	○	○	○	傖	○	○	齚	○	○	○	麝	情	静	淨	籍
心	審	○	○	○	○	生	省	生	捒	聲	○	聖	釋	星	省	性	昔
邪	禪	○	○	○	○	○	○	○	○	成	○	盛	石	餳	○	○	席
曉		○	○	○	○	脝	[illegible]	[illegible]	赫	○	○	○	虩	馨	[illegible]	欸	款
匣		○	○	○	○	行	幸	行	覈	○	○	○	○	刑	婞	脛	檄
影		○	○	○	○	甖	攖	瀴	戹	[illegible]	影	映	○	嬰	癭	纓	益
喻		○	○	○	○	○	○	○	○	○	○	○	○	盈	郢	○	繹
來		○	○	○	○	磷	冷	○	礐	跉	令	令	○	靈	領	零	[illegible]
日		○	○	○	○	○	○	○	○	穰	[illegible]	○	○	○	○	○	○
韻						庚	梗	諍	陌	清	靜	勁	昔	青	迥	徑	錫

梗攝外七

合口呼　廣門

見	溪	群	疑	端知	透徹	定澄	泥孃	幫非	滂敷	並奉	明微
○	○	○	○	○	○	○	○	○	○	○	○
○	○	○	○	○	○	○	○	○	○	○	○
○	○	○	○	○	○	○	○	○	○	○	○
○	○	○	○	○	○	○	○	○	○	○	○
觥	銑	○	○	○	○	○	○	○	○	○	○
礦	界	○	○	○	○	○	○	○	○	○	○
○	○	○	○	○	○	○	○	○	○	○	○
蟈	螂	趡	○	○	○	○	○	○	○	○	○
○	○	○	○	○	○	○	○	○	○	○	○
憬	憬	○	○	○	○	○	○	丙	○	○	皿
須	[illegible]	○	○	○	○	○	○	○	○	○	○
攫	躩	○	○	○	○	○	○	○	○	○	○
泂	傾	瓊	○	○	○	○	○	○	○	○	○
熲	頃	○	○	○	○	○	○	○	○	○	○
扃	高	○	○	○	○	○	○	○	○	○	○
郥	閴	○	○	○	○	○	○	○	○	○	○

精	清	從	心	邪	曉	匣	影	喻	來	日		
照	穿	床	審	禪							韻	
○	○	○	○	○	○	○	○	○	○	○		
○	○	○	○	○	○	○	○	○	○	○		
○	○	○	○	○	○	○	○	○	○	○		
○	○	○	○	○	○	○	○	○	○	○		
○	○	○	○	○	諻	宖	泓	弘	○	○	庚	
○	○	○	○	○	濴	卝	䁝	○	○	○	梗	
○	○	○	○	○	轟	蝗	[illegible]	○	○	○	諍	
[illegible]	○	趚	摵	○	謋	嚄	擭	[illegible]	○	○	陌	
○	○	○	○	○	兄	○	謍	禜	○	○	清	青
○	○	○	○	○	[illegible]	○	○	永	○	○	靜	迥
○	○	○	○	○	窉	○	○	詠	○	○	勁	徑
[illegible]	○	○	○	○	○	○	○	棫	○	○	昔	錫
[illegible]	○	○	騂	○	騂	○	縈	營	○	○		
○	○	○	頳	○	怳	迥	濴	頳	○	○		
○	○	○	○	○	敻	濙	鎣	○	○	○		
○	[illegible]	○	○	○	眼	○	○	役	○	○		

流攝內七

獨韻

狹門

見	溪	群	疑	端	透	定	泥	幫	滂	並	明
				知	徹	澄	孃	非	敷	奉	微
鉤	彄	○	齵	兜	偷	頭	羺	○	捊	裒	呣
茍	口	○	藕	斗	黈	蕍	糓	探	剖	部	母
遘	寇	○	偶	鬭	透	豆	褥	○	仆	䏽	茂
穀	哭	○	[illegible]	豰	禿	獨	耨	卜	扑	暴	木
○	○	○	○	○	○	○	○	○	○	○	○
○	○	○	○	○	○	○	○	○	○	○	○
○	○	○	○	○	○	○	○	○	○	○	○
○	○	○	○	○	○	○	○	○	○	○	○
鳩	丘	裘	牛	輈	抽	儔	惆	不	飆	浮	謀
久	糗	舅	[illegible]	肘	丑	紂	狃	缶	恒	婦	○
救	䶈	舊	[illegible]	晝	畜	冑	糅	富	副	復	苺
菊	曲	局	玉	瘃	楝	躅	傉	匸	○	幞	媢
樛	區	虯	聱	○	○	○	○	彪	○	滮	繆
糾	[illegible]	蟉	○	○	○	○	○	○	○	○	○
赳	蹞	[illegible]	○	○	○	○	○	○	○	○	謬
○	○	○	○	○	○	○	○	○	○	○	○

此下二字併入頭等

聲	一				二				三				四			
精照	緅	走	奏	鏃	鄒	掫	皺	縬	周	帚	咒	粥	遒	酒	僦	足
清穿	誰	趣	輳	瘯	搊	[illegible]	簉	珿	犨	醜	臭	俶	秋	○	趥	促
從床	[illegible]	鯫	[illegible]	族	愁	[illegible]	驟	鷟	○	○	舊	贖	酋	湫	就	○
心審	涑	叜	瘶	速	搜	溲	瘦	縮	收	首	狩	束	脩	滫	秀	粟
邪禪	○	緅	○	○	○	○	○	○	雔	受	授	蜀	囚	○	岫	續
曉	齁	吼	蔻	㱉	○	○	○	○	休	朽	齅	旭	飍	○	螑	○
匣	侯	厚	候	縠	○	○	○	○	○	○	○	○	○	○	○	○
影	謳	歐	漚	屋	○	○	○	○	憂	[illegible]	憂	○	幽	黝	幼	○
喻	○	○	○	○	○	○	○	○	尤	有	宥	○	猷	酉	狖	欲
來	樓	塿	陋	祿	○	○	○	○	劉	柳	溜	錄	鏐	○	○	○
日	○	○	○	○	○	○	○	○	柔	蹂	輮	辱	○	○	○	○
韻	侯	厚	候	屋					尤	有	宥	燭				

深攝內八　獨韻　狹門

見	溪	群	疑	端知	透徹	定澄	泥孃	幫非	滂敷	並奉	明微
○	○	○	○	○	○	○	○	○	○	○	○
○	○	○	○	○	○	○	○	○	○	○	○
○	○	○	○	○	○	○	○	○	○	○	○
○	○	○	○	○	○	○	○	○	○	○	○
○	○	○	○	○	○	○	○	○	○	○	○
○	○	○	○	○	○	○	○	○	○	○	○
○	○	○	○	○	○	○	○	○	○	○	○
○	○	○	○	○	○	○	○	○	○	○	○
金	欽	琴	吟	碪	琛	沈	[illegible]	○	○	○	○
錦	顩	噤	僸	戡	踸	朕	拰	稟	品	○	○
禁	搇	訡	吟	椹	闖	鴆	賃	稟	○	○	○
急	泣	及	岌	縶	湁	蟄	孴	鵖	○	[illegible]	○
○	○	○	○	○	譖	○	○	○	○	○	○
○	○	○	○	○	○	○	○	○	○	○	○
○	○	○	○	○	○	○	○	○	○	○	○
○	○	○	○	○	○	○	○	○	○	○	○

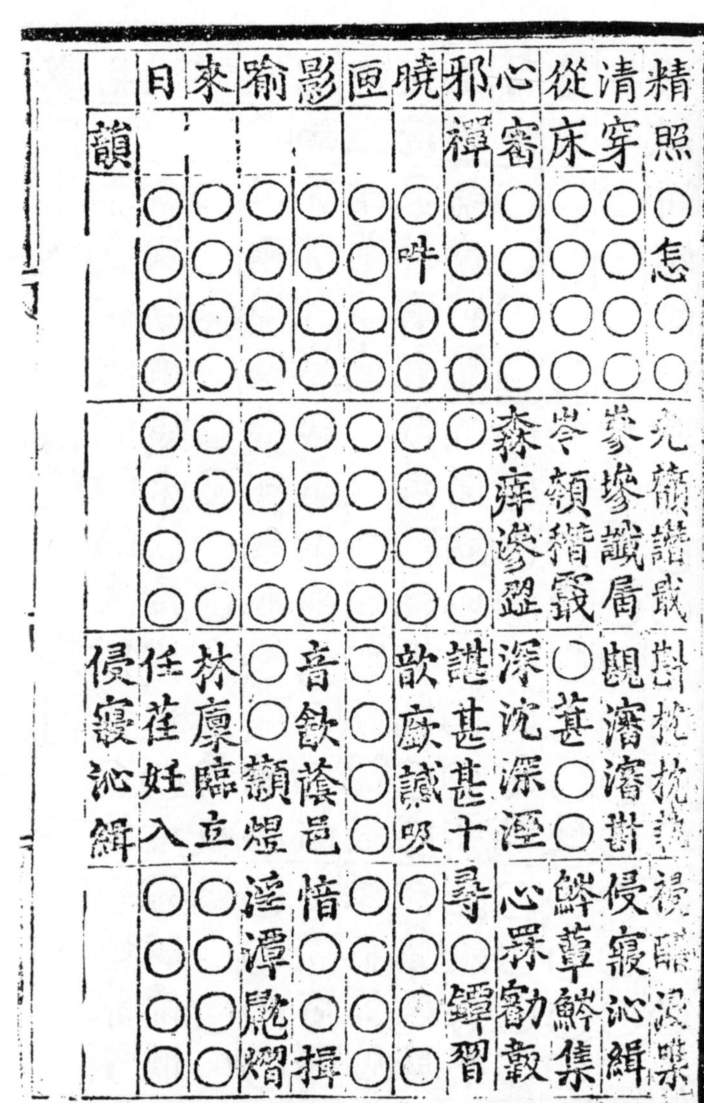

精	清	從	心	邪	曉	匣	影	喻	來	日	
照	穿	床	審	禪							韻
○	○	○	○	○	○	○	○	○	○	○	
怎	○	○	○	○	吽	○	○	○	○	○	
○	○	○	○	○	○	○	○	○	○	○	
○	○	○	○	○	○	○	○	○	○	○	
兂	嵾	岑	森	○	○	○	○	○	○	○	
䫬	墋	顉	瘮	○	○	○	○	○	○	○	
譖	讖	[illegible]	滲	○	○	○	○	○	○	○	
戢	屆	霵	澀	○	○	○	○	○	○	○	
斟	覘	○	深	諶	歆	○	音	○	林	任	侵
枕	瀋	葚	沈	甚	廞	○	飲	○	廩	荏	寢
枕	瀋	○	深	甚	諴	○	蔭	[illegible]	臨	妊	沁
執	卙	○	溼	十	吸	○	邑	熠	立	入	緝
祲	侵	鮗	心	尋	○	○	愔	淫	○	○	
[illegible]	寑	蕈	罧	○	○	○	○	潭	○	○	
浸	沁	鮗	勸	鐔	○	○	○	[illegible]	○	○	
㗱	緝	集	[illegible]	習	○	○	揖	[illegible]	○	○	

咸攝外八

獨韻

狹門

見	溪	群	疑	端 知	透 徹	定 澄	泥 孃	幫 非	滂 敷	並 奉	明 微
弇	龕	○	坩	耽	[illegible]	覃	南	○	○	○	姏
感	坎	○	顉	黕	菼	禫	腩	○	○	○	[illegible]
紺	勘	黔	儑	馾	賧	醰	妠	○	○	○	姏
閤	溘	○	[illegible]	答	搨	沓	魶	○	○	○	○
鹻	鵮	○	巖	詀	○	㦰	諵	○	○	[illegible]	夌
鹼	床	○	顉	鮎	闞	湛	罱	○	○	○	○
䫡	歉	○	顑	鮎	○	賺	諵	○	○	[illegible]	○
夾	恰	○	聕	剳	[illegible]	[illegible]	囡	○	○	○	○
黚	憾	鍼	[illegible]	霑	覘	[illegible]	黏	砭	○	犯	○
撿	預	儉	頷	○	諂	湛	○	貶	○	○	○
○	○	鐱	驗	○	[illegible]	○	○	窆	○	○	○
絢	疺	衱	○	輒	鍤	[illegible]	聶	鴘	𡛷	○	○
兼	謙	涅	○	髻	添	甜	鮎	○	○	○	○
[illegible]	脥	○	○	點	忝	簟	淰	○	○	○	[illegible]
兼	傔	○	○	店	㮇	磹	念	○	○	○	○
頰	愜	○	○	聑	帖	牒	苶	○	○	○	○

韻	日	來	喻	影	匣	曉	邪 禪	心 審	從 牀	清 穿	精 [illegible]
覃	○	藍	佔	諳	含	谽	○	三	蠶	參	[illegible]
感	○	覽	○	晻	頷	喊	○	糂	歜	慘	[illegible]
勘	○	顲	○	暗	鑑	顑	○	三	暫	謲	篸
合	○	拉	○	姶	盍	欱	○	趿	雜	[illegible]	帀
咸	○	[illegible]	佔	喑	咸	歁	○	攕	巉	攙	漸
豏	○	臉	○	黯	豏	[illegible]	○	摲	瀺	醶	斬
陷	○	[illegible]	○	韽	陷	[illegible]	○	釤	儳	[illegible]	[illegible]
洽	○	𥘵	○	鴨	洽	呷	○	翣	[illegible]	插	眨
鹽	[illegible]	廉	炎	淹	○	[illegible]	棎	苫	○	譫	詹
琰	冉	斂	○	奄	○	險	剡	陝	○	○	黵
豔	染	殮	○	俺	○	○	贍	閃	○	[illegible]	占
葉	讘	獵	曄	[illegible]	○	偞	涉	攝	○	謵	讋
	○	鬑	鹽	懕	嫌	[illegible]	燅	銛	潛	籤	尖
	○	○	琰	黶	鼸	○	餤	[illegible]	漸	憯	僭
	○	稴	豔	厭	○	○	○	[illegible]	潛	壍	戩
	○	[illegible]	葉	魘	協	[illegible]	○	燮	捷	葴	接

合口呼

咸攝外八　狹門

聲母	一	二	三	四
見	黔	○	劒	刧
溪	顩	凵	欠	怯
群	黚	拑	[illegible]	跲
疑	嚴	冂	[illegible]	業
端知	○	○	○	○
透徹	○	僴	○	猵
定澄	[illegible]	○	○	[illegible]
泥孃	○	○	黏	[illegible]
幫非	○	腰	○	法
滂敷	芝	釩	汎	[illegible]
並奉	凡	范	梵	乏
明微	瑷	錽	[illegible]	○

精照	清穿	從床	心審	邪禪	曉	匣	影	喻	來	日	韻
夂	○	○	○	○	𩏩	○	醃	炎	○	○	凡
拈	○	○	○	○	險	○	埯	搛	○	○	范
○	○	○	洴	○	脅	○	淹	○	獫	○	梵
○	○	○	○	○	脅	○	𨂾	鎑	○	○	乏

門法玉鑰匙目録　總一十三門

(一)音和門　(二)類隔門　(三)窠切門

(四)輕重交互門　(五)振救門　(六)正音憑切門

(七)精照互用門　(八)寄韻憑切門　(九)喻下憑切門

(十)日寄憑切門　(十一)通廣門　(十二)偏狹門

(十三)內外門

玉鑰匙門法

(一)音和者謂切脚二字上者為切下者為韻先將上一字歸知本母於為韻等內本母下便是所切之字是名音和門故曰音和切字起根基等母同時便莫疑記取古紅公式樣故教學切起初知

(二)類隔者謂端等一四為切韻逢二三便切知

等字知等二三爲切韻逢一四却切端等字爲種類阻隔而音不同也故曰類隔如都江切椿字徒減切湛字之類是也唯有陟邪切爹字是麻韻不定切

③窠切者謂知等第三爲切韻逢精等影喻第四並切第三爲不離知等第三之本窠也故曰窠切如陟遙切朝字直猷切儔字之類是也

④輕重交互者謂幫等重音爲切韻逢有非等處諸母第三便切輕脣字非等輕脣爲切韻逢一二四皆切重唇字故曰輕重交互如匹尤切颩字芳桮切胚字之類是也

⑤振救者謂不問輕重等第但是精等字爲切韻逢諸母第三並切第四是振救門振者舉也

整也救者護也為舉其綱領能整三四救護精等之位也故曰振救如私兆切小字許里切似字之類是也

㊅正音憑切者謂照等第一為切（照等第一即四等中第二是也）韻逢諸母三四並切照一為正齒音中憑切也故曰正音憑切如楚居切初側鳩切鄒字之類是也

㊆精照互用者謂但是精等字為切韻逢諸母第二只切照一字照等第一為切韻逢諸母第一却切精一字故曰精照互用如士垢切鯫字則減切斬字之類是也

㊇寄韻憑切者謂照等第二為切（照等第二即等中第三也）韻逢一四並切照三言雖寄於別韻只憑為切之等也故曰寄韻憑切如昌来切犨字昌紿切茝字

之類是也

⑨喻下憑切者謂單喻母下三等為覆四等為仰仰覆之間只憑為切之等也故曰喻下憑切如余招切遥字于聿切颶字之類是也

⑩日寄憑切者謂日字母下第三為切韻逢一二四並切第三故曰日寄憑切如汝来切荋字儒華切捼如延切然字之類是也

⑪通廣者謂脣牙喉下為切以脂韻真諄是名通仙祭清霄號廣門韻逢來日知照三通廣門中四上存所謂通廣者以其第三通及第四等也故曰通廣如符真切頻芳連切篇字之類是也

⑫侷狹者亦謂脣牙喉下為切韻逢東鍾陽魚

叅為偈尤鹽侵麻狹中依韻逢精等喻下四偈
狹三上莫生疑所謂偈狹者為第四等字少第
三等字多故曰偈狹如去羊切羌字許由切休
字之類是也

⑬內外者謂唇牙喉舌來日下為切韻逢照一
內轉切三外轉切二故曰內外如古雙切江矣
殑切熊字之類是也　十三門法終

總括玉鑰匙玄關歌訣

牙音

切時若用見溪群四等音和隨韻臻臻至也此
四母下字隨四等韻去皆是音和如古紅切公
古行切庚豈俱切區古賢切堅字之類是也照
類兩中一作韻兩中一於四等中為第二也後

皆倣此內三外二自名分韻逢兩中一即分內外如居霜切姜是內三門古雙切江是外二門

精雙喻四為其法徧狹須歸三上親韻逢精二喻四於偏狹門中切第三如去羊切羌是偏門巨監切鹹是狹門來日舌三并照二來日舌三照二皆是第三等也廣通必取四為真韻逢來日舌三照二於廣通門中切第四等也如渠脂切祇是通門居正切勁是廣門

舌音

一四端泥三二知一等四等歸端等二等三等歸知等相乘類隔已明之端等一四與知等二三於玉鑰匙內已明言之矣知逢影喻精邪四窠切憑三有定基只是知母第三為切韻逢精

等影喻第四並切第三是也正齒兩中一韻處
內三外二表玄微韻逢正齒音兩等中第一即
分內外如丁𪐏切知是內三門德山切儃是外
二門是也舌頭舌上輕分析留與學人作指歸

脣音

幫非為切最分明照一須隨內外形韻逢照一
即分內外如夫側切逼是內三門布山切班是
外二門來日舌三并照二廣通第四取真名韻逢
來日舌三照二於廣通門中切第四如符真切
頻是通門芳連切篇是廣門精雙喻四為其韻
偏狹卻將三上逆韻逢精二并喻四於偏狹門
中切為第三如府容切風是偏門缺狹門切肺
輕見重形須切重輕脣音為切隨韻切出重脣

音字是輕重交互門如武登切瞢方閑切編字之類是也重逢輕等必歸輕重唇音為切隨韻切出輕唇字亦是輕重交互門如匹尤切飆芳杯切胚字之類是也唯有東尤非等下相違不與衆同情重遇前三隨重體重謂重唇音在第一等名後一呑遇前三等諸毋下字為韻當切出輕唇音字今却是重唇字如莫浮切謀莫六切目字之類是也輕逢後一就輕聲輕謂第三等輕唇音為前三呑遇後一等諸毋下字為韻當切出重唇字今却是輕唇音字如馮貢切鳳字之類是也

齒音

精邪呑見一為韻定向兩中一上認精邪五毋

下字為切韻逢四等中第一定要向精邪一四
兩等中切出第一等字只是音和門四二相違
互用呼韻逢四等第二當切出照等字四三還
歸四名振韻逢諸母第三並切第四是振救門
照初却見四中一互用還歸精一順韻逢四等
第一當切出精等字逢三遇四盡歸初正音憑
切成規訓韻逢諸母三四並切照一是正音憑
切門如士尤切愁是第三憑切門山幽切摻是
第四憑切門照二若逢一四中只從寄韻三中
論照二即四等中第三也後皆倣此韻逢一四
並切照二如昌來切犨昌紿切茝字之類是也
切三韻二不離初第三照等為切韻逢第二照
等只切第二如充山切攙字之類是也精照昭

然真可信

喉音

曉喻四音隨韻至法同見等不差殊曉匣影喻四音隨四等韻去皆具音和亦如見等無少差殊也韻三來日連知照通廣門中四上擔韻逢來日知照三等於通廣門中切第四如下珎切瓚是通門呼世切𣢾是廣門精喻四時何以辨當於偈狹第三函韻逢精等喻下四於偈狹門中並切第三如許容切曾是偈門許由切休是狹門如逢照一言三二韻逢照一內轉切三外轉切二也喻毋復從三四談除曉匣影三毋外弃從單喻毋三等四等言之若逢仰覆但憑切三等為覆四等為仰仰覆之間只憑為切之等

也如余招切遥是仰于聿切颵是覆玄論分明

有指南

半舌半齒音

来逢四類但音和四類即四等也随四等韻去

皆是音和切日上憑三寄韻歌日字母下為切

韻逢一二四止要切於第三是日寄憑切門如

汝来切蒻如延切然字之類是也全得照初分

内外韻逢照一即分内外精雙喻四事如何謂

来逢精双喻四如何為法廣通侷狹憑三等於

廣通侷狹門中切第三是也如力小切撩是廣

門力遂切類是通門良蒋切兩是侷門力塩切

廉是狹門四位相通理不訛玄妙欲求端的處

五音該盡更無過

通止遇果　江蟹臻山

撿韻十六攝內八轉 （上） 用色貼子對貼八字

宕曾流深 （下） 用色貼子對貼八字 效假梗咸

內八轉

東董送屋　　脂旨至質

通攝冬○宋沃　　止攝

鍾腫用燭　　微尾未物

魚語御屋　　歌哿箇鐸

遇攝虞麌遇燭　　果攝

模姥暮沃　　戈果過鐸

陽養樣藥　　蒸拯證職

宕攝　　曾攝

唐蕩宕鐸　　登等嶝德

尤有宥燭

流攝　侯厚候屋　深攝侵寢沁緝

內轉歌訣

通攝東冬韻繼鍾　止攝脂微次第窮

遇攝魚虞模三位　果攝歌戈二韻從

宕攝陽唐君記取　曾攝蒸登兩韻風

流攝尤侯無他用　深攝孤侵在後宮

外八轉

齊蕭霽廢祭質

皆駭怪鎋

蟹攝

江攝江講絳覺　灰賄隊末

咍海代泰曷

眞軫震質　元阮願月
諄準稕術　寒旱翰曷
文吻問物　桓緩換末
臻攝　山攝
殷隱焮迄　山產諫鎋
痕狠恨沒　仙獮綿薛
魂混慁沒
宵小笑藥
效攝看巧効覺　假攝麻馬禡鎋
豪皓号鐸　覃感勘合
庚梗諍陌　鹽琰豔葉
梗攝清靜勁昔　咸攝

青邅徑錫　咸鐮陷洽

凡梵梵乏

外轉歌訣

江攝孤江只是江　蟹攝齊皆灰咍強
臻攝真魂六韻正　山攝仙元五韻昌
效攝宵肴豪三位　假攝孤麻鎮一方
梗攝庚清青色字　咸攝覃鹽凡四鄉

入聲九攝通宕曾深。江臻山梗咸

咸通曾梗宕江山　深臻九攝入聲全
流遇四等通攝借　咍皆開合在寒山
齊止借臻鄰曾梗　高交元本宕江邊
歌戈一借岡光一　四三并二却歸山

斗聲韻

梗曾二攝與通疑　止攝無時蟹攝推

江宕略同流參遇　用時交互較量宜

輕脣十韻

輕韻東鍾微與元　凡虞文廢亦同然

更有陽尤皆一體　不該十韻重中編

辨開合不論

諸韻切法皆有定式唯開合一門絕無憑據直須於開合兩處韻中較訂始見分明如蒲干切槃下沒切紇俱萬切建字之類是也詁

夫藝有精粗學有是否藝之粗者堪容學之否者宜辯如今之切韻者多用因煙人然經堅丁顛之類此法極是浮淺乃前賢訓蒙誘引切韻入門之法耳甚不足為儒者所尚反害其正音

如古今韻會中打字作丁𠃢切其不知挨類隔門法卻切過字上聲其打字本是都冷切挨類隔門法切作爭字上聲不知後世緣何變作打字此字訛久如卦字本是怪字之類甚不可便作丁𠃢切此其不知正音切法是以管窺天傳流而失其真者也又將反切二字說作子母相生之義此等瑣碎穿鑿皆是從此法中來故使後之學者疑惑而不決其實反切二字本同一義反即切也切即反也如德紅切反云德丁顛東弄作德紅反切云德丁顛東或作反或作切皆可通用是字雖異而義同也學者詳之反平声

呼吸辨

凡字之聲出者為呼不出者為吸略如東通刀

叨四字其東字與刀字屬叉通字與叨字皆屬
呼也

鄉談辯括

鄉談豈但分南北　每郡相鄰便不同
經史故教音韻證　不因指示又難通

又

屢見高明賢氣質　渺無憑據字從訛
韻明經史方歸正　信是儒宗第一科

詳夫東冬脂微真殷等每二韻中酌其五音清濁輕重等第字音並同是不當分而分者及乎元魂二韻聲捐背戾而反通押是何其若此之不倫也然而攷文之事孰敢擅專宜待名公賢士倘肎聞

上所正而復明之俾吾儕皆得便益是亦斯文
之幸也
平声東冬脂微真殷諄文仙元清青鹽凡上声
旨尾語麌軫隱準吻獮阮靜迥琰范去声送宋
至未御遇泰代霽祭震焮稕問線願勁徑豔梵
入声屋沃質迄術物薛月昔錫葉乏
凡可併者小字當併入大字韻中
經史動靜字音
凡字之動者在諸經史當以朱筆圈之靜者不
當圈也
王平声君也君有天下曰王去声
女上声如也以女嫁人曰女去声
妻平声與夫齊者也以女適夫曰妻去声

親平声婣也婚婣相賓曰親去声
賓平声客也以禮會賓曰賓去声
衣平声身章也施諸身曰衣去声
冠平声首服也加諸首曰冠去声
枕上声藉首木也首在木曰枕去声
飲上声酒漿也所以歠曰飲去声
麾平声旌旗也所以使人曰麾去声
氷平声水凝也所以寒物曰氷去声
膏平声脂凝也所以潤物曰膏去声
文平声釆章也所以飾物曰文去声
粉上声白飾也所以傅物曰粉去声
巾平声所以飾物曰巾去声
熏平声煙出也所以薰物曰熏去声

陰平聲氣之濁也所以庇物曰陰去聲

采上聲取也所以取食曰采去聲

輕平聲浮也所以自用曰輕去聲

兩上聲偶數也物相偶曰兩去聲

三平聲奇數也審用其數曰三去聲

左上聲左手也左右助之曰左去聲

右上聲右手也左右助之曰右去聲

先平聲前也前之曰先去聲

卑平聲下也下之曰卑去聲

遠上聲疏也疏之曰遠去聲

離平聲兩也兩之曰離去聲

傍平聲近也近之曰傍去聲

空平聲虛也虛之曰空去聲

沉平声 沒也沒之曰沉去声

重平声 再也再之曰重去声

數上声 計之也計之有多少曰數去声

量平声 酌也酌之有大小曰量去声

度上声 約也約之有長短曰度去声

高平声 崇也度高曰高去声

深平声 下也測深曰深去声

長平声 永也揆長曰長去声

廣上声 闊也量廣曰廣去声

染上声 濡也既濡曰染去声

折旨列切 屈也既屈曰折常列切

別彼列切 辨也既辨曰別皮列切

貫平声 穿也既穿曰貫去声

縫平声紩也既紩曰縫去声
過平声逾也既逾曰過去声
斷都管切絕也既絕曰斷徒管切
盡即忍切極也既極曰盡慈忍切
分平声別也既別曰分去声
解佳買切釋也既釋曰解胡買切
行平声履也履迹曰行去声
施平声行也行惠曰施去声
相平声共也共助曰相去声
從平声隨也隨後曰從去声
走上声趨也趨嚮曰走去声
奔平声趨也趨走曰奔去声
散上声分也分布曰散去声

還平声回也回遶曰還去声
和平声調也調絜曰和去声
調平声和也和適曰調去声
凝平声結也結固曰凝去声
彊平声堅也堅固曰彊去声
齊平声等也等平曰齊去声
延平声長也長引曰延去声
著張畧切置也置定曰著直畧切
冥平声暗也暗甚曰冥去声
塵平声土也土污曰塵去声
煎平声烹也久烹曰煎去声
炙之石切炮也炮肉曰炙之夜切
收平声歛也歛穫曰收去声

歛上声收也收聚曰歛去声

陳平声列也成列曰陳去声

呼平声声也號声曰呼去声

悔上声過也改過曰悔去声

如平声似也審似曰如去声

應平声當也相當曰應去声

當平声宜也得宜曰當去声

帥入声總也總人者曰帥去声

将平声持也持衆者曰将去声

監平声莅也莅事者曰監去声

使上声命也将命者曰使去声

援平声引也引者曰援去声

障平声壅也壅者曰障去声

防平声禦也禦者曰防去声

任平声堪也堪其事曰任去声

中平声任也適任其宜曰中去声

間平声中也廁其中曰間去声

足即玉切止也益而止曰足子句切

勝平声舉也舉之克曰勝去声

觀平声視也謂視曰觀去声

號平声呼也謂呼曰號去声

爭平声鬪也謂鬪曰爭去声

迎平声逆也謂逆曰迎去声

攻平声伐也謂伐曰攻去声

守上声保也謂保曰守去声

選上声擇也謂擇曰選去声

聽平聲聆也聆謂之聽去聲

禁平聲制也制謂之禁去聲

知平聲識別也識謂之知去聲

思平聲慮度也慮謂之思去聲

評平聲訂也訂語謂之評去聲

論平聲説也説言謂之論去聲

便平聲欲也得所欲謂之便去聲

好上聲善也嚮所善謂之好去聲

惡烏各反否也心所否謂之惡烏故切

喜上聲悦也情所欲謂之喜去聲

怨平聲尤之也意有所尤謂之

操平聲持也志有所持謂之操去聲

語上聲言也以言告之謂之語去聲

令平聲使也所使之言謂之令去聲
教平聲使也所使之言謂之教去聲
雨上聲天澤也謂雨自上下曰雨去聲
宿息逐切止也謂日星所止舍曰宿息救切
種上聲五穀也謂播穀曰種去聲
生平聲育也謂育子曰生去聲
乳上聲生子也謂飼子曰乳去聲
吹平聲呴也謂呴氣曰吹去聲
烝平聲氣噓也謂氣噓而澤曰烝去聲
經平聲東西謂東西其緯曰經去聲
緣平聲循也謂循飾其傍曰緣去聲
編平聲次也謂所次列曰編去聲
封平聲授爵土也謂所授爵土曰封去聲

載（去声濁音）舟車所致物也謂致物曰載（去声清音）

張（平声）陳也謂所陳事曰張（去声）

藏（平声）入也謂物所入曰藏（去声）

處（上声）居也謂所居曰處（去声）

爨（平声）炊也謂所炊處曰爨（去声）

柱（上声）支也謂支木曰柱（去声）

乘（平声）登車也謂其車曰乘（去声）

卷（上声）曲也謂其曲曰卷（去声）

祝（之六切）祭主贊詞者也謂贊詞曰祝（職救切）

要（平声）約也謂約書曰要（去声）

傳（平声）授也記所授曰傳（去声）

名（平声）目也目諸物曰名（去声）

首（上声）頭也頭所嚮曰首（去声）

蹄平声獸足也足相踶曰蹄去声

始上声初也緩言有初曰始去声

聞平声聆聲也聲著於外曰聞去声

稱平声舉也舉事得宜曰稱去声

譽平声稱也稱名當體曰譽去声

平平声均也品物定法曰平去声

治平声理也致理成功曰治去声

衷平声中也處事用中曰衷去声

裁平声制也體制合宜曰裁去声

勞平声勤也賞勤勸功曰勞去声

興平声舉也舉物寓意曰興去声

累上声連也牽連為敗曰累去声

與上声授也授而共之曰與去声

比(上声)近也近而親之曰比(去声)
難(平声)艱也動而有所艱曰難(去声)
繫(古詣切)屬也屬而有所著曰繫(胡計切)
爲(平声)造也造而有所循曰爲(去声)
遲(平声)緩也緩而有所待曰遲(去声)
屬(上欲切)聯也聯而有所係曰屬(去声)
享(上声)獻也神受其獻曰享(去声)
棺(平声)柩也以柩斂尸曰棺(去声)
緘(平声)束也謂齊棺束曰緘(去声)
含(平声)實口中也謂口中實曰含(去声)
遣(上声)逸也送終之物曰遣(去声)
引(上声)曳也曳車之紼曰引(去声)
臨(平声)莅也哭而莅喪曰臨(去声)

取於人曰假（上声）與之曰假（去声）
取於人曰借（子亦切）與之曰借（子夜切）
取於人曰乞（入声）與之曰乞（去声）
取於人曰貸（他得切）與之曰貸（他代切）
毀之曰壞（音怪）毀曰壞（戶怪切）
毀他曰敗（愽怪切）自毀曰敗（蒲敗切）
壞他曰毀（上声）自壞曰毀（去声）
上化下曰風（平声）下剌上曰風（去声）
上臨下曰見（古電切）下朝上曰見（胡彥切）
視之曰見（古電切）示之曰見（胡彥切）
下曰上曰告（古沃切）上布下曰告（古報切）
上育下曰養（上声）下奉上曰養（去声）
上賦下曰共（平声）下奉上曰共（去声）

有所亡曰遺平声有所與曰遺去声

設之曰施書之切及之曰施羊曳

因而改曰更平声捨故而作曰更去声

除之曰去上声自離曰去去声

聚之曰畜勑六切養之曰畜許六切

死亡曰喪平声失亡曰喪去声

意遺曰忘平声意背曰忘去声

善功曰巧上声僞功曰巧去声

懼之急曰恐上声疑之曰恐去声

復之速曰還音旋緩之曰還音圜

命中曰射羊益切以禮曰射神夜切

制師從已曰取七庾切屈已事師曰取七句切

上委下曰仰去声下瞻上曰仰上声

凡廣曰大(徒盖切) 其極曰大(土盖切)

凡微曰少(上声) 其降曰少(去声)

焉(於乾切)何也常居語初 焉(于乾切)中也常居語末

相合曰會(胡外切) 聚合曰會(古外切)

開謂之披(平声) 分謂之披(上声)

掦謂之播(上声) 布謂之播(上声)

下謂之降(古巷切) 伏謂之降(戶江切)

傾曰覆(入声) 盖曰覆(去声即是服副二音)

聲和曰樂(五角切) 志和曰樂(盧各切)

旦日曰朝(陟遥切) 旦見曰朝(直遥切)

餐謂之食(時力切) 餉謂之食(祥志切)

目汁曰涕(耻礼切又音第) 鼻汁曰涕(他計切)

剚謂之刺(入声) 傷謂之刺(去声)

承曰奉（扶勇切）拱曰奉（扶用切）

人之義稱曰父（音輔）家之尊曰父（扶雨切）

著謂之被（皮彼切）寢衣也覆謂之被（平義切）

牽和曰合（古盍切）自和曰合（胡閤切）

居高定體曰上（時亮切）自下而升曰上（時掌切）

居卑定體曰下（胡雅切）自上而降曰下（胡嫁切）

居其後曰後（胡苟切）從其後曰後（胡姤切）

相鄰曰近（巨隱切）相覲曰近（巨刃切）

四方廣大曰夏（胡雅切）中夏也萬物盛大曰夏（胡嫁切）冬夏也

動靜字音終

助緣比丘道謹

一 獨

聲	見	溪	羣	疑	端	透	定	泥	知
平	高	尻	〇	敖	刀	饕	陶	猱	
	交	敲	〇	聱					嘲
	驕	趫	喬	〇					朝
	驍	鄡	翹	嶢	貂	祧	迢	〇	
上	暠	考	〇	䫜	倒	討	道	腦	
	絞	巧	〇	齩					獠
	矯	槁	蹻	鱎					〇
	皎	磽	〇	磽	鳥	朓	窕	嬲	
去	誥	鎬	〇	傲	到	韜	導	腝	
	教	敲	〇	樂					罩
	驕	趬	嶠	䖙					〇
	叫	竅	翹	顤	弔	糶	藋	尿	
入	各	恪	〇	咢	〇	託	鐸	諾	
	覺	㱿	〇	嶽					斲
	腳	卻	噱	虐					芍
	〇	〇	〇	〇	〇	〇	〇	〇	

徹	澄	娘	幫	滂	並	明	非	敷
			褒	橐	袍	毛		
䫿	祧	鐃	包	胞	庖	茅		
超	晁	○	鑣	○	○	苗	○	○
			飇	㶾	瓢	蜱		
			寶	○	抱	蓩		
○	○	獿	飽	○	鮑	卯		
[illegible]	肇	○	表	麃	藨	○	○	○
			褾	縹	摽	眇		
			報	○	暴	冃		
趠	棹	橈	豹	奅	靤	貌		
朓	召	○	裱	○	驃	廟	○	○
			○	剽	○	妙		
			博	䪙	泊	莫		
逴	濁	搦	剝	璞	雹	邈		
踔	著	逽	○	○	○	○	○	○
			○	○	○	○		

一獨	奉	微	精	清	從	心	斜	照	穿
平			糟	操	曹	騷	○		
								⿰耳巢	䜈
	○	○						昭	怊
			焦	鍬	樵	蕭	○		
上			早	草	皁	嫂	○		
								爪	煼
	○	○						沼	麨
			勦	悄	○	篠	○		
去			竈	操	漕	喿	○		
								抓	鈔
	○	○						照	○
			醮	陗	噍	嘯	○		
入			作	錯	昨	索	○		
								捉	娖
	○	○						灼	綽
			爵	鵲	皭	削	○		

牀	審	禪	影	曉	匣	喻	來	日	韻
			爊	蒿	豪	○	勞		豪
巢	梢	○	[illegible]	虓	肴	○	顟		肴
○	燒	韶	妖	囂	○	鴞	燎	饒	宵
			幺	膮	○	遙	聊		蕭
			襖	好	皓	○	老		皓
[illegible]	数	○	拗	○	澩	○	○		巧
○	少	紹	夭	○	○	○	繚	擾	小
			杳	鐃	皛	鷕	了		篠
			奧	耗	号	○	嫪		号
巢	稍	○	靿	孝	效	○	○		效
○	少	邵	要	○	○	○	尞	饒	笑
			窔	歗	○	燿	類		嘯
			惡	臛	涸	○	落		鐸
浞	朔	○	渥	吒	學	○	犖		覺
○	爍	妁	約	謔	○	○	略	若	藥
			○	○	○	藥	○		

二

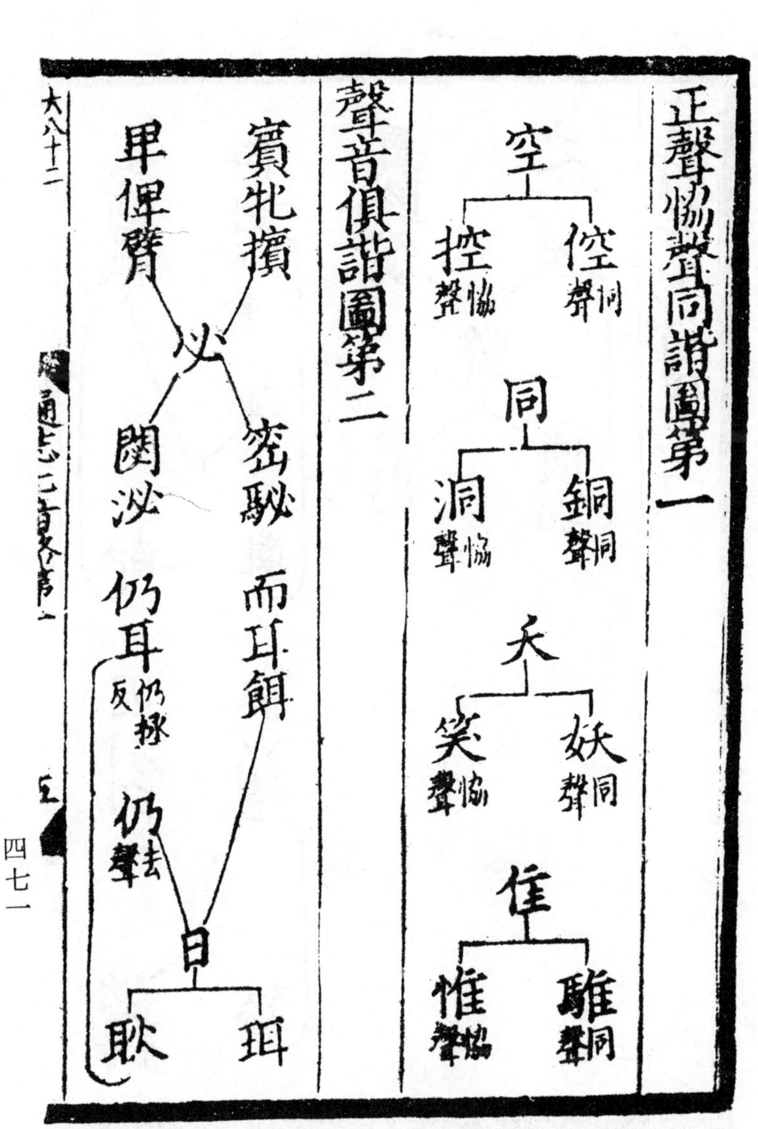

正聲協聲同諧圖第一
空
倥同聲
控協聲
同
銅同聲
洞協聲
夭
妖同聲
笑協聲
隹
雖同聲
惟協聲
聲音俱諧圖第二
賓牝擯
畢俾臂
必
密駜
閟泌
而耳餌
仍耳仍拯反
仍去聲
日
珥
耿

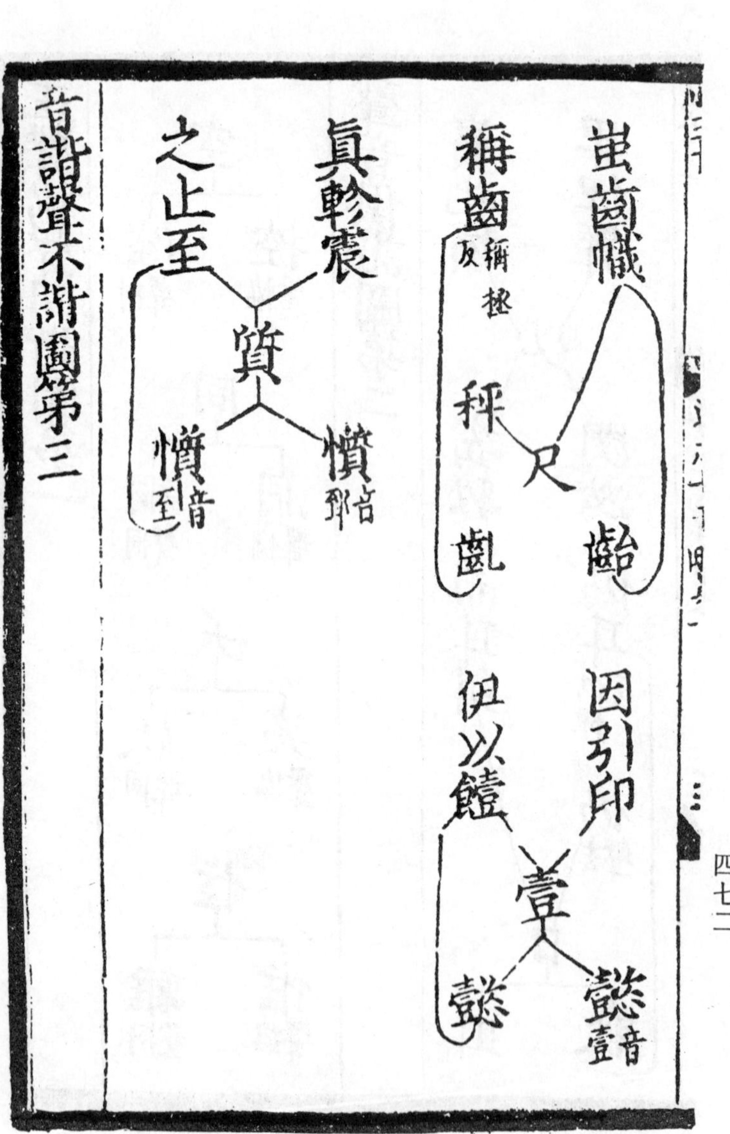

音諧聲不諧圖第三
蚩齒熾
尺
齝
稱齒
稱拯反
秤
齓
因引印
壹
懿 音壹
伊以饐
懿
真軫震
質
懫 音郅
之止至
懫 音至

內轉第一

	羽				徵				角			
	幫	滂	並	明	端	透	定	泥	見	溪	群	疑
					知	徹	澄	孃				
平		俸	蓬	蒙	東	通	同		公	空		峴
	風	豐	馮	瞢	中	忡	蟲		弓	穹	窮	
上	琫		埲	蠓	董	桶	動	䶲		孔		湡
去			槰	幪	凍	痛	洞	齈	貢	控		
	諷	賵	鳳	夢	中	矗	仲			焪		
入	卜	扑	瀑	木	縠	秃	獨		穀	哭		
	福	蝮	伏	目	竹	蓄	逐	肭	菊	麴	驧	砡

重中重

	精照	清穿	從床	心審	邪禪	影	曉	匣	喻	來	日
	商					宮				半徵	半商
東	㚇	蔥	叢	檧		翁	烘	洪		籠	
		䩬	崇								
	終	充				硧	㕺	雄		隆	戎
				嵩					融		
董	總		揔	敵		蓊	嗊	澒		曨	
送	粽	謥	[illegible]	送		甕	烘	哄		弄	
			[illegible]								
	衆	銃									
		趥									
屋	鏃	瘯	族	速		屋	縠			禄	
	縬	珿	簇	縮							
	粥	俶	孰	叔		郁	蓄		囿	六	肉
	蹙	鼀	[illegible]	肅							

韻圖	見溪羣疑	端透定泥	幫滂並明
	屬牙音	屬舌頭音 具二等 舌頭一在四等一 舌頭二在四等四 眞二等 假二等	屬脣音 重具四等
四等四聲	具四等	知徹澄孃 屬舌上音 具二等 舌上一在四等二 舌上二在四等三 眞二等 假二等	非敷奉微 屬輕脣 音只具第三等
	角	徵	宮
四一 平上去入	此中字屬牙音 四一	此中字屬舌頭音一在四等一	此中字屬脣音 四一
四二 平上去入	此中字屬牙音 四二	此中字屬舌上音一在四等二	此中字屬重脣音 四二
四三 平上去入	此中字屬牙音 四三	此中字屬舌上音二在四等三	此中字屬重脣音 四三 七輕韻只脣音 此第三等 有輕無重
四四 平上去入	此中字屬牙音 四四	此中字屬舌頭音二在四等四	此中字屬重脣 四四

精清從心邪	曉匣影喻	來	日
屬齒頭音 具兩等 兩一 兩二 兩一在四等一 兩二在四等四	屬喉音	屬半舌	半齒音
照 屬正齒音 穿 具兩等 牀 兩一 兩二 審 兩一在四等二 禪 兩二在四等三	具四等	具四等	
商	羽	半徵	半商
此中字 齒頭音 精等兩 一在 四等一	此中字 屬喉音 四一	此中字 屬 來	四一
此中字 正齒音 照等兩 一在 四等二	此中字 屬喉音 四二	此中字 屬 來	四二
此中字 正齒音 照等兩 二在 四等三	此中字 屬喉音 四三	此中字 屬 來	四三
此中字 齒頭音 精等兩 二在 四等四	此中字 屬喉音 四四	此中字 屬 來	四四

通攝內一　重少輕多韻

見	溪	羣	疑	端知	透徹	定澄	泥孃	幫非	滂敷	並奉	明微
公顭貢穀	空孔控哭	𩓥○○○	𡶸湡○矐	東董涷㲉	通桶痛秃	同動洞獨	農䵜齈耨	○琫○卜	𠉷○○扑	蓬菶蓬暴	蒙蠓幪木
○○○○	○○○○	○○○○	○○○○	○○○○	○○○○	○○○○	○○○○	○○○○	○○○○	○○○○	○○○○
恭拱供菊	穹恐焪曲	窮梁共侷	顒○○玉	中冢湩瘃	忡寵蹱楝	蟲重仲躅	醲○搣傉	封覂葑福	封捧○蝮	逢奉鳳伏	○○○○
○○○○	○○○○	○○○○	○○○○	○○○○	○○○○	○○○○	○○○○	○○○○	○○○○	○○○○	○○○○

聲母	一				二				三				四			
精照	椶	總	糉	鏃	○	○	○	縬	鍾	腫	種	燭	○	○	○	○
清穿	蔥	○	謥	瘯	○	○	○	珿	衝	[illegible]	揰	觸	○	○	○	○
從牀	叢	嵸	[illegible]	族	崇	○	[illegible]	鸀	○	○	○	贖	○	○	○	○
心審	檧	𢾘	送	速	○	○	○	縮	舂	○	○	束	○	○	○	○
邪禪	○	○	○	○	○	○	○	○	鱅	尰	○	蜀	○	○	○	○
曉	烘	嗊	烘	嗀	○	○	○	○	胷	洶	𧼮	旭	○	○	○	○
匣	洪	澒	哄	縠	○	○	○	○	雄	○	○	○	○	○	○	○
影	翁	蓊	甕	屋	○	○	○	○	邕	擁	雍	郁	○	○	○	○
喻	○	○	○	○	○	○	○	○	○	○	○	○	○	○	○	○
來	籠	籠	弄	祿	○	○	○	○	龍	隴	矓	錄	○	○	○	○
日	○	○	○	○	○	○	○	○	茸	宂	𩌈	褥	○	○	○	○
	東	董	送	屋	○	○	○	○	鍾	腫	用	燭				

冬腫宋沃 東冬鍾相助

歸安姚氏刊